Генрих ПАДВА

От сумы и от тюрьмы…

ЗАПИСКИ АДВОКАТА

МОСКВА
ПРОЗАиК
2016

УДК 821.161.1
ББК 84(2Рос=Рус)6-4
П12

*Глубочайшая благодарность
Оксане Рустамовой
за подвижническую и бескорыстную помощь,
без которой эта книга, скорее всего,
не была бы создана.*

Автор

В оформлении книги использованы фотографии
из личного архива автора
Фотопортрет на переплете работы Дины Щедринской

Дизайн Татьяны Костериной

Падва Г.П.

П12   От сумы и от тюрьмы…: Записки адвоката / Генрих Падва. –
М.: ПРОЗАиК, 2016. – 304 с.

ISBN 978-5-91631-244-7

За свою более чем полувековую практику Генрих Падва
защищал в судах многие тысячи людей. Среди его подзащитных
были и никому не известные люди, и знаменитости. Он защищал
бывшего Председателя Верховного Совета СССР Анатолия Лукьянова
и криминального авторитета Славу Япончика (Вячеслава Иванькова),
красноярского предпринимателя и политического деятеля Анатолия
Быкова и не нуждающегося в представлении Михаила Ходорковского;
оказывал юридическую помощь родным и близким академика Андрея
Сахарова и прославленного музыканта Мстислава Ростроповича;
вел наследственные дела великого российского певца Федора Шаляпина
и гениального поэта Бориса Пастернака.

Генрих Падва был одним из основателей Союза адвокатов СССР,
одним из первых стал вести дела о защите чести и достоинства; само
законодательство по таким делам возникло не без его участия.
Он успешно отстаивал запрещение в стране смертной казни и права
сексуальных меньшинств.

О своей богатой событиями жизни и наиболее интересных делах
Генрих Падва вспоминает в этой книге.

УДК 821.161.1
ББК 84(2Рос=Рус)6-4

ISBN 978-5-91631-244-7

Оглавление

Отчего так грустно вспоминать, оборотившись к прошедшим десятилетиям, свои дела, работу свою, которой отданы вся страсть, все силы, помыслы и надежды? Откуда эта боль, эта щемящая тоска? Ведь мнилось все эти годы, что людей защищать, помогать им в спорах ли гражданских, в защите ли их прав в уголовных делах, что отстаивать их интересы, противостоять грозной обвинительной власти, вслед за гением российским «милость к падшим призывать» – завидная судьба.

Так почему же сейчас, когда о милосердии, о гуманности, о чести и достоинстве личности слышатся голоса не только адвокатов, почему же именно теперь так смутно на душе и горько вспоминать? Надо бы радостным быть, но «услужливая» память все чаще подсовывает из пережитого жуткие мгновения ожидания приговоров, когда наивная надежда еще едва теплится, еще чуть трепещет в сердце и... безжалостно, бессмысленно жестоко, немилосердно рушится провозглашенным приговором. Какое отчаяние от беспомощности своей, какая обида от непонимания, какая тоска от бессилия что-либо изменить, исправить!

...А людей судили. Сотнями, тысячами. За всё.

За скандал на собрании, когда один из них, хлебнувши для храбрости самогонки, такую «демагогию» (как потом писалось в обвинительном заключении) развел, так лихо по столу кулаком стучал, что чернильница упала, а секретарь райкома – был там один такой «смельчак» – под стол сиганул. Секретаря этого немного позже сняли, но парню это не помогло. Ему успели, выслуживаясь перед не снятым пока секретарем, дать «под завязку» – 5 лет за хулиганство. А я его защищал...

...И за дебош в доме, когда ветеран войны (а было-то ветерану лет под тридцать, но уже без ноги и одного глаза), матерясь на чем свет стоит, вышибал дух из бухгалтера колхоза, тоже ветерана, но без руки, за какие-то там расчеты по трудодням. Судили хромого ветерана. И хотя защищал его не только я, но и потерпевший бухгалтер, и говорили мы оба простые и ясные человеческие слова, что можно и нужно понять и простить, и хотя рыдали в зале суда мать и вновь неожиданно вдовеющая жена, посадили всё ж таки мужика.

И за опоздание на работу судили. Девчонку еще, заводскую. Помню, как по-детски плакала она, размазывая по щекам слезы и шмыгая носом, и сказать толком ничего не умела. И вновь я защищал, тогда еще тоже такой же молоденький мальчишка, готовый тоже чуть ли не расплакаться от жалости и сострадания, взывая судей к тому же. Мне казалось – убедительно защищал, проникновенно, искренне. И не о многом просил – о милости небольшой: не сажать в тюрьму девчонку, не лишать свободы, наказать, но по-другому как-нибудь. Не защитил. Посадили и ее. «И поведай, как в бараке привыкала ты к баланде...»

Памятный 1953 год. Умер Сталин, но весь ужас, все страдания народные еще не умерли вместе с ним. Не было ни порядка, ни благоденствия, ни счастья. Я свидетельствую, я видел. Видел сотни тысяч мужчин и женщин в лагерях. Видел этих же людей в нищенских хозяйствах, носивших имя «вождя». Слышал стенания женщин, видел равнодушие к ним, жуткое, бесчеловечное равнодушие ко всем. Но особенно к оступившимся, к «падшим».

Милость к падшим. Слышите, к падшим!

Великий человек, гордость нашей Отчизны, призывал к чувствам добрым и любезен был народу. Куда же чувства эти подевались? Откуда жестокость такая, злоба, нелюбовь к соотечественникам? Кто и что порождали это безумное массовое лишение свободы на годы, десятилетия тысяч, сотен тысяч, миллионов людей наших, мужчин и женщин, стариков и несовершеннолетних, больных и умирающих, да-да, и умирающих. Я видел, как в Московский городской суд практически на носилках приносили человека, чтобы осудить, к лишению свободы, конечно. Больного, старого, умирающего человека – и не убийцу, не насильника, не разбойника.

Я помню, как во время суда перекосило, частично парализовало человека, но после перерыва суд продолжался, и заплетающимся языком, сквозь кривящиеся полупарализованные губы произносил показания подсудимый и продолжал посильно сражаться с обвинением. Вотще!

Все прошедшие годы рядом с ним, падшим, в порой бессильных устремлениях помочь, в сострадании и жалости, в тисках собственного бесправия и беспомощности, с тщетными призывами к милосердию был я, его защитник.

Не оттого ли так больно и горько вспоминать? Впору не только загрустить...

Но грешно сегодня лишь предаваться безутешным воспоминаниям. Сегодня голос защитника может и должен быть услышан не только судом, но всеми людьми нашими. Отцы и матери, братья и сестры, дети наши порой оступаются, падают, сказать страшно – иной раз и преступниками становятся. Не наш ли долг – общий, совместный – не подталкивать их далее, в смрад и скверну? «Люди они, человеки!» А мы им, голодным, куска хлеба не протянем. Страшно и это сказать – за то, что адвокат, защитник, во время свидания хоть хлеба даст подзащитному своему, его, защитника, из защитников могут выгнать. Чтоб не было сердобольных защитников, чтобы и они, даже защитники, равнодушно взирали на страдания людей, хоть и преступивших закон, но живых, из плоти и крови, страдающих, на волю рвущихся и... голодных.

Заставив жизнь назад листать страницы...
Микеланджело Буанаротти

Глава 1
СЕМЬЯ, ИЛИ КАК ВСЕ НАЧИНАЛОСЬ

Жизнь моя началась в 1931 году ровно так, как и миллионов других москвичей, а именно – в роддоме. Правда, роддом этот был не обычный, каких множество в Москве, а сам давно ставший героем литературных произведений и мемуаров – родильный дом, стоявший ранее на Арбате и носивший имя Грауэрмана[1]. Жаль, что его не удалось сохранить на старом месте!

Так получилось, что я знаю очень многих людей, которые появились на свет именно в нем. Такой своеобразный клуб! Недавно, например, получив в подарок от известного юриста, одного из крупнейших специалистов России по международному частному праву Марка Богуславского его автобиографическую книжку «Свидетель эпохи», я и в ней нашел упоминание о «родном роддоме» – оказалось, что и он член этого «клуба». Перелистывая воспоминания Марка Моисеевича, я в очередной раз удивился – как тесен мир! Дело в том, что его маму Генриетту Богуславскую я знал довольно давно, она шила платья у бабушки моей первой жены. И я, бывая в гостях у этой бабушки-портнихи, познакомился там с Генриеттой Абрамовной. Она была адвокатом, а позже я узнал, что ее сын – крупный ученый, юрист-международник. Прочтя в книге Марка Моисеевича,

---

[1] Родильный дом № 7 им. Г.Л.Грауэрмана (ранее носил имя купца С.В.Лепехина, на средства которого был открыт в 1907 г.) упоминается, например, в романе братьев Вайнеров «Эра Милосердия» и в снятом по этому произведению фильме «Место встречи изменить нельзя».

что и в детстве, и в юности мы все время обитали где-то совсем рядом, в московских переулочках, мне стало приятно, будто я встретил друга детства.

Именем своим я обязан дедушке с маминой стороны. Его любимым поэтом был Генрих Гейне, и он мечтал назвать внука в его честь. Отец был «за», а вот мама воспротивилась. Дело в том, что она слегка картавила и по этой причине категорически требовала, чтобы в моем имени не было буквы «р». На семейном совете сошлись на имени Евгений, и папа пошел меня регистрировать.

Тогда в загсах запись и рождений, и смертей велась в одном месте. Так получилось, что перед моим отцом в очереди на регистрацию стояла женщина, которая записывала умершим своего новорожденного сына по имени Женя. Папе, хоть он и не был суеверным, стало неприятно от такого совпадения, и назвать сына Евгением уже рука не поднялась.

Но какое же имя дать ребенку – неужели возвращаться назад и снова советоваться с родными? Папа вспомнил, что дед-то хотел назвать меня Генрихом, значит, так тому и быть.

Но в метрике предстояло записать фамилию и отчество. А имя и фамилия папы были непростыми. Звали его Эммануил-Павел. В еврейских семьях было принято давать два имени – первое для Бога, второе – для семейного употребления. А к фамилии Падва в пору своей революционной юности папа прибавил – Феофанов. Так что тезке великого поэта предстояло называться Генрих Эммануилович-Павлович Падва-Феофанов. Спасибо папе, он расстался с революционной фамилией прямо в тот же день в загсе. А отчество я сократил позже, устав от постоянной путаницы в своих документах.

Получив вместо Евгения Генриха, мама расстроилась, но вот что удивительно: мое имя она всегда произносила совершенно правильно, без всякой картавости, хотя грассировала в других словах! Кстати, в семье меня всегда звали Герой или Геркой и никогда – Генрихом.

Доставшаяся мне от папы фамилия – Падва – редкая и странная. Удивительно, что на любом языке почему-то людям удобнее ее писать как «Павда», а не «Падва», то есть переставляя буквы «д» и «в». Я привык к этому в России и полагал, что это именно русскому уху легче и проще услышать: «Павда». Но каково же было мое удивление, когда и во Франции, и в Англии, и в Италии – да, да, и в Италии! – в отелях, в авиакассах и многих других местах упорно писали: «Павда» – Pavda. Особенно странно, что это случалось и в Италии, откуда, от названия города Падуя (Padova), и произошла наша фамилия.

Вот уж поистине:
Что за фамилия чертова? –
Как ее ни вывертывай,
Криво звучит, а не прямо.

(О.Мандельштам)

Мой отец, Павел Юльевич, во время революции был в рядах большевиков, но затем тихонечко от них отвалился. Потом отец всю жизнь боялся, что его рано или поздно ликвидируют. Но каким-то счастливым образом эта страшная участь его миновала, Бог миловал от репрессий.

Почему он отошел от революции?

Родился папа в весьма образованной семье провизора, учился за границей, был либерально мыслящим юношей. Мог ли он не разделять светлых идеалов борцов за свободу пролетариата?! Романтика революции, возможность самому принять участие в ликвидации царящей в обществе несправедливости – все это его увлекло в самую гущу событий.

Но молодой идеализм уже вскоре после революции разбился о суровую действительность со всеми ее, теперь уже большевистскими, жестокостями. Поэтому в какой-то момент отец предпочел оставаться беспартийным и «заняться делом». Благо профессия у него была, так как в свое время он учился в политехническом институте, и он всю свою жизнь проработал плановиком-экономистом.

Когда началась Великая Отечественная война, отец по возрасту уже не подлежал мобилизации, но добровольно пошел в создающееся ополчение сразу же, хотя и мог, как ценный специалист, получить «броню», то есть освобождение от службы в армии. Он сам рассказывал потом, что ополченцы были буквально «пушечным мясом» и останавливали наступление немцев просто своим числом, а сами практически все погибали. Моему отцу повезло – он был контужен. Его подобрали и без сознания доставили в Москву, в госпиталь. Когда же папа выздоровел, ополчения, как такового, уже не было. Он вернулся на работу и почти до самого конца войны Москву не покидал, занимаясь, насколько я мог тогда понять, какими-то важными оборонными делами.

Хорошо помню, как незадолго до Дня Победы он уезжал – уже не воевать, а именно как специалист – заниматься вопросами восстановления предприятий на освобожденных территориях. Мы с мамой проводили его до Площади Маяковского, где он нас расцеловал, сел в метро и уехал. Мама плакала – ведь война еще шла, люди гибли... Папа был тогда в военной форме, с погонами капитана, а на груди были медали – кажется, за оборону Москвы и какие-то еще. Вернулся он вскоре, живой и здоровый.

Откровенно говоря, в раннем детстве я папу побаивался. Он был строгим и требовательным. Помню, как он настаивал, чтобы я вовремя ложился спать, чего я решительно не хотел. И если он поздно приходил с работы, а я к тому времени еще не спал, доставалось и мне, и маме. Поэтому я все же предпочитал перед самым его возвращением юркнуть в постель и притвориться спящим. Для этого я очень сильно зажмуривался, изо всех сил стараясь продемонстрировать, как крепко я сплю. Отец подходил, и одного взгляда ему было достаточно, чтобы раскусить мое притворство. Долгое время я никак не мог понять, как же он догадывается, что я в действительности не сплю. И только годы спустя я сообразил, что у по-настоящему спящего человека веки спокойно смежены, а не сжаты!

На самом же деле отец был не злой человек и меня очень любил. В моменты нежности, я помню, он звал меня Барбосом. Как родилось это домашнее прозвище, я не помню, а может быть, и никогда не знал. Но мне оно нравилось, так как всегда означало периоды нашего нежного общения. Помню, что когда в разлуке мы переписывались, я с удовольствием подписывал свои письма – Барбос.

Такие вот интимные, семейные имена мне кажутся исключительно важными во взаимоотношениях близких людей. У меня и для дочери, и для внучки есть ласковые прозвища, и я никогда не произношу их в минуты каких-то недоразумений между нами, ссор или недовольства друг другом – только в моменты мира и согласия. Так было и у меня с отцом...

Папа был внешне очень интересным импозантным мужчиной. Сравнительно небольшого роста, склонный к полноте, он обладал благородной, холеной внешностью и нравился женщинам необыкновенно. Мама рассказывала, что ее сразу покорила папина походка – стремительная, энергичная, таким она и воспринимала его.

Мне, в свою очередь, всегда нравилось внимание к нему женщин. И только однажды, когда моя первая жена, познакомившись со свекром, сказала мне: «Какой у тебя папа – поинтереснее тебя!» – этот комплимент отцу не пришелся мне по душе.

Я очень хорошо помню, как папа смеялся. Это тоже было праздником для меня, потому что на фоне обычных строгих взглядов и грозных окриков его раскатистый, бархатный смех превращал отца из грозного домашнего тирана в добрейшего папочку.

Я и тактильно, если так можно выразиться, очень по-разному его помню. То небритым и колючим, то ласковым, мягким и шелковистым – когда я его целовал в бритую щеку.

Отношения родителей друг с другом тоже складывались по-разному. Под конец жизни мамы отец чуть было не ушел от нее к другой женщине. Мама в это время болела и была накануне операции. Отец остался в семье, а вот мама через некоторое время после операции умерла.

Вскоре (или мне так показалось – слишком скоро после смерти мамы!) папа привел в дом именно ту женщину, с которой у него возник роман еще при жизни матери. Я примириться с этим не смог и после учебы уехал из Москвы в Калининскую, ныне Тверскую, область.

Отцу мой отъезд был совсем не безразличен. Я уже сказал, что по натуре он был человеком добрым и любящим. Мама рассказывала, что когда я после школы не поступил в Московский юридический институт и уехал на год учиться в Минск, папа, проводив меня на вокзал, пришел домой и заплакал. Вторичный мой отъезд, уже не на учебу, а на работу, не был столь же трагичен для отца, но все же он очень переживал мое отсутствие и мечтал о моем возвращении в Москву – и домой.

Отъезд и мне дался нелегко, но жить в одной комнате вместе с его новой женой я был не в состоянии. Она была намного моложе отца, внешне привлекательна, и теперь я вполне могу его понять. Конечно же, ни тени осуждения в моей душе не осталось, но в тот период нам с ним было очень трудно. Когда же эта дама от отца через какое-то время ушла, то это, хоть и было больно папе, принесло нам обоим некоторое облегчение. Тем более что он со временем встретил другую женщину и женился на ней.

Софья Игнатьевна Чаплинская была редкостной души человек. Встретившись уже в преклонном возрасте, они с папой нежно любили друг друга и прожили вместе до самой папиной смерти. Время от времени приезжали вдвоем ко мне в гости в Калинин, где я после окончания института и женитьбы жил с женой и дочерью.

У моей дочери остались самые трогательные воспоминания об этих посещениях, когда ее дедушка вместе с Софьей Игнатьевной появлялись у нас, увешанные сумками с едой и подарками. К сожалению, мечте отца о моем возвращении в Москву при его жизни так и не суждено было сбыться – я вернулся только после его смерти...

Софья Игнатьевна стала для моей внучки Али настоящей бабушкой. Они так нежно любили друг друга, играли в какие-то игры, Софья Игнатьевна учила правнучку вышивать, Аля помогала бабе Зосе готовить, и им было хорошо вместе.

Через какое-то время после смерти отца у Софьи Игнатьевны появился друг – Петр Назарович. Новообретенный дед Петя тоже относился к Альке с любовью, которая во многом объяснялась тем, что, несмотря на все его мечты, своих внуков у него не было. Он ходил с ней на пруд кормить уточек, а спорил всегда как со взрослой...

* * *

Перечитав написанное об отце, я решил, что нужно подробно рассказать о маме, дабы не возник образ несчастной женщины, которая жила под властью деспотичного хозяина дома, вдобавок, под конец жизни, чуть было не оставившего ее в одиночестве. На самом деле это было не так.

Моя мама – Ева Иосифовна – была очень активной, темпераментной, любящей жизнь. Она жила с горячо любимым человеком, была очень счастлива в материнстве. Конечно, вовсе не потому, что я был такой хороший сын и доставлял одни только радости, а потому, вероятно, что она была так создана: любить, заботиться о ком-то и отдавать страсть свою, свою любовь и заботу не только мужу, но и, может быть, даже в первую очередь, ребенку.

К тому же значительную часть жизни мамы занимали отношения с сестрами и с их детьми. Горе и радости у нас у всех были общие, и свою племянницу Аллу моя мать любила почти так же сильно, как меня, своего сына.

Мама много работала, и ее работа доставляла ей удовлетворение. И в преподавание танцев, и в шитье (она этим подрабатывала) мама вкладывала свой прекрасный вкус и понимание красоты.

Я хорошо помню и люблю стрекотание швейной машинки – у мамы был «Зингер» с ножным приводом. Как сейчас вижу красивые мамины руки: одна рука направляет материал под иглу, другая – слегка вытягивает уже прошитое. Иногда я удостаивался права помочь, если маме не удавалось вдеть нитку в игольное ушко. А я радовался и гордился возможностью быть полезным. В эвакуации у нас была машинка ручная, и тогда, крутя ручку, я тоже время от времени помогал маме.

После маминой смерти швейная машинка долго стояла в нашей комнате, как и некоторые другие личные мамины вещи. Папа говорил:

– Права была Ева – мы умрем, а вещи останутся.

Мама действительно так говорила, чаще всего в ответ на папино недовольство, иной раз резко выраженное, по поводу разбитой чашки или сломанного стула.

Удивительно, но после маминой смерти отец никому не позволил ничего переставить, перевесить или поменять на более современное в комнате.

Я не заметил, как со временем исчезла мамина швейная машинка. Как и мама, я не отличался чрезмерной привязанностью к вещам, и с раннего детства усвоил эту мамину формулу: мы все когда-то умрем, а вещи нас переживут.

Мы с мамой были невероятно дружны. Я хорошо помню совместные походы в театры и в консерваторию. Обладая хорошим слухом, она тонко и глубоко понимала музыку, и после концертов мы много говорили о наших впечатлениях: мамины замечания помогали мне понять и осмыслить услышанное.

У нас были и бесконечные задушевные разговоры о литературе: мама всегда много читала, и ее оценки того или иного писателя были подчас чрезвычайно неожиданны и своеобразны.

Я помню мамины рассказы о ее детстве, о том, как они жили в маленьком латвийском городке, называвшемся тогда Двинск (впоследствии – Даугавпилс), об одном из братьев, Самуиле, которого она нежно любила и который навещал ее в пору ее учебы во Франции. По рассказам мамы, брат был веселый повеса, красавчик и жуир.

Однажды он повел маму в казино, и она впервые в жизни сыграла, поставив то ли один доллар, то ли один франк. И сразу же выиграла, удвоив поставленную сумму! Брат посоветовал оставить всю сумму, сделав ее новой ставкой. Но мама отказалась и сняла выигрыш, оставив лишь первоначальную монетку. И снова выиграла! Она вновь и вновь повторяла такие ставки, и каждый раз выигрывала – девять раз.

Мой дядя был, с одной стороны, потрясен ее везением, а с другой – возмущен тем, что она снимала выигрыш, не оставляя его на новых ставках. Он подсчитал, какой бы был огромный выигрыш, если бы она это не делала. Мама же, по ее словам, чувствовала, что если бы она оставляла выигрыш, то в следующий раз обязательно проиграла бы. Наконец, поддавшись уговорам брата, на десятый раз, оставив две монетки, она сделала ставку и, конечно же, проиграла.

В Москве мама была окружена интересными людьми, часто принимала их в нашем доме. В числе маминых друзей были блистательный драматург Николай Эрдман, его соавтор – сценарист, поэт и художник Михаил Вольпин, великолепный чтец-декламатор, народный артист СССР Дмитрий Журавлев. Мама и ее сестра Бэлла были хорошо знакомы со своей знаменитой землячкой, рыжеволосой красавицей актрисой Цецилией Мансуровой, первой исполнительницей роли принцессы Турандот в легендарном одноименном спектакле Евгения Багратионовича Вахтангова.

В их родном Двинске появился на свет и будущий великий актер, режиссер Московского государственного еврейского театра (Московский ГОСЕТ) и общественный деятель Соломон Михоэлс, впоследствии трагически погибший. (Его убили в 1948 году сотрудники МГБ, а убийство было замаскировано под дорожное происшествие.)

Он учился в одном классе с маминым двоюродным братом и всю жизнь с ним дружил. Поэтому, конечно, мама его хорошо знала, и они иногда встречались.

Не только артистическая богема интересовала маму. Были у нее друзья и из мира науки. Один заведующий кафедрой физики был ее постоянным партнером по танцам. Я помню, как он приходил к нам домой и они с мамой вдвоем под звуки старого нашего патефона разучивали так называемые западные танцы – фокстроты, танго и тому подобное, повторяли новые движения, а затем участвовали в конкурсах, которые проводились в Доме ученых. Призы были неизбежным завершением этих выступлений.

День рождения мамы был 31 декабря. Поэтому у нас дома вместе с ее днем рождения праздновался и Новый год. Чаще всего на стол подавался праздничный гусь. Собирались всё те же: наша семья, мамины сестры тетя Бэлла и тетя Ида, их мужья. Подчас кто-нибудь из друзей разбавлял эту компанию.

Маму я обожал. Она как никто другой умела понять и простить. Я мог рассказывать ей – и рассказывал! – о своих увлечениях, о своей первой любви. Она хорошо знала всех моих друзей и мою первую возлюбленную. Все они очень уважительно относились к маме и навещали ее даже в мое отсутствие. Моя кузина Алла и соседка Инночка, о которых я расскажу чуть позже, были ее задушевными подругами, которые посвящали ее во все свои девичьи секреты.

Мамина смерть обрушилась на меня неожиданно и сокрушительно. Я безмерно ее любил, она была и матерью, и другом. Мамины глаза, большие, темные и печальные, всё понимали и были так выразительны... И вот они закрылись навсегда.

Она легла в больницу всего лишь удалить полип в желудке. Оперировал какой-то знаменитый профессор-хирург. Ничто не предвещало трагедии, но на второй или третий день после операции состояние ее стало ухудшаться. Лечащий врач по секрету сказал папе, что надо потребовать сделать лапаротомию, то есть вскрыть снова полость живота, чтобы выяснить и устранить причину ухудшения самочувствия больной. Но папе уговорить на это профессора не удалось. И мама умерла.

Мы были в больнице в ее последние минуты, потом ехали домой на трамвае. Я не мог ни говорить, ни плакать. На следующий день после похорон я дома случайно увидел мамины очки, взял их в руки и вдруг завыл, упав ничком на тахту...

Я переживал долго и болезненно мамину смерть. Около года мама мне чуть ли не еженощно снилась, и я по ночам проживал с нею другую жизнь, не похожую на действительность. Со временем эти сны стали реже. Изредка она мне снится и теперь.

* * *

Семья моего детства – это не только мама и папа, это еще мамины сестры, их мужья и их дети. Моя мама, Ева, родилась в многодетной семье, у нее было два брата и три сестры. Из трех сестер с двумя – Бэллой и Идой – она была невероятно дружна. Это была даже не дружба, а что-то удивительное, особенное, их связывало нечто большее, чем просто родственные отношения! Они оставались единой семьей всю свою жизнь. И даже в их судьбах было много общего: все три сестры вышли замуж почти одновременно, имели по одному ребенку, до конца дней своих жили со своими мужьями, и все три умерли очень рано, много раньше своих мужей. Мама и тетя Ида были танцовщицами. Мама танцевала в известной студии Чернецкой[1]. Как-то так сложилось, что из студий той поры самой знаменитой была школа Айседоры Дункан, легендарной босоножки, жены Есенина. Но на самом деле так в то время танцевали многие – босиком, в почти прозрачных хитонах.

У меня сохранилось несколько фотографий тех лет, на них – моя мама: изумительно сложена – красивая посадка головы, узкая спина, длинные стройные ноги... А вот черты ее лица не были так хороши. Особенно огорчал ее нос – крупный, неправильной формы. Со смехом, но не без горечи, она рассказывала, что часто на улице за ней шли мужчины, торопливо обгоняли, чтобы заглянуть в лицо, и разочарованно сбавляли шаг. Но некра-

---

[1] Чернецкая Инна Самойловна (1894–1963?) – танцовщица, хореограф, теоретик танца. Открыла свою школу-студию в 1914 г. Стремясь объединить в постановках музыку, живопись и разные виды сценического движения, Чернецкая создавала танец, который называла «синтетическим». Студия работала в Москве на протяжении 20-х годов ХХ в., получив статус государственной.

сивые черты совершенно преображали глаза – темные, выразительные, умные.

Тетя Бэлла была немного другой. У нее не было присущего сестрам налета богемы (впоследствии она даже стала учительницей математики в школе). Из трех сестер именно она, насколько я знаю и помню из рассказов старших, первой вышла замуж – за выпускника операторского отделения института кинематографии и отделения искусствоведения МГУ Дмитрия Алексеевича Егорова. Этого замечательного человека я всегда очень любил, и он оказал на меня огромное влияние.

Вскоре после замужества сестры неожиданно вышла замуж и моя мама. Неожиданно – потому что все случилось очень стремительно: она на какой-то вечеринке у своего брата впервые встретилась с его другом Павлом, который после этой вечеринки остался с мамой и прожил с ней двадцать семь лет. Целую жизнь. Может быть, странно в наше время говорить о любви с первого взгляда, но эти отношения на самом деле были таковыми.

Младшая мамина сестра Ида также вскоре вышла замуж – за художника Алексея Ивановича Писарева. Она переехала в другую квартиру, но и после этого до конца жизни сохранила с сестрами теснейшую родственную связь.

В одной комнате остались моя мама и тетя Бэлла со своими мужьями.

Глава 2
КОЗИХА

Итак, родители мои жили в Малом Козихинском переулке – на Козихе, как мы всегда говорили. Сюда же привезли из роддома и меня.

Наш дом был второй по переулку от Патриарших прудов. Удивительное, можно сказать – легендарное место в Москве! В названиях этих переулочков увековечена история Москвы. Патриаршие пруды, Козихинские переулки – Большой и Малый, Трехпрудный... В этих местах были когда-то хоромы Патриарха Московского, здесь были его пруды, здесь разводили для него коз (отсюда название Козихинских переулков).

Тут же рядом – Большая и Малая Бронные, где жили царские бронники – мастера изготовления кольчуг и лат. На этих улицах разворачивалось действие булгаковского романа «Мастер и Маргарита». Здесь я прожил 21 год – до начала своей самостоятельной жизни. Эти места – моя малая родина.

Есть понятие «Родина – Россия», это ее культура, язык, обычаи, нравы, красоты, просторы российские – от Подмосковья до Урала, до Дальнего Востока, а я объездил, надо сказать, Россию всю. А малая родина – это Москва, которую я так хорошо знал, во всяком случае в старом ее обличии, когда она едва ли не вся помещалась в пределах Садового кольца. Наконец, в совсем узком понимании, родина – это моя Козиха, коммунальная квартира, в которой я вырос, коридор, по которому мы носились с моей двоюродной сестрой, мама и папа, тетки и соседи...

У малой родины есть свои запахи, свои звуки. Вот я помню: мама с папой куда-то уйдут, а я остаюсь дома. Мне – лет восемь-девять, и я ложусь спать один. И вдруг – какой-то шорох, потрескивание рассохшихся половиц – таинственно, загадочно, страшновато...

У нас был старинный прекрасный паркет. Время от времени его натирал полотер. Современному читателю надо, наверное, объяснить, что полотер – это не механизм вроде моющего пылесоса, а такой специальный человек. Почти вымершая сегодня профессия!

Это было целое действо. Полотер приходил с длинной палкой, на конце которой была кисть. И этой кистью он разбрызгивал по паркету мастику. Когда она застывала, полотер надевал на ногу жесткую щетку, предварительно щедро намазанную воском, и ездил на ней взад-вперед, натирая паркет. (Потом, когда мы учились танцевать один модный танец – твист, – главным в нем было так называемое движение полотера.) Он натирал этот паркет до такого блеска, что тот не просто уже блестел – от него исходило удивительное сияние! Комната приобретала невероятно праздничный вид. Такое сверкание паркета можно сегодня встретить, наверное, только в Эрмитаже или в каких-то залах Кремля. И так восхитительно пахло воском! В обычной, заметьте, коммунальной квартире!

В моей жизни было две коммунальные квартиры: в первой я провел годы своего раннего детства, а вторая – та, из которой я, можно сказать, вышел в жизнь.

Замечу – это важно, – что первая коммунальная квартира под номером 15 на четвертом этаже старинного дома, с огромным окном, выходящим в Малый Козихинский переулок, – это та самая, где в одной, хотя и большой по тем временам, комнате жили вместе моя мама и ее сестры еще до брака.

Но замужним сестрам продолжать жить в одной комнате было уже не очень удобно. Мужья были, по нашим теперешним представлениям, полунищими. Во всяком случае, своего жилья не было ни у того, ни у другого. И поэтому было решено общую, сравнительно большую комнату, в которой жили моя мама и тетя Бэлла с семьями, поделить пополам и из одной сделать две. Вот уж поистине голь на выдумки хитра!

Построили перегородку. Проходила она от стены до окна, но только до внутренней его рамы. Окно не делили, только теперь одна его часть светила в одну комнату, а другая – во вторую. Между внутренней и внешней рамами окна осталось большое пространство. Зимой для тепла его закладывали ватой, а щели заклеивали бумагой, собственноручно ее нарезая на полоски, заваривая картофельный крахмал. Летом же там легко мог пройти ребенок, что мы в свое время и проделывали частенько с моей двоюродной сестрой – вы же понимаете, что это было намного интереснее, чем идти друг к другу в гости по коридору!

Две возникшие комнатки оказались неравноценными. Одна из них была величиной метров в пятнадцать – в ней жили тетя Бэлла и дядя Митя вместе с родившейся вскоре у них дочерью Аллой, моей двоюродной сестрой. А мои родители оказались в совсем малюсенькой комнате, двенадцатиметровой, в которую потом, через 10 месяцев после появления Аллы, привезли из роддома и меня.

Трудно сейчас себе представить, как тесно и неудобно было родителям в первой коммунальной квартире. Удивительно, но мы, дети, совершенно не замечали тесноты наших комнатушек. Детство я помню очень счастливым временем, полным любви. Кроме родственников и соседей, с нами жили еще и няни (а не приходили в дневные часы присматривать за детьми, как это делается часто сейчас). Мы их воспринимали как членов семьи, своих защитниц от жизненных невзгод, и тоже любили.

Вместе с нами в коммуналке проживало еще четыре семьи.

Одна из комнат в квартире всегда казалась мне загадочной и сказочной. Я так толком и не узнал, что за женщина в ней жила – то ли писательница, то ли переводчица. Все знали о ее дружбе с известным в то время писателем Петром Павленко, в доме которого она проводила много времени. В нашей квартире она бывала далеко не всегда, даже точнее сказать: она появлялась дома лишь иногда. Комната же ее мне была очень хорошо знакома, так как она любезно разрешила мне бывать в ней в ее отсутствие.

Эта комната была совершенно не похожа на нашу, да и вообще ни на какое другое жилье, что мне доводилось видеть в детстве. Битком набитая мебелью, книгами, старыми, наверное, антикварными, вещами непонятного назначения. Старинные книги, какие-то пуфики, подушечки, шкатулки... Для меня это был чудесный мир – как в сказках Андерсена: в такой комнате могли бы происходить по-настоящему волшебные события. Да и сама хозяйка этой комнаты, которую я сейчас помню довольно смутно, казалась мне тогда гостьей из какого-то удивительного мира – необычная, загадочная женщина, высокая, крупная, величественная. В моем воображении именно такой должна была быть сказочная королева!

Дальше по коридору жила семья Басиных – их было много, и кого-то из них к тому же звали Бася. Бывал я у них очень редко, и ни они сами, ни что бы то ни было в их комнате, кроме многочисленности ее обитателей, моего воображения не поразило, а потому и в памяти не осталось...

Зато осталась в памяти навсегда семья Левштейнов, где росла дочь Инна (о ней я уже упоминал), на несколько лет старше меня и моей кузины. Инночка нас с сестрой очень любила (в немалой степени, как я подозреваю, в качестве своих забавных живых игрушек). Она обожала с нами возиться, и мы были к ней очень привязаны.

Как оказалось, эта связь сохранилась на всю жизнь... Инночка окончила юридический факультет МГУ, вышла замуж за одного из выпускников этого факультета. Их дочка Алиса, которая тоже окончила юридический факультет, сейчас работает со мной в адвокатском бюро. Все это очень близкие, родные мне люди.

Замужество Инночки и предшествующий ему роман, можно сказать, происходили на моих глазах. Это было связано с тем, что моя мама была поверенной Инночки и, впоследствии, Аллы, своей племянницы: ей они рассказывали все, что не могли по какой-то причине открыть своим матерям, к ней шли за советом и сочувствием.

Я помню, как Инночка, поступив на юрфак, вечерами рассказывала моей маме, что за ней ухаживают сразу двое, а она, надо сказать, была прехорошенькая! Поначалу Инночка никак не могла сделать выбор между двумя этими очень взрослыми, умными, интересными людьми: оба кавалера оказались значительно старше нее, пришли в университет после фронта. Одним из них был Толя Тилле.

Толя, интереснейший человек и великолепный ученый-юрист, достоин отдельного рассказа. Он родился в Риге, мама его был латышка. Он рано начал заниматься парусным спортом и всю жизнь до глубокой старости его не оставлял. Блистательно окончив юрфак МГУ, он вскоре защитил кандидатскую, а затем и докторскую диссертацию. Это были настоящие, глубокие и серьезные научные работы, он занимался фундаментальной наукой. Одной из лучших его работ была монография «Время. Пространство. Закон». Я горжусь тем, что имел прикосновение к этой работе, предоставив автору некоторые интересные примеры из моей практики, которые могли проиллюстрировать сложные вопросы действия закона во времени и пространстве.

Серьезный ученый, Толя в кругу близких людей бывал полон юмора и искрящегося веселья. Смешно шутил, мог с легкостью сочинить скетч или басенку, чтобы развеселить друзей.

Женившись на Инночке, Толя был предан жене до самой ее смерти, обожал свою дочку, а затем и внучку, которая долгие годы жила в одной квартире с дедушкой.

В период советской власти Толя был ее ярым критиком, убежденным антикоммунистом, и это, конечно, помешало ему достичь каких-то особых высот в карьере. Он был скромным профессором в одном из вузов Москвы, правда – очень плодовитым, опубликовавшим множество научных работ.

А вот после перестройки с ним произошла удивительная метаморфоза. Толя стал яростным антагонистом возникших порядков, публиковался в основном в газете «Советская Россия» и бранил новую власть с позиции коммунистической партии, часто спорил или задавал ехидные вопросы радио «Эхо Москвы»...

Увы, ныне Толя уже не с нами.

Но вернемся снова на Козиху. Рядом с комнатой Левштейнов находилось малюсенькое помещение – просто закуток, где умещались лишь большой сундук, что-то вроде столика и стул – все. На сундуке спала Нюша, которая запомнилась мне только тем, что она любила несвежие яйца. И все соседи, которые знали это ее гастрономическое пристрастие, приносили ей подпорченные яйца, которые она ела с большим удовольствием. Много лет спустя, когда я попробовал и полюбил китайский деликатес – так называемые ароматные яйца, я сразу вспомнил нашу соседку Нюшу. Яйца для этого блюда, как мне рассказали, закапываются в землю и там доводятся до кондиции, приобретая при этом вроде бы неаппетитный, синюшный цвет, но, на мой взгляд, очень изысканный вкус.

Вплотную к каморке примыкал туалет размерами поболее нюшиного жилища. Кроме унитаза в нем умещались два наших с Алкой горшка, и на своем я с удовольствием катался по выложенному плиткой полу. Рукомойника или каких-нибудь еще излишеств вроде биде не было. Не было там, извините, и туалетной бумаги – ее заменяли газеты, в те времена верно служившие людям и после прочтения.

С другой стороны с туалетом соседствовала кухня.

Кухни всегда занимали важное место в коммунальных квартирах, особенно таких густонаселенных, как наша. Дух этих кухонь почти полностью утрачен сегодня – а ведь это была интереснейшая жизненная, человеческая, социальная атмосфера!

Я был мал, но кое-что помню: так, пол нашей кухни был весь в заплатках из жести от консервных банок. Они были беспорядочно прибиты то там, то здесь, причем количество их постоянно увеличивалось. Этими заплатками население нашей квартиры забивало дыры, прогрызенные мышами, которые водились под полом в огромном количестве.

В кухнях той поры не было электрических или газовых плит – в них коптили и шипели примусы и керосинки. Современный человек уже и не представляет себе, как выглядели эти древние агрегаты «бытовой техники» с керосиновыми резервуарами, фитилями, соплами! Они воняли, требовали чистки, какого-то особого ухода за фитилями. Запах керосина и горелого фитиля смешивался с запахом нехитрых советских кушаний. Иногда добавлялся еще и специфический аромат стирки – когда посреди кухни вдруг вырастало корыто с замоченным бельем. Порой в кухне же, уж не знаю по каким причинам, восседали на своих горшках мы с Алкой. Невозможно описать себе этот букет благоуханий!

И всегда стоял особый шум: примусы издавали своеобразные, ни на что не похожие звуки, что-то вроде жужжания, убежавшее молоко шипело, хозяйки переговаривались – чаще всего мирно, но время от времени на повышенных тонах...

Здесь же находилась и единственная на всю квартиру раковина с краном, разумеется, только с холодной водой. Отсюда она набиралась для готовки еды, мытья посуды, стирки белья – и умывались мы под этим краном тоже. Вообще сегодня это даже странно себе представить: кто-то готовит, кто-то тут же стирает или сам умывается, чистит зубы, бреется... Правда, помню, что мой отец всегда брился в комнате. Электрических бритв тогда не было, он намазывался мыльной пеной с помощью специальной кисточки и тер щетину ужасающе тупыми отечественными лезвиями. Когда я сам стал бриться, для меня эта процедура была мучительной до слез! Я отчасти поэтому впоследствии отпустил бороду: сбривать мою буйную растительность прежними советскими лезвиями было, право же, очень больно, а импортных мы еще в глаза не видели.

Холодильников, конечно, тоже не было, и чаще всего продукты зимой висели за окнами в авоськах или запихивались в специальные ящики, вделанные в стену под подоконниками на кухнях. Как и полагается в коммуналке, кухонное пространство заполняло множество столов (у каждой семьи ведь был свой), а над ними висели еще какие-то полочки, шкафчики с посудой и прочей утварью.

Из кухни вела дверь на черный ход, по лестнице которого мы спускались во двор с помойными ведрами. Выносить мусор – занятие само по себе не из самых приятных, но черная лестница была притягательным для нас, детей, местом: грязноватое, темноватое, с гулкими замысловатыми лестничными пролетами...

Другой достопримечательностью нашей квартиры была общая прихожая, а точнее – стоящая в ней вешалка, на которой размещалась верхняя одежда обитателей квартиры. С ней было связано одно из самых ярких событий нашей коммунальной жизни: однажды к нам залезли воры и украли сразу все пальто.

Здесь же на стене висел телефон – один на всю квартиру. Возле него в школьные годы чаще всего торчали мы с Алкой. Соседи терпеливо относились и к бесконечным звонкам нам наших приятелей, и к нашим разговорам.

Замечателен был коммунальный коридор, ведущий из прихожей в кухню, – по нему мы с двоюродной сестрой носились как угорелые, играя в догонялки или в одну довольно дурацкую игру: делали шарики из хлеба и «пулялись» ими друг в друга через макаронные трубочки. Получали мы от нашей беготни несказанное удовольствие, которое порой заканчивалось наказанием от старших, если сопровождалось чересчур громким визгом и топотом. А иногда игры приводили и к нашим с Алкой дракам. Ну, в этом случае попадало, как правило, мне.

Я вовсе не хотел бы, чтобы от моих воспоминаний возникало ощущение бесконфликтной, безмятежной идиллии коммунальной жизни. У нас у всех (и у мамы с папой между собой, и у родителей с соседями) бывали бурные ссоры, с выяснениями отношений, с криками, но кончались они всегда не менее бурным примирением и были, по сути, всего лишь своеобразным продолжением бесконечной дружбы, любви и ревности, наряду с готовностью помочь и поддержать друг друга. В основе этих ссор лежали не более чем эмоции – это не влекло ухудшения отношений, никак не было связано с какими-то реальными обидами, не могло привести к каким-то серьезным проблемам между нами. Это была нормальная, естественная жизнь. С трудностями, недоразумениями, недопониманиями... Во всем этом не было ни агрессии, ни вражды.

Вот странно: объективно я понимаю, что коммуналка – это ужасное, чудовищное изобретение, совершенно противоестественное для человека. Безусловно, это были кошмарные условия с точки зрения современных норм жилья и представлений о комфорте. Но все же... все же... именно на этой почве прорастали порой ростки взаимовыручки, взаимопомощи, уважения друг к другу – и это тоже утрачено вместе с коммуналками. Не навсегда ли? Именно в коммуналке зарождались иной раз крепчайшие дружбы – сродни родству, как у нас с Инночкой Тилле. Или как с моим дядей Митей, с которым у нас был даже заключен Священный банный союз.

* * *

Наша семья посещала Палашевские бани, это было совсем рядом с Козихинским переулком. (Сейчас в этом здании разместились офисы и магазины.) Однажды, как следует помывшись, я вышел из бани и отправился домой. Смотрю, а навстречу мне идет дядя Митя, направлявшийся как раз в баню.

Надо сказать, что дядьку я обожал, мне было с ним безумно интересно. Он был умен, образован, при этом прекрасно умел находить общий язык с детьми и очень нас любил. Так получилось, что с дядей я общался больше, чем с отцом. Папа был чиновником, государственным служащим, много времени проводил на работе. При Сталине был такой стиль работы – ночи напролет, так что приходил он почти всегда очень поздно, не имея уже ни сил, ни возможности уделять внимание сыну.

А дядя был человеком творческой профессии (помню, один период он работал кинооператором), и это позволяло ему проводить со мной и с Алкой довольно много времени. Он ходил с нами в зоопарк и планетарий. Будучи неплохим теннисистом, познакомил меня с теннисом – мы вместе ходили на соревнования. В Доме кино дядя, кстати, был и в теннисной, и в бильярдной командах. Он научил играть на бильярде и меня, и братца моего Леньку, другого своего племянника – правда, это был небольшой комнатный бильярд с металлическими шарами, но я все равно неплохо освоил искусство «гонять шары». Позднее, будучи уже юношей, причем довольно глубокомысленным, я обожал беседовать с дядей на разные серьезные темы – благо он прекрасно знал философию и историю, труды Розанова, Соловьева, Карамзина, с работами которых я и познакомился в те годы.

Мы все, и я в том числе, называли его Митей, и он не только не обижался, но даже получал удовольствие от такого обращения, потому что в этом не было фамильярности – наоборот, особое почтение и любовь.

Дети вообще очень чувствительны к таким нюансам. У меня самого сейчас есть маленькие друзья (дети одной хорошо знакомой семьи), которые меня называют Геркой, и мне это очень приятно. Но это только наше «внутреннее», интимное обращение. И если, подходя к телефону, Олечка радостно кричит: «Герка, привет!» – то затем она передает трубку маме со словами: «Мама, Генрих Павлович звонит»...

Но вернемся к той встрече на полпути из бани. Встретив своего горячо любимого дядьку, идущего мыться, я так вдруг захотел с ним пообщаться, что решительно развернулся и направился назад, в бани, чтобы составить ему компанию. Дядя Митя сначала не понял, что я делаю:

– Ты что, с ума сошел – ты же только что помылся?!

– Ну и что, еще раз помоюсь.

– Ну, знаешь ли, это уже подвиг! – Оценил он величие моего поступка.

В ознаменование этого события дядя Митя предложил мне заключить с ним «Священный банный союз», на что я, конечно, с восторгом согласился. С того дня мы ходили в баню вместе – и это было замечательно.

У Мити в жизни был период нахождения, как он говорил, «в санатории», а на самом деле – в спецлечебнице для душевнобольных, о чем я еще подробнее расскажу. Там он исполнял обязанности банщика, поэтому хорошо знал все премудрости помывок в бане и щедро ими со мной делился. Например, именно он меня научил, как надо правильно намыливать мочалку. Раньше я просто мочил ее в воде, а потом натирал мылом. Увидев это впервые, дядя Митя сказал: «Нет, так по-настоящему не моются», – и показал, как нужно: набрать в шайку немножко горячей воды, туда же погрузить мочалку, причем не губку, а настоящее мочало из лубяных волокон липы, и с мылом взбивать его до образования мыльного раствора и густой пены. А вот уже потом нужно брать на мочалку эту пену и ею намыливаться. Впоследствии, когда мне доводилось пользоваться услугами профессиональных банщиков, я увидел, что они именно так всё и делают. А со мной этим приемом поделился Митя.

Он же меня приучил и париться. Я-то до этого просто приходил, мылся и уходил. А тут началась совсем другая история: мы ходили в парилку, веничками друг друга охаживали... Плодами дядиной банной науки я пользовался еще долгие годы, когда уже не стало моего горячо любимого Мити.

* * *

Жили мы тогда скромно и так же скромно питались: щи или борщ на первое, котлеты на второе... Гвоздем большого праздничного обеда были сосиски и бутылка сладкой воды «Дюшес». Я был, в общем, неразборчив в еде и поглощал все, что давала мне мама. Но был всегда сластеной: часто брал кусочек сахара, мазал на него масло – и это заменяло мне конфету. Еще на сладкое мне часто давали клюквенный кисель с молоком: я выводил молоком узорные реки, а берега были кисельные. Что может быть лучше – играть и есть одновременно?!

По воскресеньям мы с мамой иногда отправлялись в большой продовольственный магазин, где в одном из отделов тогда продавались бутерброды с колбасой или рыбой. Я обожал любительскую колбасу, мне кажется, тогда она была значительно вкуснее, чем сейчас, и когда я получал с ней, любимой, бутерброд – это был праздник!

Еще хорошо помню, как дедушка однажды принес мне круглое миндальное пирожное – его вкус я, кажется, ощущаю до сих пор и до сих пор люблю это лакомство.

Несколько раз в детстве я ходил с мамой на рынок, и меня просто поразил вид мяса, лежавшего на прилавке, когда я впервые его увидел. Впрочем, мясо на рынке родители покупали редко – оно было намного дороже магазинного.

Мама делала картофельные деруны так вкусно, как я никогда и нигде больше не встречал. Они были тонкими и такими хрустящими! Иногда я принимал участие в их приготовлении, натирая на терке картофелины. Сырое картофельное пюре почти сразу розовело, а на сковородке уже темнело и шипело, разбрызгивая масло. Через несколько минут на столе оказывалось изумительное блюдо, сдабриваемое уже на тарелке сметаной. Ничего вкуснее, мне кажется, я в жизни не едал (не считая, конечно, булки с маслом).

Одним из редких деликатесов был так называемый морковник, по-еврейски – цимес. Это мелко нарезанная сладкая морковь, как правило, каротель, которую тушили в утятнице – овальной чугунной кастрюле. Иной раз вместе с морковью тушили кусочки мяса и чернослив, а порой и какие-то мучные лепешечки, названия которых я не помню, а может быть, и не знал (такого типа лепешечки в бульоне назывались клецки). Кажется, никогда с тех пор я морковник не пробовал, а жаль – блюдо отменное.

В общем, черную икру ложками в детстве я не ел, хотя мой отец и был по тем временам довольно высокооплачиваемым служащим, – культа еды у нас дома не было. Кстати, сам папа изо дня в день завтракал жареной картошкой и домашней простоквашей, которую собственноручно заквашивал с вечера. А в послевоенные годы он пристрастился к изготовлению наливок, хотя и был непьющим человеком: сам выпивал не больше рюмочки, но делать все эти исключительно вкусные напитки очень любил.

Глава 3
ПАТРИКИ

С моей двоюродной сестрой Аллой в детстве мы очень дружили, но, конечно же, и дрались – с переменным успехом. Точнее, так: сначала побеждала она, поскольку была чуть постарше и посильнее, а потом я подрос и окреп, но джентльменства не приобрел и начал побеждать. Тут она, по ее утверждению, поняла, что драться со мной смысла больше нет, и драки прекратились.

Детьми мы воспитывались одинаково, и родители у нас были почти общие, что не мешало нам быть все же очень разными. Кроме того, она же была девочка! Поэтому считалось, что если мы, например, подрались, то виноват всегда я. Если мы шумели, то виноват был тоже я. И когда плевались через макароны, то тоже автоматически виноват был мальчишка!

Тетя Бэлла была более сдержанной и рациональной, моя мама – более страстной, но обе они считали, что детей надо воспитывать, не слишком балуя и не слишком восхищаясь их талантами. И это тоже в первую очередь касалось меня! Алла прекрасно училась, была отличницей и окончила школу с медалью. Я же отличником был, как мне помнится, только в первом классе. А затем отличные отметки появлялись у меня только по большим праздникам. Естественно, Алку мне всегда ставили в пример, в наших ссорах она была права, я – не прав. Но я стоически переносил эту несправедливость, так что даже дядя Митя, Алкин отец, однажды сказал: «У Герки, видимо, в самом деле замечательный характер, если он при всем при этом сумел сохранить к сестре добрые чувства». Более того: когда пару раз все-таки за наши проказы доставалось и ей, я, как истинный рыцарь, вставал на ее защиту и не позволял, по мере возможности, ее обижать, всегда стараясь доказывать ее правоту.

Алка ныне – Алла Дмитриевна Егорова, профессор, заведующая кафедрой сценической речи Государственного института кинематографии. После школы она окончила театральное училище, но актерская карьера как-то не сложилась. Зато работа в Институте кинематографии, где Алла начала преподавать сценическую речь, помогла ей не просто найти себя, но и стать одним из ведущих специалистов в этой области. Она член «Речевого центра» и Методического совета по сценической речи Союза театральных деятелей.

В раннем, еще довоенном детстве мы с Аллой очень много играли вместе. Одной из излюбленных наших игр были дочки-матери – в нее мы всегда играли под столом: был у нас такой массивный квадратный стол, ножки которого внизу соединялись поперечинами... На эти, тоже довольно массивные, перекладины можно было усесться, разложить какие-то наши игровые принадлежности. Это было великолепное пространство для игр! Иногда к нам присоединялась и Инночка Левштейн. Благодаря этим моим двум подружкам наши общие игры того времени были, конечно, девчачьи. Мне не с кем было в тот период драться на деревянных шпагах, стрелять из игрушечных пистолетов, хотя тяга к таким игрушкам, конечно, у меня была.

Каким-то образом я сам делал деревянные сабли и деревянные же пистолеты. В чуть более позднем возрасте мне был подарен конструктор из железных деталей, с винтиками и гаечками, и я очень увлеченно создавал из них какие-то фантастические машины, подъемные краны и тому подобное. Однако большого количества игрушек я у себя не помню – меня с раннего возраста больше привлекали книги.

Чтение стало моим любимым занятием с того времени, как я научился читать, а произошло это сравнительно рано. Насколько помню, в семь лет я уже довольно свободно, хотя, может быть, и не очень быстро, но с удовольствием читал. Еще до войны, т.е. к 10 годам, я прочел многое из русской классики, например, почти всего Тургенева. Ну, а перед этим, конечно же, Маршака, Чуковского и, разумеется, читал и знал наизусть многое из Михалкова. Должен признаться, что, несмотря на неприятие его более поздних сочинений, стихи Михалкова для детей мне нравились и нравятся по сей день. Конечно же, с увлечением читал романы Купера, «Хижину дяди Тома» Г.Бичер-Стоу и много-много другого из зарубежной классики.

Я довольно рано прочел и очень любил русские народные сказки. У нас дома было академическое издание – два красивых, очень хорошо оформленных томика с подлинными русскими сказками, собранными у народных сказителей.

Думаю, именно эти книги привили мне любовь к чистому русскому языку, и потому я не очень охотно осваивал новомодные термины, словечки и заимствования из иностранных языков. Помню, однажды, после того как я произнес в Питере речь по одному громкому делу, ко мне подошла корреспондент санкт-петербургской газеты и сказала, как ей понравилось, что все было сказано «истинно русским языком». Этот комплимент остался в моей памяти как один из самых дорогих.

Однако еще раньше, чем к книгам, я проявил интерес к изобразительному искусству. Сколько себя помню, я обожал рисовать, а смотреть картинки было моим излюбленным занятием. Впрочем, это, пожалуй, свойственно почти всем детям. Ведь еще не научившись читать, книжки они именно рассматривают.

Помню, например, как ярко любовь к «картинкам» проявилась у моей дочери. Когда ей было от двух до пяти лет и мы с ней гуляли по улицам города, девочку не интересовали ни автомашины, ни трамваи, ни лошади, ни собаки, ни тем более люди. Зато у каждой витрины, украшенной какой-нибудь картинкой, она застывала надолго, и оторвать ее от созерцания именно изображений, а не самой натуры стоило больших трудов.

С первых классов школы я разрисовывал тетради и учебники. Став чуть постарше, я пытался перерисовывать картины и рисунки великих мастеров, особенно меня интересовала обнаженная натура. Помню, как мама, обнаружив у меня несколько «ню» собственного «изготовления», очень обеспокоилась и долго об этом шепталась с папой. А ведь это была всего лишь невинная попытка срисовать работы Ренуара, в чью живопись я был тогда влюблен! Беспокойство мамы, впрочем, вскоре прошло, потому что мои бумаги заполнились множеством карикатур, какими-то рожицами, руками, ногами и другими частями тела, а также предметами – жалкими попытками создания натюрмортов.

Но следующее мое увлечение повергло маму в полный ужас: начались рисунки танков, пушек, самолетов, ружей, сабель, солдат в погонах и тому подобного. То, что в раннем детстве я хотел быть пожарным, а затем милиционером, родителей не тревожило, а вызывало лишь снисходительную улыбку. Но в рисунках они увидели явные милитаристские наклонности, и это было принято почему-то всерьез – вероятно, потому, что уж очень не вязалось мое новое увлечение с мамиными, да и папиными пристрастиями и мироощущением. Это было воспринято даже с большей тревогой, чем обнаженная натура, но я вскоре, к радости родителей, «исправился» и вернулся к рисованию мирной жизни.

Уже взрослым я разрисовывал свои адвокатские досье (или, как мы их называли, – производства), отдавая немалую дань опять-таки обнаженной натуре. В давние годы работа адвокатов нешуточно контролировалась и Президиумом Коллегии адвокатов, и Минюстом, и различными специально создаваемыми комиссиями, куда часто входили представители прокуратуры, партийных и других органов власти.

Помню, как мои адвокатские производства попали в поле зрения члена одной из таких комиссий – прокурорской даме. Ее праведному возмущению не было границ. Она с негодованием демонстрировала изрисованные мною листки бумаги с записями материалов дела, полагая это свидетельством моей крайней безнравственности и легкомыслия. Моя обличительница с упоением распекала меня на заседании комиссии, вскрывая мою мелкобуржуазную и развратную сущность. Может быть, именно тогда, из чувства противоречия, у меня возникла идея собрать когда-нибудь коллекцию ню. Коллекцию я не собрал, но небольшое количество прекрасных рисунков обнаженной натуры у меня есть, и они украшают не только мою квартиру, но и само мое существование. Особенно я люблю рисунки великолепного художника, книжного иллюстратора Николая Попова, подаренные мне автором.

* * *

Гуляли мы в детстве чаще всего на Патриарших прудах. Тогда среди живших в центре москвичей была мода записывать детей-дошкольников в так называемые «группы». У нас была воспитательница-немка, бонна, которая гуляла с нами и разговаривала по-немецки. Вместе со мной в группу ходили, конечно же, Алка, Ирочка Жесткова из нашего дома и два мальчика, которые были сыновьями то ли маминых, то ли теткиных приятелей, – Юра Сарно и Шурик Мирошниченко.

Очень хорошо на Патриарших бывало зимой, когда можно было кататься на санках или на коньках, ходить на лыжах. Впрочем, лыжи я любил не слишком, а вот на коньках научился кататься рано и неизменно каждую зиму пропадал на катке – первоначально именно на Патриарших прудах. Коньки я иногда надевал прямо дома и так в коньках и шел – все же было рукой подать! По лестнице спускался на носках конечков, звонко стуча по каменным ступенькам, а по переулку до прудов уже катился по заснеженной мостовой. Была у мальчишек еще особая забава: мы цеплялись за проезжающие грузовики специальными крюками и неслись за ними на коньках.

Летом же на Патриках была лодочная станция – там я научился грести, когда чуть подрос, и мы часто катались на лодках.

На углу Патриарших, при входе в сад, летом обычно стояла тележка, с которой продавалось мороженое. Порция такого мороженого в виде шайбочки из двух вафель с кругляшком мороженого между ними формировалась прямо при покупателе, и смотреть на этот процесс было замечательно интересно и радостно. Мне трудно описать тот механизм, при помощи которого создавалась порция мороженого, – его лучше всего нарисовать.

В мороженницу сначала помещали одну вафельку, потом ложкой на нее накладывалось мороженое, а сверху оно накрывалось другой вафелькой. Это нехитрое приспособление было снабжено «ножкой», которая позволяла изготовленную формочку выдавить. При этом были две формочки – одна побольше, другая поменьше. На большую мне денег чаще всего не хватало, и я довольствовался малой.

Полученную порцию держали пальцами за вафельки и слизывали мороженое между ними, пока оно все не исчезало во рту, после чего туда же отправлялись и вкуснейшие вафельки. Несказанное удовольствие доставляло и само приобретение этого мороженого, и наблюдение за ритуалом его изготовления, не говоря уж о его поглощении.

Сегодня такое мороженое можно увидеть разве что в кино. Например, в любимом всеми фильме «Место встречи изменить нельзя» оперативник Вася Векшин, изображая из себя блатного, идет на встречу с бандитом Есиным из «Черной кошки», лакомясь таким именно кругляшком мороженого, – только происходит это по сюжету на Цветном бульваре, а не на Патриарших...

Часто неподалеку от мороженницы стояла и другая тележка – с резервуаром газированной воды и двумя большими стеклянными конусами с сиропами. Внизу этих конусов были краники. Продавщица открывала их и на глазок нацеживала в стакан сироп, который потом разбавляла газированной водой. Можно было купить газированную воду и просто чистую, без сиропа.

Стаканов было обычно не более двух, и когда один из них освобождался, его ополаскивали холодной водой на специальном приспособлении – таком, какие позже были в автоматах с газировкой. После такой «дезинфекции» стакан вручался новому жаждущему попить. Покупка воды была для нас не меньшим удовольствием, чем покупка мороженого.

Странно, но не могу сейчас достоверно вспомнить, ходили ли трамваи по Малой Бронной от Садового мимо Патриарших прудов – там, где у Булгакова Аннушка разлила масло. Иногда мне даже снились такие трамваи: то ли я действительно их видел, то ли это было навеяно последующими литературными ассоциациями. О наличии этого трамвайного маршрута много лет спорят булгаковеды. Но даже старожилы тех мест вроде меня внести ясность в этот вопрос не могут.

Трамваи – это неотъемлемая принадлежность старой Москвы. Легендарный трамвайный маршрут «А», ласково прозванный москвичами «Аннушкой», проходил по Бульварному кольцу и связывал многие главные улицы и площади столицы. Мы не просто пользовались трамваями – мы их любили.

Хорошо помню наши поездки всей семьей в Останкино, где жили родственники дяди Мити, Севрюгины. Это казалось чуть ли не путешествием в другой город – ехать приходилось с пересадкой, на двух трамваях. Район тот был застроен старенькими маленькими домиками, сейчас они все уже, конечно, снесены.

Когда я был один, то ездил в трамваях исключительно на подножках. Но во время поездок с родителями приходилось вести себя прилично – впрочем, даже в этом случае никто не мог меня заставить сидеть. Как правило, я стоял на площадке или, на худой конец, внутри вагона, но именно стоял!

* * *

Когда мне было лет семь (кажется, я тогда учился в первом классе), мама с папой поменяли нашу маленькую комнату на другую, более просторную, в соседней квартире на той же лестничной площадке. Получилось, что мы из квартиры № 15 переехали в квартиру № 13. И тогда, и потом многие наши знакомые недоумевали: как же так, добровольно поменяться в «несчастливую» квартиру! Но мои родители, как и я впоследствии, никогда не были суеверны.

Поменялась с нами жилплощадью немолодая вдова, которой после смерти мужа большая комната была как бы уже и ни к чему... Представляете, насколько непритязательны тогда были люди – комната в коммунальной квартире размером 27 квадратных метров казалась в те времена ненужной роскошью!

Помимо материальной выгоды от переезда (родители, по-видимому, что-то доплатили за обмен на более просторную жилплощадь), вдова получила возможность расстаться с теми из соседей по квартире, с кем у нее не сложились отношения. Так что для нас всех обмен был хорошим решением.

Мне новое жилье представлялось просто огромным – после нашей-то крошечной 12-метровой комнатки, где мы просто сидели друг у друга на головах! Но новая квартира родной до самой глубины души так и не стала... В ней не было коридора, настолько обжитого во время наших с Алкой детских игр, не было перелезания друг к другу через окно, не было больше совместных ночевок в одной комнате, когда к взрослым (в другую) приходили гости...

Эта новая квартира была для нашей семьи как бы ответвлением от старой, где наша жизнь продолжалась, как и раньше. Мама с утра до вечера пропадала там у тети Бэллы, а я вечно был с Алкой. И совсем немаловажный фактор – в квартире № 13 не было телефона, без которого я уже никак не мог обойтись: надо же было перезваниваться с друзьями, с девчонками! Конечно же, мне продолжали звонить по прежнему номеру, в квартиру № 15. А так как ее обитателям довольно быстро надоело ходить через лестничную площадку, чтобы позвать меня к телефону, то мы провели из той прихожей к нам, в 13-ю квартиру, электрический звонок. Когда к телефону звали Геру, соседи мне звонили в этот звонок, и я несся туда. Понятно, что у меня при этом оставался свой ключ от старой квартиры.

Зато была в нашей новой квартире особая достопримечательность, если так можно говорить о человеке, – в одной из комнат там со своей теткой жил дядя Сережа (или просто Сережа), чрезвычайно важная персона. Впрочем, его важность я оценил не сразу после нашего переезда, а уже после войны, в старших классах. В Москве, на улице Горького, в те времена существовал Коктейль-холл, в который мы с друзьями иногда захаживали. И этот самый дядя Сережа, с которым мы были в прекрасных отношениях, работал в нем «вышибалой». Поэтому я со своими друзьями всегда имел в Коктейль-холл беспрепятственный доступ – в обход бесконечных очередей, в которых люди летом подолгу парились, а зимой жестоко мерзли. Представляете, каким замечательным, важным и почитаемым человеком был для нас дядя Сережа?!

Его тетка, тетя Наташа, была добрейшим существом, очень хорошо ко мне относилась, и я порой, когда мне нужно было спокойно позаниматься, находил приют в их комнате...

За кухней, которая в этой квартире была проходная, располагалась комната (раньше это, очевидно, было помещение для прислуги), где жила еще одна чрезвычайно милая пара. Он был сапожником Большого театра, хорошим мастером, шившим обувь для спектаклей. Она – официанткой, но не простой, а очень даже «высокопоставленной»: обслуживала банкеты в Кремле, чуть ли не на Ялтинскую конференцию[1] ездила... Я и у них порой сиживал, делая уроки, когда у родителей были гости.

* * *

Но не надо думать, что все мое детство прошло в соседстве только с милейшими и добрейшими людьми. В квартире № 13 жила некая Вера, которая в полном смысле слова отравляла мамино существование. Когда я немного подрос и уже начал читать «взрослую литературу», я немедленно узнал ее в образе Гадюки. Помните начало одноименной повести Алексея Толстого? «Когда появлялась Ольга Вячеславовна, в ситцевом халатике, непричесанная и мрачная, – на кухне все замолкали, только хозяйственно прочищенные, полные керосина

---

[1] Ялтинская или Крымская конференция – встреча глав правительств трех союзных во Второй мировой войне держав: СССР, США, Великобритании. Состоялась в Ялте 4–11 февраля 1945 г., в период, когда война против гитлеровской Германии вступила в завершающую стадию.

и скрытой ярости, шипели примусы. От Ольги Вячеславовны исходила какая-то опасность». Правда, конечно, в нашем случае до такой драмы, как у Толстого, дело не дошло[1] – и слава богу!

С этой Верой у моей бедной мамы были постоянные скандалы. Как говорится, на пустом месте – типичные кухонные склоки. Причем только и исключительно с этой Верой, ни с кем из соседей такого безобразия больше не происходило. Мама порой плакала, папа ее успокаивал, иной раз пытался вступаться, чем только подливал масла в огонь, – это было ужасно! Конечно, уж я-то точно не могу судить, кто там был прав, а кто виноват, но судя по тому, что больше никогда и ни с кем таких конфликтов у моей мамы не было, не она была зачинщиком и этих ссор. А вот с Верой у нее (и, опосредовано, у всей нашей семьи) было непрерывное, агрессивное противостояние. И это несколько омрачало наше существование. Я думаю, что и вдова, поменявшаяся с нами комнатами, во многом именно из-за Веры приняла решение переехать.

Но было в новой квартире и кое-что приятное. Например, у нас прямо на кухне, лишь слегка занавешенная, стояла ванна и над ней – колонка, в которой грелась вода. Так что изредка там можно было целиком помыться под душем. Злоупотреблять, правда, этим было нельзя – трудно было свободно плескаться, когда на кухне фактически все время кто-то был! Но однажды, помню, к нам пришел дядя Митя, который мылся на нашей кухне под душем, причем очень этому радовался и декламировал Маяковского:

Ну уж и ласковость в этом душе!
Тебя никакой не возьмет упадок:
погладит волосы, потреплет уши
и течет по желобу промежд лопаток.

---

[1] Повесть А.Н.Толстого «Гадюка» заканчивается убийством.

Глава 4
ВОЙНА И МЫ

Когда началась война, мой отец, как я уже упоминал, ушел в ополчение. Дядя Митя был арестован за пораженческие взгляды, но довольно быстро его признали душевнобольным и отправили на принудительное лечение в спецбольницу – заведение закрытого типа, при органах госбезопасности, где было, конечно, несладко.

Второй мой дядя – Алексей Писарев, муж тети Иды – художник – был мобилизован, стал сапером. Он прошел всю войну и вернулся с фронта в звании, кажется, капитана, весь в орденах... Для меня, мальчишки, он был настоящим героем, глядел я на него с восторгом, а уж когда он однажды сказал: «Да ладно, называй меня на "ты" и без "дяди"», – моей гордости не было предела!

Редко встречаются настолько преданные искусству люди – всю свою жизнь он писал, писал и писал. Еще на фронте Алексей Иванович вступил в партию и был коммунистом, но совершенно при этом не занимался политикой, не изображал ни вождей, ни революционных сюжетов, а в основном пейзажи. Писал много старую Москву, Кремль. Не стал слишком известным, не получал громких наград, но был хорошим, искренним художником. Работал честно и много, с раннего утра уезжая в свою мастерскую. Любил очень свою жену и сына, Леньку, который тоже стал художником...

В эвакуации, таким образом, все три сестры (моя мама, тетя Бэлла и тетя Ида) оказались без мужей, с тремя маленькими еще детьми и стареньким дедушкой – своим отцом. Всем этим кагалом мы отправились в Куйбышев, где жила Надежда Алексеевна Егорова, сестра дяди Мити.

Я помню, как мы садились в поезд – это было что-то чудовищное. Толпы народу ломились тогда в эти поезда, и нашего дедушку передавали в окно, как какой-нибудь чемодан, что меня особенно потрясло.

У Егоровых была довольно приличная двухкомнатная квартира. Жили в ней Надежда Алексеевна, родная сестра Мити, и ее муж – военврач Николай Александрович. Но меня в первый же день заинтересовал третий член семьи – прекрасный эрдельтерьер по кличке Мусташка. В мои десять лет это было одним из самых ярких событий. Я всем сердцем полюбил этого пса.

Любовь к нему переросла в огромную любовь к собакам вообще. Мы гуляли, играли, зимой я его запрягал, и пес возил меня на лыжах или на санках...

С тех пор собаки в нашей семье были всегда. Вскоре после того, как я создал семью, в память Мусташки мы взяли эрдельтерьера по кличке Майкл, потом был боксер тигровой раскраски по кличке Бен. Был бесконечно мною любимый рыжий кокер-спаниель Антон. Он жил у нас, когда родилась моя внучка Алька, и мы боялись, как бы его шерсть, в изобилии покрывавшая не только самого Антона, но и всю квартиру, не повредила ребенку. Но он быстро понял, что ему нельзя входить в детскую комнату, поэтому только подходил к двери и ложился у порога. Это была замечательная, умная, преданная собака.

Сейчас с нами живет красавица лабрадор Рита. У меня, у дочери и у внучки живут кошки. Я помню, что перед самой войной у нас дома был котенок Пушок, о котором я вспоминал в эвакуации. Мне трудно себе представить жизнь без домашних животных. Я убежден, что людям, которые не понимают радости общения и дружбы с ними, что-то недодано судьбой.

Даже по меркам предвоенного времени жили Егоровы просторно, но все равно принять такое количество народу – это был подвиг. В эвакуации мы все, москвичи, жили в одной комнате: тетя Бэлла с Алкой, тетя Ида с сыном Ленькой, я с мамой и дедушка. Приезжала и жила недолго с нами старшая мамина сестра – тетя Катя.

Время от времени наезжали какие-то гости – то кто-то из друзей мамы или из знакомых и родственников. Это разнообразило наше существование, хотя довольно сильно осложняло быт.

Дедушка целыми днями лежал, молчал, думал какую-то думу. Как-то я спросил его:

– О чем ты думаешь?

– Я строю воздушные замки, – ответил он.

Потом ему пришлось долго мне объяснять, что «воздушные замки» – это мечты о красивой, беззаботной жизни.

Из-за дедушки со мной произошла ужасная история.

Я уже говорил, что все тогда жили очень скромно, а в войну – впроголодь. Мама с тетей Идой подрабатывали пошивом платьев, и вот то ли в уплату за эту работу, то ли просто в подарок нам принесли коробку шоколадных конфет. Конфеты были огромной редкостью и почти драгоценностью, а потому выдавались нам по строгому счету. И вот однажды я увидел, как дед взял из коробки одну конфетку. Я не придал этому никакого значения. А потом, когда тетки с мамой для каких-то целей принялись эти конфеты пересчитывать и обнаружили недостачу, подозрение немедленно пало на меня – ну а кто еще мог взять?!

Это было обидно: я был сорванцом, но не воришкой. Был жуткий скандал – не потому, что я взял, а потому, что не признавался. В то, что это был не я, никто не верил, и эта обида осталась во мне на всю жизнь. Конечно, не на дедушку, который непонятно почему не признался – ведь ему бы ничего за это не было! Не на теток, которые меня искренне считали виноватым. И тем более не на маму. Обида осталась на сам факт недоверия и невозможность доказать свою правоту.

Мои отношения с дедом или с мамой не изменились – нет. Но во мне окрепло какое-то особое чувство – наверное, своего рода обостренное чувство справедливости: я преисполнился убеждением, что нельзя, ну никак нельзя наказывать человека только по подозрению, не убедившись в его вине!

При этом «выдать» деда я тоже не мог – это было немыслимо: раз он не признавался, то и я сказать не имел права! Только через много-много лет, когда и дедушки уже не было на свете, я сказал маме, что ведь действительно не был виноват. Но она как-то странно равнодушно к этому важному для меня признанию отнеслась – наверное, не поняла, что для меня значил этот эпизод.

Как это ни странно звучит, по моим ощущениям мы, дети, были тогда, в целом, если не бездумно счастливы, то уж точно не несчастны. Я стал старше, у меня появились первые друзья, мы играли в какие-то игры, бегали в кино. Иными словами, у нас шла почти привычная жизнь, несмотря на войну. Даже к полуголодному рациону того времени можно было привыкнуть – благо, мы все же не голодали в прямом смысле этого слова.

Конечно, это было очень тяжелое время. Непрерывные слезы и переживания наших матерей, их тревога за мужей... Дядя Митя – в кошмаре психиатрической лечебницы, папа и дядя Леша – на фронте под огнем... Писем нет подолгу, а когда они приходят, то оказываются двух-трехмесячной давности, то есть успокаивают ненадолго, ведь за те месяцы, что письмо шло, могло случиться все что угодно.

Мы жили дружно, как одна семья, но все было на диких нервах. Помимо жуткого напряжения от неясности судеб мужей, накладывали свой отпечаток невероятная теснота, бытовые трудности...

Мы, дети, тоже как-то сопереживали происходящему, но, конечно, были защищены от ужасов войны своим возрастом. Да, мы скучали по нашим отцам, мы волновались за них вместе с нашими матерями, мы следили за передвижениями наших войск, ликуя при победах и переживая настоящие горе и ужас, когда в сводках сообщали о захваченных врагом городах, сбитых самолетах, называли цифры потерь. Но Бог или природа распорядились очень мудро, оградив детские умы от полного, глубокого осознания ужасов окружающей действительности. Мы занимались какими-то детскими делами, были поглощены своими переживаниями, событиями, ссорами, которые до сих пор хранит память.

Своего двоюродного брата Леньку я очень любил. Он был младше меня на семь лет. Еще до эвакуации, когда он трехлетним малышом властно требовал «буку ма» (то есть любимую булку с маслом), я уже чувствовал твердый мужской характер братца. В эвакуации он, несмотря на это, был во многом маменькиным сыночком. Когда его мама куда-нибудь уходила, он орал благим матом, и утихомирить его было нелегко.

С другой стороны, он проявил себя мужчиной, однажды рассмешив всех до невозможности. За неимением ванны и душа умывались в кухне, над тазиком. Надежда Алексеевна, крупная женщина, обладала пышным бюстом. Однажды Ленька, которого по малолетству женщины еще не стеснялись, крутился на кухне и увидел Надежду Алексеевну, обнаженную по пояс. Чрезвычайно возбужденный, он прибежал к нам в комнату с криком: «Мама, почему у тети Нади спеледи два голба?» (букву «р» он еще не выговаривал). Тетя Ида, как могла, объяснила ему, а я не удержался от вопроса:

– А тебе что, не понравилось?

На что Ленька весело ответил:

– Понлавилось.

С этих пор у него было прозвище «два голба».

Помню еще, как из окошечка туалета нашей квартиры мы выбирались на крышу соседнего дома. Там мы собирали осколки... не уверен, но, наверное, это были осколки снарядов.

Я хорошо помню школу № 6, где мы учились в эвакуации. Помню Струковский сад над Волгой (мы его называли Струкачами, да и сейчас, кажется, самарцы его так зовут). Многое помню, чего уж и нет теперь...

Помимо всего прочего, это ведь еще была и родина нашей родни, Егоровых. Отец моего любимого дяди Мити был некогда в Самаре купцом первой гильдии, почетным гражданином, богатейшим человеком. Он был там такой же фигурой, как в Москве Елисеев, и даже магазин его так и называли – Егоровский, как в Москве – Елисеевский. Мы не раз слышали об этом от взрослых, Егоровы рассказывали о своей дореволюционной жизни в купеческом доме. И нам с Алкой, конечно, было очень любопытно взглянуть изнутри на знаменитый магазин.

Снаружи мы его прекрасно знали, нам его сразу же по приезде показали – все старожилы помнили его как магазин Егорова. Более того, там и до той поры размещался магазин, но только не для всех, а для дипломатических работников. Мы туда зашли, но нас немедленно выдворили. Было это очень обидно – мы ведь просто хотели посмотреть!

* * *

А еще в эвакуации у меня появился враг – пацан с нашего двора, моего примерно возраста, который высказывался в том духе, что евреи все в Ташкенте и Куйбышеве, а воюют одни русские. Еще он время от времени употреблял слово «жид». В результате каждая наша встреча во дворе начиналась и завершалась дракой.

Не помню даже, пытался ли я его разубедить в его отвратительном антисемитизме. Но мне это было обидно невероятно, ведь отец мой в то время был в ополчении на фронте, а двоюродный брат, Володя Раппопорт, чистокровный еврей, погиб на фронте, причем погиб героически, подняв в атаку роту...

Так я впервые столкнулся с враждебностью не к конкретному человеку, а к целой нации, и тогда я впервые услышал слово «жид». Ни дома, ни в школе, ни во дворе, где, впрочем, я редко гулял, я до того ни разу не слышал этого. Тем более произносимого как ругательство, как оскорбление. Но к этому времени я уже знал, что немецкие фашисты проповедовали злобную ненависть к евреям и что их средства массовой информации агрессивно навязывали свою ненавистническую идеологию антисемитизма повсюду, куда достигали щупальца геббельсовской пропаганды.

К великому сожалению, ростки расизма дали обильные плоды. Что особенно обидно: эти ядовитые ростки пышным цветом расцвели в СССР, где антисемитизм стал на какое-то время государственной политикой. И хотя коммунисты всегда проповедовали интернационализм и лично Сталин в конце 40-х годов сыграл немалую роль в создании независимого еврейского государства Израиль, это сочеталось с гнусной антисемитской кампанией, развязанной внутри страны. Такова политика: одновременно как бы защищать интересы какой-то нации, протягивать ей руку помощи, а другой рукой подталкивать ее же к пропасти, ограничивая ее естественные права...

Тот мальчишка из моего военного детства стал для меня провозвестником антисемитизма. А потом, годы спустя, я имел возможность убедиться, что побежденная, раздавленная гадина фашизма пустила ядовитые ростки в победителя, который и взрастил их, и удобрил, и взлелеял с удовольствием и успехом, продемонстрировав еще раз тем самым свое кровное родство с побежденным фашизмом.

Я никогда не участвовал ни в каких еврейских организациях, на общественном поприще никогда не боролся с антисемитизмом, не выступал против него в печати и не очень любил разглагольствовать на эту тему, а просто, когда слышал «жид», бил по морде, и нередко, к сожалению, в результате сам бывал побит.

Меня это не останавливало, и в следующий раз я вновь бил по морде, не разбирая, кто был передо мной, – это было единственным средством, которым я позволял себе бороться за равноправие наций.

***

По Куйбышеву в те времена ходили трамваи, и я мальчишкой продолжал и тут, как в Москве, ездить исключительно на подножках, а не внутри вагона со всеми пассажирами. Это не было связано с экономией денег за проезд – скорее, просто такой особый шик.

Один трамвай как раз ходил по нашей улице Фрунзе в сторону школы, где я учился. И вот однажды я возвращался на нем из школы, одетый в зимнее пальто, незадолго до этого мне справленное, – по тем временам такая обновка была целым событием!

Сейчас я уже не помню, как сорвался с подножки, на которой висел по своему обыкновению: сорвался, упал, скатился под колеса движущегося вагона. На мое великое счастье, колеса трамвая были защищены какими-то специальными деревянными решетками. Я подозреваю, что их назначением как раз и было – предохранять от попадания под колеса чего-то серьезного, может быть, и людей. Меня ударило об эти деревянные рейки, закрутило... но ни ноги, ни руки мои под колеса не попали.

Я вскочил, отряхнулся и побежал домой – конечно, в диком испуге. А когда прибежал домой, то обнаружил, что вся спина моего нового, роскошного зимнего пальто была разорвана. Мама это тоже немедленно увидела, посыпались вопросы. Рассказать ей правду было, конечно, невозможно – это значило бы нанести ей жесточайший удар. Во-первых, она бы непременно решила, что раз я езжу на подножке, то я отъявленный хулиган. Во-вторых, она бы начала бояться, что я в следующий раз попаду все-таки под колеса.

Короче говоря, я просто соврал, что зацепился за гвоздь в стене, когда брал пальто из школьной раздевалки. Мама мне не поверила, но я ни в чем другом не признался, и скандал был отменный.

Одна из моих теток, добрейшая и преданнейшая семье Ида, была педагогом танца, и в эвакуации работала то ли в каком-то доме пионеров, то ли в школе – одним словом, она ставила танцевальные номера в детской самодеятельности. И я, и моя сестра Алка в этом активно участвовали. Надо сказать, мальчишек там было раз-два и обчелся, в основном все эти народные танцы плясали девчонки.

И вот помню, как по какому-то торжественному поводу в местном театре собралась очень представительная аудитория, в том числе – сам Молотов[1]. В праздничном концерте, который все это мероприятие завершал, должны были участвовать и теткины питомцы со своими танцами. Я, конечно же, мечтал тоже выйти на эту сцену и сплясать в настоящем театре перед многочисленной публикой. И мне бы это удалось, будь в нашей самодеятельности еще хоть один мальчишка примерно моих лет – тогда нам бы нашлось место в танцевальной постановке. А вот один я туда никак не вписывался!

Так что, несмотря на мое крайнее огорчение и теткино ко мне сочувствие, Алла выступила в том знаменательном концерте, а я – нет. И я сестре жестоко завидовал.

Моя мама преподавала танцы, но еще до войны начала подрабатывать шитьем. Шила она прекрасно, обла-

---

[1] Молотов (Скрябин) Вячеслав Михайлович (1890–1986), видный советский политический деятель, с 1939 г. был наркомом иностранных дел, а во время Великой Отечественной войны – заместителем председателя Государственного комитета обороны.

дала хорошим вкусом, сама хорошо одевалась – в молодости училась во Франции. Поэтому у нее были, можно сказать, элитные заказчицы.

В Куйбышеве к ней приходили важные дамы, которые, несмотря на тяготы военного времени, шили себе наряды. Среди этих заказчиц была дочь маршала Тимошенко. А с его сыном, Костей Тимошенко, я потом учился в одном классе.

Благодаря этим высокопоставленным заказчицам у нас время от времени появлялись какие-то экзотические по тем временам продукты – вроде той коробки конфет, о которой я уже рассказывал. Было ли это способом расплачиваться или просто формой благодарности – я никогда не спрашивал. Но одну «высокопоставленную» селедку помню до сих пор. Она была божественно, невероятно вкусная, прозрачная от жира, тающая во рту, совершенно не сравнимая с теми ржавыми селедками, которые были доступны «простым смертным». Никогда в жизни не встречал ничего подобного, хоть и перепробовал немало деликатесов. Но, может быть, конечно, мне так показалось из-за долгого военного поста.

Квартира Егоровых стала во время войны настоящим перевалочным пунктом – в нее постоянно кто-то приезжал, какое-то время жил, уезжал...

Так, однажды там появилась Юля – сестра Алексея Ивановича Писарева, женщина удивительной красоты. Приезжала Дина Воронцова, близкая мамина подруга по балетной студии, красивая, добрая, нежно мною любимая. С того приезда к нам в Куйбышев я ее больше не видел: по дороге от нас она подхватила сыпной тиф и умерла. Я горько, навзрыд плакал, узнав об этом.

Дина была одно время возлюбленной Николая Робертовича Эрдмана – блистательного писателя и драматурга. Сам он тоже приезжал к нам в эвакуацию и спал в одной комнате со мной, на полу. Как я потом узнал, он появился у нас после освобождения из лагеря, где отбывал наказание как политический заключенный.

Он научил меня двум восхитительным «армянским» ребусам, которые привели меня в полный восторг, и Николай Робертович весело смеялся вместе со мной. Вот один из них:

КА ЗА ПО ? («Ка-было за-было по-есть. Почему?»)
1 2 3 4 6 7 8 9 («Апятита нету»)

Были и совсем неожиданные для меня, увлекательные и приятные встречи. Однажды отец прислал нам то ли какое-то письмо, то ли посылочку – не помню. Почта тогда работала плохо, поэтому многое передавалось с оказией. И вот эту посылочку должен был привезти некий незнакомый нам Игнатьев.

И только когда он приехал и мы встретились, выяснилось, что это тот самый легендарный Игнатьев[1], бывший царский генерал, принявший революцию и большевистскую власть. Так случилось, что он остановился в гостинице, во дворе которой как раз и стоял наш жилой дом. И я оказался у него в гостях, в его огромном гостиничном номере. Помню большущую, во всю стену, географическую карту с большим количеством флажков – он мне объяснил, что отмечает ими передвижения наших и немецких войск, и я с трепетным любопытством пытался понять подлинное положение дел на фронте. Сам же генерал произвел на меня меньшее впечатление, чем его карта: он был немногословен, но любезен.

Неожиданной и памятной была и встреча с еще одним близким родственником дяди Мити. Я уже упоминал про Севрюгиных, которых мы навещали в Останкино до войны. Алексей Севрюгин – родной племянник

---

[1] Игнатьев Алексей Алексеевич (1877–1954) – потомственный военный, дипломат и мемуарист, полковник Генштаба царской армии, генерал-майор при Временном правительстве и генерал-лейтенант Советской армии. Автор известной книги воспоминаний «Пятьдесят лет в строю».

Дмитрия Егорова – во время войны был танкистом. Мы с ним встретились в Куйбышеве.

Поистине, жизнь полна случайностей! Он был тяжело ранен, его везли на санитарном поезде в тыловой госпиталь. А муж Надежды Алексеевны Егоровой, главный врач госпиталя в Куйбышеве, принимал проходящие через город поезда с ранеными и некоторых оставлял у себя. Однажды он услышал крик: «Дядя Коля!» – и среди раненых увидел племянника своей жены – Алексея и, конечно, снял его с поезда и поместил в свой госпиталь. Выздоравливающий Леша Севрюгин на костылях приходил к Егоровым, где мы все тогда обитали. Помню его в длинной шинели с загипсованной ногой, в ореоле героизма и мученичества. После полного излечения Алексей вновь отправился на фронт, где и погиб в последний день войны. Он, сидевший снаружи на танке, был застрелен немецким снайпером уже после того, как немцы подписали капитуляцию. Его дети, Володя и Женя, с многочисленным потомством, слава богу, живы, и я с радостью время от времени встречаюсь с ними.

Помимо Надежды Алексеевны Егоровой, которая дала нам приют в эвакуации, у Мити были еще сестра, Екатерина Алексеевна, и брат, Леонид Алексеевич.

С Леонидом Алексеевичем у меня сложились особые отношения. Мои родители уже после эвакуации попросили его со мной заниматься – видимо, они решили (и вероятнее всего, справедливо!), что я недостаточно хорошо учусь. И вот я довольно долгое время ходил к Леониду Алексеевичу, который жил со своей женой, Ксенией Сергеевной, писательницей, в районе Тишинского рынка.

Профессиональным педагогом Леонид Алексеевич не был, но был высокообразованным, интеллигентным и мудрым человеком. По идее, он должен был заниматься со мной математикой, однако, насколько я помню, мы посвящали много времени совсем иным, не менее, впрочем, полезным для моего развития предметам.

Это были интереснейшие занятия, которые не сводились исключительно к формальному преподаванию. Он много рассказывал мне о живописи, помогал понять ее язык. Впервые у него дома я увидел репродукции с картин импрессионистов – Дега, Моне и многих других.

Мы с ним ходили в музеи, на выставки, причем не только художественные. Помню, например, военную выставку в парке Горького, где были выставлены захваченные в войну немецкие танки, пушки, – мне все это было, конечно, очень интересно. Еще мы вместе ходили в зоопарк, где у Леонида Алексеевича был знакомый говорящий попугай Володя.

Ксения Сергеевна и Леонид Алексеевич в то время, то есть сразу после войны, работали вместе над созданием книги о правилах хорошего тона. Замечательно, что книга эта готовилась чуть ли не по заданию высшего военного командования страны: дело в том, что наши героические генералы, победившие нацистскую Германию и освободившие Европу, порой элементарно не умели пользоваться ножом и вилкой. В этом не было ничего удивительного и унизительного, ведь большинство советских офицеров вышли из рабочих и крестьян. Но факт есть факт: на мероприятиях светского характера, где им приходилось общаться с иностранными военными и дипломатами, наши военачальники часто попадали в неловкое положение.

Я читал эту книгу, когда она была уже вчерне готова, и кое-что запомнил навсегда. Только тогда я узнал то, чего никак не мог понять раньше, когда меня учили правилам хорошего тона. Как оказалось, в их основе лежала целесообразность, и их придумывали не для того, чтобы усложнять себе жизнь, а наоборот – сделать ее проще и рациональнее. Так, например, я впервые разумно осмыслил, почему мужчина должен первым выходить из общественного транспорта – он же должен подать руку и поддержать свою спутницу, помочь ей сойти! И на лестнице мужчина должен быть всегда ниже: идти первым, если дама спускается, и идти позади, если поднимается – чтобы поддержать, если она оступится. Надо сказать, что внедрение этих правил в практику давалось мне потом с трудом, и иной раз, чтобы выйти первым из автобуса и помочь дамам сойти, приходилось буквально отталкивать их локтями – настолько наши женщины не привыкли к вежливому обращению!

По правилам хорошего тона, женщина первая здоровается с встретившимся ей знакомым мужчиной, ибо ей предоставлено право выбирать тех, с кем она желает здороваться. Особенно важно соблюдение этого правила, когда женщину сопровождает мужчина!

Искренне жаль, что эта книга по какой-то причине так и не была издана. Она была написана с интереснейшими историческими экскурсами и большим юмором. Например, об обязанности мужчины не садиться, если женщина стоит, говорилось так: «Мужчина должен в этом случае стоять до третьего обморока». Эта остроумная формула запомнилась навсегда.

Был еще один очень интересный человек среди родни дяди Мити – Владимир Евдокимович Юрин. Он был дворянин, и в семье его полуиронически называли бароном. Философ и поэт, никогда в жизни не работавший, Владимир Евдокимович при советской власти был, тем не менее, пенсионером союзного значения[1]. Наследник огромного состояния, до революции Юрин был очень богат, после 1917 года он все свои деньги пожертвовал советской власти. Это был восторженный человек, стихи писал в духе то ли Надсона, то ли Северянина – и его

---

[1] Персональные пенсии (союзного, республиканского, местного значения) устанавливались лицам, имеющим особые заслуги в области культуры, науки и техники.

стихотворения замечательно характеризуют и то время, и его самого.

Но ни стихи, ни философские его труды никогда нигде не публиковались. С разрешения наследников я представляю маленький образчик его наивного искреннего творчества.

ПЕЧАЛЬ НЕИЗБЫВНАЯ

Пришла весна, но грустью веет
От тихих майских вечеров,
Души унылой не согреет
Зелено-бархатный покров.

Чего мне ждать, о чем тоскую.
Зачем в ликующие дни
Я вспомнил боль пережитую
Давно угаснувшей любви.

15 мая 1940 г.

Мне Юрин был интересен и другими своими увлечениями: преферансом и скачками. На скачках он, как правило, проигрывал, теряя последние гроши, с трудом выкроенные из скудного бюджета. Приходя после проигрыша, Владимир Евдокимович неизменно с сокрушением рассказывал, как легко было выиграть, потому что победители в каждом заезде были ему совершенно очевидны. И только по какой-то нелепой случайности он почти каждый раз ставил не на ту лошадь! Он убежденно утверждал, что в следующий раз уж точно не промахнется и выиграет большие деньги. Но и в следующий раз Юрин вновь ставил «не на ту» лошадь!

Иначе заканчивались его встречи с партнерами по преферансу. Играл он очень хорошо, но «по маленькой», поэтому, конечно, компенсировать свои убытки от игры на скачках ему не удавалось. Однако удовольствие получал отменное, любил решать сложные преферансные задачки и рассказывать о мастерски разыгранном мизере...

Глава 5
МОСКОВСКИЕ ШКОЛЬНИКИ

В первый класс я поступил в 137-ю московскую школу, малюсенькую, только с четырьмя начальными классами. Она была рядом с нашим домом, практически за углом, на Малой Бронной. Нашу учительницу звали Анна Ивановна, и я однажды оставил маме записку, которая заставила ее хохотать до слез: «Анна Ванна велела...»

Учился я в этой школе всего один год, потому что мои родители, как многие мамы и папы, стремились отдать своего ребенка в самое лучшее учебное заведение. И такая возможность появилась благодаря работе отца. Папа тогда служил в знаменитом Главсевморпути[1]. В те времена освоение Севера было не менее престижно, чем в последующие – покорение космоса. Во главе организации стоял легендарный российский ученый и государственный деятель, один из организаторов освоения Северного морского пути академик Отто Юльевич Шмидт. Непосредственным начальником отца был Иван Дмитриевич Папанин, исследователь Арктики, тот самый прославленный герой, который возглавлял экспедицию на Северный полюс.

Главсевморпуть шефствовал над школой № 110, и папе удалось перевести меня во второй класс этого учебного заведения. А это тогда была самая знаменитая

[1] Главсевморпуть – Главное управление Северного морского пути при Совете Народных Комиссаров СССР, ГУСМП – государственная организация, созданная в 1932 г. для народно-хозяйственного освоения Арктики и обеспечения судоходства по Северному морскому пути.

школа в Москве! Прежде всего потому, что в 1943 году в нее – после разделения элитной «правительственной» 175-й школы в Старопименовском переулке на мужскую и женскую – было переведено огромное количество сыновей наших вождей и знаменитостей. Например, со мной в одном классе учились сын Маршала Советского Союза и (в то время) народного комиссара обороны СССР С.К.Тимошенко, сын великого композитора С.С.Прокофьева, сын М.Ф.Шкирятова – председателя комиссии партийного контроля при ЦК КПСС, тоже очень крупной, если не сказать зловещей, фигуры для тех, кого изгоняли из партийных рядов...

Неудивительно, что для таких учеников был набран уникальный педагогический коллектив. Возглавлял его легендарный Иван Кузьмич Новиков. Депутат Моссовета, член-корреспондент Академии педагогических наук, награжденный двумя орденами Ленина, он был крупной фигурой в педагогическом мире. А среди преподавателей у нас были и кандидаты, и доктора наук, что тогда в школах было редкостью. Конечно, среди них были и такие, которых мы, заслуженно или незаслуженно, недолюбливали и изводили, но были и очень любимые.

Одним из самых любимых нами учителей была наша классная руководительница. Она вела у нас математику. Очень маленького роста, щупленькая, со слабым, но хорошо поставленным голоском, невероятно одухотворенная, она воздействовала на нас силой интеллекта. Вера Акимовна, которую знали и любили многие поколения учеников 110-й школы, учила нас не только математике – она давала нам уроки нравственности, и многое из того, что она нам говорила, я запомнил на всю жизнь.

Были у нее и просто забавные присказки, которые я тоже помню хорошо. Например, она говорила нам, что во всем (и в математике) следует выбирать пути наиболее прямые и короткие, а не ехать на Арбат через Сокольники. Для нас тогда ехать через Сокольники было все равно что кругосветное путешествие совершить...

Помню прекрасно нашего физика Ивана Адамовича – очень своеобразного человека. Когда ученик на его вопрос бормотал какую-нибудь чушь, он слегка сиповатым, каким-то тусклым голосом произносил:

– А подумавши?

Меня это его «А подумавши» совсем лишало способности подумать. И я, к собственному ужасу, не мог даже крохи своих знаний явить миру. С физикой у меня были большие нелады, и он ставил мне тройки, не слишком высоко оценивая мой талант физика. Но даже у меня, несмотря на полное отсутствие способностей к этой науке, его уроки остались в памяти.

Некоторые занятия, например посвященные оптике и ее законам, меня не оставили равнодушным. Но в целом, конечно, я физику знал плохо. И мало того: мне с ней еще и не везло. Вот, скажем, готовлюсь я с моими друзьями к экзамену по физике. Прошли все билеты, кроме одного – как сейчас помню, билет № 27. Я очень переживал, что не успел его выучить. А кто-то из ребят сказал:

– Да брось ты, не может же именно он тебе достаться.

Действительно, такая вероятность была крайне невелика, но, тем не менее, его я и вытащил на экзамене! Помню, когда я увидел, что у меня в руках именно этот билет, то, повернувшись к своим друзьям, я громко и со значением провозгласил:

– Билет номер двадцать семь!

Как уж я выкарабкался в тот раз на тройку – не знаю.

Мои любимые предметы были в основном гуманитарные. Мне очень нравились уроки истории, и я с наслаждением слушал нашу историчку Любовь Исааковну. А в последних классах русский язык и литературу у нас преподавал интереснейший педагог – Котляревский (вот не помню, к стыду своему, имени-отчества сейчас). Он был, как тогда говорили, «из бывших», водил нас в музеи, захватывающе рассказывал о Маяковском, которого знал лично. Благодаря ему я не просто успевал по этому предмету в школе, но действительно любил литературу.

Удивительно, что некоторые люди вспоминают школу без всякого тепла – как довольно скверный период в жизни. Оно и понятно: кому нравится рано вставать и идти учиться, кому охота делать уроки, сидеть на скучных занятиях или сдавать экзамены? Я тоже, как любой нормальный мальчишка, всего этого терпеть не мог. Но я очень дорожил своими школьными друзьями, мне нравилась сама школьная атмосфера, без разнообразных школьных дел мне было бы просто скучно.

Да и что дома-то делать?! Правда, была Алка, и мы по-прежнему с ней дружили, но уже меньше, чем в раннем, дошкольном детстве. Она была на класс старше, и я ей и ее подружкам был совершенно не интересен. Они предпочитали сверстников или ребят постарше. Ну, а я кто был такой для них? Так, Алкин брат, мелюзга.

В школе я с удовольствием участвовал в художественной самодеятельности – играл Мишку Квакина в постановке по книге «Тимур и его команда»[1], и все говори-

---

[1] Самая известная повесть советского детского писателя Аркадия Петровича Гайдара (Голикова), написана в 1940 г. В ней описываются приключения некой организации школьников: под предводительством мальчика по имени Тимур они тайно помогают членам семей красноармейцев и борются с хулиганами и садовыми воришками из банды Мишки Квакина. После выхода книги о Тимуре понятие «тимуровца», то есть пионера, помогающего людям, широко разошлось по всему СССР. Позже, когда «тимуровская» работа в массе стала не добровольной, а навязанной со стороны школы и пионерской организации, у советских школьников это понятие приобрело саркастический смысл.

ли, что это не случайно: сам был хулиганом. И правда, я очень много дрался – по многим поводам, да и без повода, наверное, тоже. Отчасти поэтому меня не приняли в комсомол, куда я, впрочем, не очень и стремился.

Были в моей школьной биографии два случая, когда меня едва не выгнали из школы. Что касается первого, то я уже и не помню сейчас, кто и что именно совершил, но это было серьезным проступком, и подумали почему-то на меня. А я знал истинного виновника, но, конечно же, выдать его не мог, мне оставалось только отрицать свою вину, а назвать имя правонарушителя я отказывался.

Маму вызвали в школу и потребовали объяснить мне, что недоносительство – это неправильно понятое чувство товарищества. Пригрозили нехорошими последствиями для меня. Она обещала на меня воздействовать, но дома, наедине, сказала: «Ты – молодец». Страшная кара исключения меня тогда все же каким-то образом миновала. И я был счастлив, что мама меня поддержала, не поставив перед необходимостью выдать товарища. Это был один из многих нравственных уроков, которыми я ей обязан. Были и другие, например когда я в первый раз подрался во дворе и пришел к ней в слезах с мольбой о помощи, а она меня отправила разбираться с обидчиками самому – нечего, мол, жаловаться. Это я тоже на всю жизнь запомнил.

Ну а второй случай, чуть было не ставший причиной моего исключения из школы, был совершенно замечательный. Мы с друзьями шли по Гоголевскому бульвару и сорвали буквально пару листочков с деревьев. Но нас немедленно задержала милиция, и в школу скоро пришла «телега»: портили древонасаждения. Мы совершенно точно не причинили растительности бульвара серьезного вреда, но вот с милиционерами, признаюсь, разговаривали не слишком вежливо. Перед директором мы пытались оправдаться, но у меня была репутация отъявленного хулигана (в отличие от моего товарища-тихони Николаева, который попался вместе со мной), так что вопрос об исключении снова встал. Однако и на этот раз обошлось.

* * *

110-я школа дала мне очень близких друзей. Нас было четверо: Толя Ржанов, Лева Гинзбург, Алеша Николаев и я. Одно время к нам примыкали то Леня Золотаревский, то Миша Гуревич, то Володя Машкевич, но основная наша «четверка» оставалась неизменной все школьные годы.

С Володей Машкевичем я помню смешную историю. Как-то в доме у Левы Гинзбурга сидели он, не помню точно – Алеша или Толя и я. В какой-то момент прозвучало случайно что-то по поводу моей национальности, и Володя вдруг вскочил и в гневе закричал:

– Герка-то – подлец!

Мы все остолбенели:

– Что случилось?!

– Он скрывал свою национальность!

Все мы дружно расхохотались: мол, о чем ты говоришь, что за вздор?

– Да, – продолжал изобличать меня Володя, – я как-то спросил его, кто он по национальности, и он сказал: «Конечно, американец».

После этого с Левкой просто была истерика. Он хохотал, у него лились слезы, мы все ему вторили, а Володя, недоумевая, озирал нас всех и долго не мог понять, что же тут смешного.

Мы очень много времени проводили друг с другом, не только во время учебы, но и вне школы, и летом в каникулы. Мы любили друг друга, ведь дружба сродни любви, но, как говорил Шота Руставели, «бескорыстней, чем любовь».

В классе мы сидели так: на предпоследней парте – Лева Гинзбург и Алеша Николаев, а на самой задней –

Толя Ржанов и я. На уроках я часто отвлекался, болтал с кем-нибудь из своих друзей, играл с ними в морской бой или в слова. А в кабинете химии, где были большие длинные столы, мы сидели за одним столом все четверо.

Два моих друга были из музыкальной среды. Лева – сын известного пианиста, лауреата Государственной премии Григория Романовича Гинзбурга. Алешин отец – Александр Александрович Николаев – был профессором и одно время проректором Московской консерватории, по его учебнику «Школа игры на фортепиано» училось и продолжает учиться не одно поколение пианистов. Выросшие в семьях музыкантов, они безжалостно надо мной издевались и иронизировали по поводу моего «слухового аппарата». Например, однажды на уроке химии они уговаривали меня напеть начало Первого концерта Чайковского для фортепиано с оркестром, а я хоть и помнил, конечно, первые аккорды этого произведения, но напеть постеснялся, так как фальшивил отчаянно. Для моих друзей это стало поводом говорить об упадке культуры: мол, даже представители интеллигенции вроде Герки не знают знаменитый концерт!

Как-то я все же попытался реабилитироваться, в дневнике немедленно появилась запись учительницы химии: «Пел на уроке, сам признался». Спел же я что-то из Моцарта – кажется, «Турецкий марш». Но этого не оценили ни учительница, ни мои друзья: они сделали вид, что ничего не слыхали.

К сожалению, Алеши Николаева уже нет с нами – мой друг умер несколько лет назад.

Он стал композитором и вроде был вполне обласкан судьбой: имел звание народного артиста России, стал профессором Московской консерватории, лауреатом различных премий, секретарем Союза композиторов РСФСР. Но при этом он не был популярен и широко известен – может быть, потому, что писал только серьезную музыку (никогда никаких шлягеров или поп-песенок!), не был модерновым композитором, оставаясь приверженцем классики, а она казалась многим современникам уже не слишком интересной и востребованной.

Алеша создавал музыку для спектаклей Театра Петра Фоменко, который его очень любил и ценил. Музыка моего друга звучит во многих фильмах. Им написано восемь опер, среди них «Пир во время чумы» и «Граф Нулин» по А.С.Пушкину, «Мыслитель» по А.П.Чехову, «Последние дни» по М.А.Булгакову, множество вокальных циклов, в том числе на стихи М.Цветаевой, И.Бунина, Б.Баратынского, П.Вяземского, Ф.Тютчева, Н.Заболоцкого, А.Твардовского. Музыкальные способности сочетались в Алексее с необыкновенным благородством и блестящим ироничным умом. Я всегда преклонялся перед его разносторонней одаренностью.

Эта одаренность проявлялась даже в наших играх. Вот играли мы, например, в слова: из букв длинного слова составляли новые слова. Алеша придумывал больше всех и выигрывал. Когда мы вместе готовились к экзаменам, он, как правило, получал пятерки, а я порой даже и тройки. То ли память его была лучше, то ли он умел лучше сосредоточиться и лучше ответить – не знаю.

Сочинения он писал максимально просто, кристально чисто, ясным, хорошим языком, очень грамотно, за что и получал свои заслуженные пятерки. Мне же было неинтересно просто писать, я все время пытался что-нибудь эдакое придумать: какое-нибудь неожиданное начало, что-нибудь оригинальное в конце. Алеша, когда читал мои опусы, ворчал: «Ага, опять начинаются эти штучки», – но делал это без пренебрежения, потому что ценил меня гораздо более, чем я того стоил.

Иногда же мы писали вместе, и эти наши общие сочинения получались очень хороши! Помню, как мы вместе с ним однажды написали большую домашнюю работу о Шекспире. Тогда я настоял, что надо начать «как-то интересно». И мы начали с описания того, что видел в XVI веке вокруг себя путник, который попадал впервые в Лондон. Как будто мы были современниками и этого путника, и Шекспира, и его знаменитого театра «Глобус»! Лихо?

В 10-м классе мы решили выпускать журнал и издали два номера – правда, каждый номер существовал всего в одном экземпляре, который читали мы сами и самые близкие друзья. Назывался журнал «Бегемот» – видимо, по аналогии с «Крокодилом», и состоял из пародийных стихов и критических заметок. Алешка, в частности, сочинял басенки. Авторами были он, Леня Золотаревский и я – другие наши друзья почти ничего не написали. Иллюстрации рисовали мой дядя художник Алексей Писарев и я.

До самой кончины Алеша оставался моим близким, душевным другом. Последний раз я был у него за два дня до его смерти. И до сих пор я время от времени встречаюсь с его вдовой. Наталья Сергеевна Николаева, многолетняя и горячо любимая спутница Алеши, – замечательный человек, талантливый ученый, один из лучших, если не лучший, у нас в стране специалист по искусству Японии, автор многих научных трудов.

С Левой Гинзбургом мы были очень близки много лет, но по причине, о которой мне бы не хотелось сейчас говорить, разошлись. Наверное, мы оба об этом сожалеем, но наш разрыв уже необратим. Тем не менее, мне приятно вспоминать нашу общую молодость. Его день рождения 29 декабря, и у нас с ним было традицией накануне этого дня почти всю ночь гулять по Москве, философствовать, делиться друг с другом всякими завиральными идеями: юности свойственно глубокомыслие!

Еще один из нашей четверки – Толя Ржанов – посвятил свою жизнь космосу. Он принимал участие в подготовке и пуске первого искусственного спутника Земли и ракеты Р-7. В последние годы своей работы занимал какие-то важные и ответственные посты в РКК «Энергия» им. С.П.Королёва. Толя неохотно об этом рассказывал, быть может, из-за секретности того, чем он занимался.

Карьера его складывалась успешно, он был лауреатом Государственной премии, был награжден орденами, но, к сожалению, его подвело здоровье: Толя давно и тяжело болен, практически прикован к постели. Встречаемся мы крайне редко – и это моя вина: то занятость, то неорганизованность мешают мне навещать его чаще, а он не может выезжать из своего Подмосковья. Первая жена Толи – Люба – умерла, и он женился второй раз на вдове своего друга, Геры Иванова, с которыми они вместе учились в институте.

Все мы, в большей или меньшей степени, были футбольными болельщиками, но за «Спартак» болел один только я. Это, впрочем, не только не приводило нас к противостоянию, но и вообще никак не отражалось на наших взаимоотношениях. Я был, пожалуй, самым страстным болельщиком, старался не пропускать ни одного матча любимой команды и приходил домой охрипшим от бесконечных криков.

Трое из нас – Толя, Лева и я – увлекались еще шахматами. Мы играли между собой в мини-турнирах, получали какие-то разряды или, как тогда это называлось, категории. Левка, по-моему, играл за школьную шахматную команду. Я же был только запасным.

Команда была отличной, побеждала на первенствах Москвы. Возглавлял ее будущий профессор кафедры теоретической физики МФТИ, блестящий популяризатор науки и отличный шахматист Вольдемар Смилга, имевший в своем активе выигрыш на юношеском первенстве Москвы у Тиграна Петросяна, будущего чемпиона мира.

Играли за эту команду Тоник (Натан) Эйдельман, будущий известный историк и писатель, Юра Ханютин, ставший одним из соавторов фильма «Обыкновенный фашизм», Володя Левертов, впоследствии театральный режиссер и преподаватель ГИТИСа.

Кажется, в 9-м или, быть может, уже 10-м классе Сережа Доренский, выросший в блестящего пианиста, великого педагога, среди учеников которого наиболее известен Денис Мацуев, показал нам игру в пинг-понг (настольный теннис). Мы с Левкой очень увлеклись этим тогда еще молодым в России спортом, участвовали в различных спортивных соревнованиях, а я потом играл в пинг-понг и во время учебы в Минске, выиграл там первенство города.

Благодаря отцу Толи, Анатолию Ивановичу Ржанову – одному из ведущих актеров Малого театра, – мы посмотрели немало спектаклей, в том числе и незабываемый гоголевский «Ревизор», где Анатолий Иванович играл Ляпкина-Тяпкина.

С Алешкой, помню, мы ходили на оперные постановки, где пел его дядя – знаменитый московский баритон Гуго Тиц. Любили мы с друзьями и концерты фортепьянной и симфонической музыки и, конечно же, бегали на все концерты Григория Гинзбурга.

Очень часто мы встречались и на Козихе, в квартире, где жила моя кузина Алла. В их комнате стояло старое пианино, Алешка садился за инструмент, а мы пели:

Город спит во мгле туманной-манной-манной.
Освещен лишь бельведер-дер-дер.
И играет на гитаре-таре-таре
Иностранный офицер-цер-цер.

На мотив известной песенки «Я вам не скажу за всю Одессу», которую исполнял в свое время Марк Бернес, мы распевали стишок, сочиненный Алешей Николаевым и посвященный влюбленному Толе Ржанову.

Весна влюбленных будоражит и раны сердца бередит.
Кто любит, всякий вам расскажет, весной теряет
аппетит.
И Толя, следуя программе, не ест, не пьет, худой с лица
И, нанося страданье маме, съедает в день лишь два яйца.

Это были счастливые предстуденческие годы, время первых влюбленностей.

Толя был увлечен Любой. Красавчик Леня Золотаревский, который к тому времени в моих глазах был уже испытанным ловеласом, рассказал нам о каких-то девочках из дружественной нам школы № 100, а вскоре и познакомил нас с ними. Это были Ренита и Люба, в которую немедленно влюбился Толя и впоследствии женился на ней.

У Рениты было множество поклонников. Она была нельзя сказать, чтобы красавица, но чрезвычайно обаятельная, веселая, умная. Я сразу влюбился, но не признавался в этом ни друзьям, ни тем более ей: был гордецом и не мог позволить себе оказаться в толпе воздыхателей. Однако в компании мы встречались непрерывно, по многу часов проводили вместе, я часто бывал у нее дома. Только, вероятно, через год тайных страданий я узнал ошеломившую меня новость: она, оказывается, тоже была влюблена... в меня. Но об этом несколько позже.

В наше время, как и сейчас, существовала традиция после выпускного бала бродить по ночной Москве. Я помню, что и мы этой традиции не изменили и под утро брели от Красной площади вверх по улице Горького. Нам встретились двое взрослых мужчин, в одном из которых мы узнали великого Михаила Михайловича Яншина, актера Художественного театра и интереснейшего человека. С ним был его приятель, футбольный обозреватель одной из газет, и оба были сильно в подпитии. Как выяснилось, накануне был какой-то важный футбольный матч, по поводу которого друзья и оказались рано утром на улице.

У них обоих нашлись для нас, выпускников, теплые напутственные слова. Но вдруг среди этих обычных, традиционных пожеланий большого светлого пути тем, кто выходит в жизнь из стен школы, Яншин начал говорить такое, что я просто испугался за него. Среди нас ведь были дети весьма высокопоставленных партийных и советских работников... А он говорил о том, что до революции мечтал стать инженером, но случилось, как он выразился, это несчастье в 17-м году – это он так про революцию! На дворе был конец сороковых, в Кремле сидел Сталин, а этот человек открыто ругал советскую власть. Наговорил он тогда много, и наши попытки свернуть его на безобидную футбольную тему увенчались успехом далеко не сразу. Наконец мы расстались, но я с ужасом ждал, что же будет. К чести наших одноклассников, доноса, видимо, не последовало.

После окончания школы нас разбросало в разные институты. Толя сразу же поступил в Московский авиационный институт. Лева не сразу, но все же поступил в историко-архивный, но архивистом не стал, а довольно успешно работал музыкальным критиком. Алешка закончил и Московский университет, искусствоведческое отделение истфака, и консерваторию по классу композиции. А я, после некоторых мытарств, закончил юридический.

Глава 6
СТУДЕНЧЕСКИЕ ГОДЫ

После школы я поступал в Московский юридический институт – и не поступил: не слишком хорошо сдал экзамены, кроме того, был евреем и не был комсомольцем. Второе, кстати, не имело политической подоплеки – я был хулиганом, и меня в ВЛКСМ попросту не приняли. К тому же и лет мне было всего 17, а в юридический тогда неохотно принимали недорослей.

А вот на следующий год, когда я снова предпринял попытку, у меня появилась возможность с полученными на вступительных экзаменах баллами поступить в Минский юридический институт, где был недобор. Так я оказался в столице Белоруссии.

Это был мой первый опыт самостоятельной жизни, но я к ней удивительно легко адаптировался. Места в общежитии мне и еще ряду моих товарищей не досталось, и мы снимали комнаты в частных домах. Со мной в одной комнате весь год жил Володя Иванов – красивый, яркий блондин, с великолепной золотой шевелюрой. Он был гармонистом, и его довольно сильная хромота не мешала ему быть «первым парнем на деревне». Я знаю, что после окончания института он остался работать в Минске следователем, но потом его следы затерялись. Помню хорошо Зорика Азгура – он стал впоследствии хорошим адвокатом, вел автодорожные дела. Однажды Зорик приезжал в Москву, мы встречались. Приятно было увидеть его и вспомнить о времени совместной учебы.

Студенческая жизнь, как и бывает обычно, давала новый, самый разнообразный и неожиданный жизненный опыт. Помню, как однажды я заболел ангиной. И завкафедрой физкультуры посоветовал мне купить водку, развести в ней соль, горчицу, перец и выпить на ночь – мол, утром будешь здоров! Я так и сделал, и действительно проснулся без боли в горле, но очень слабеньким. На следующий же день был совершенно здоров. Этот способ лечения я несколько раз в жизни потом пытался повторить, но не всегда с успехом.

В Минске я превратился в другого человека: вступил в комсомол, стал активным общественником, начал отлично учиться. Увлекся спортом: занимался бегом, играл в настольный теннис, получал спортивные разряды. Помню, как в декабре в честь дня рождения Сталина на улицах Минска проводились спортивные мероприятия. Я выступал за команду нашего института – без достаточной подготовки, первый раз в жизни бежал эстафету. По неопытности я не рассчитал свои силы и быстро выдохся. Но эта неудача меня не обескуражила, я продолжал заниматься в спортивных секциях.

Еще я вовсю участвовал в самодеятельности: играл в спектаклях, читал стихи. С нами тогда занимался артист минского театра – я именно от него впервые услышал неофициальную версию гибели Михоэлса: по существу, по его словам, это было убийство.

Комсомольцем я тоже стал активным, можно сказать, неожиданно для самого себя. Меня почти сразу избрали в курсовое бюро ВЛКСМ. Кроме того, я сделался главным редактором институтской газеты, которая называлась БОКС – Боевой Орган Комсомольской Сатиры. Для этой газеты я и рисовал, и писал обличительные статьи, и сочинял стихи.

Спортсмен изрядный из него
Мог выйти бы, ей-ей,

Когда бы форму приобрел
И пару тапок к ней.

Это гениальное стихотворение я сочинил про одного нашего товарища, который, обладая незаурядными физическими данными, тем не менее, манкировал занятиями спортом. Что же касается моего поэтического дара, то по этим строкам можно судить о нем довольно верно!

Учился я с удовольствием и убедился, что выбор мой был правильным, ибо юриспруденция интересовала меня все больше и больше. Казалось бы, все было прекрасно. Меня окружали друзья, случались и мимолетные увлечения, но меня угнетала мысль о том, что нахожусь я как будто в ссылке: все мои родные и близкие продолжают жить в столице, в родном, любимом мною городе, а я – на чужбине. И хоть я полюбил Минск, полюбил белорусов, но все равно тосковал по Москве. Было ощущение, что мое пребывание в Минске являлось чем-то насильственным, и мечта вернуться домой не оставляла меня ни на минуту.

Как-то раз, опаздывая на лекцию, я столкнулся в коридоре с хорошенькой студенткой, которую только видел несколько раз, но не был даже с ней толком знаком. Неожиданно она меня остановила и, зардевшись, прижимая кулачки к полыхающим щекам, пролепетала:

– Давайте с вами дружить.

Я ужасно смутился, готов был провалиться сквозь землю и совершенно не знал, что делать и что говорить. Поняв мое замешательство, она убежала в слезах. Наши последующие случайные встречи были мучительны для обоих: она смущалась, отводила в сторону глаза, я намеревался заговорить, но не находил слов.

Как же, оказывается, неловко бывает выслушивать неожиданные признания даже не в любви, а в симпатии, с предложением всего лишь дружбы, как трудно найти ответные слова! Бедный Онегин, подумалось мне. Каково было ему нежданно-негаданно услышать девичий крик души, наивный, чистый, но в то же время требовательный и призывный?! В учебниках по литературе нам, школьникам, «образ Онегина» преподносился как бесчувственный, холодный и рассудочный – на фоне идеализированной Татьяны.

Но теперь ответ Онегина на ее неожиданное признание я уже понимал по-другому – как искренний и честный:

Напрасны ваши совершенства:
Их вовсе недостоин я.
Поверьте (совесть в том порукой),
Супружество нам будет мукой.
Я, сколько ни любил бы вас,
Привыкнув, разлюблю тотчас...

А что еще может сказать мужчина влюбленной наивной девушке, если в его душе нет ответного чувства? Если это признание не было естественным завершением их взаимной симпатии, их личных взаимоотношений? Мне открылось с несомненностью, что инициатива в любовных признаниях со стороны женщин создает лишь неловкость и смущение.

Но уже вскоре я понял, что из этого выведенного мною правила есть исключения. Я уже упоминал чуть ранее о моей первой любви – Рените. Наши отношения были абсолютно невинны. Однажды мы оказались в электричке и, стоя на площадке, о чем-то трепались. Поезд тряхнуло, я инстинктивно выставил руку вперед, и моя ладонь на секунду оказалась у нее на бедре. Я до сих пор помню это ощущение ожога: я отдернул руку так, как будто схватился за вскипевший чайник.

Когда я уехал учиться в Минск, между нами завязалась переписка... И вдруг в одном из своих писем Ренита призналась мне в любви. Писала, что стыдно девчонке первой открывать свои чувства, но не может справиться с собой. И вот тут я уже не испытал ни неловкости, ни стыда, а ответил ей легко и искренне, восторженно признавшись во взаимности. И мысли об Онегине и письме Татьяны не омрачали моего счастья.

Беда несчастного Онегина была в том, что он не любил. Этим объясняются и содержание, и тон его ответа. Он Татьяне ответить не мог, а я Рените не мог не ответить! И она примчалась ко мне в Минск.

Ее родители (а у нее была очень высокопоставленная мама) согласились отпустить дочь в Минск только в сопровождении нашего общего друга Алеши Николаева, который тогда был тоже немного влюблен в Рениту, о чем я узнал спустя много лет, уже после его смерти. Вот романтический сюжет: влюбленный рыцарь сопровождает свою Прекрасную Даму на свидание к счастливому сопернику – своему другу!

Но, увы, мы с ней тогда не созрели для настоящих чувств и отношений. При встрече мы даже не решились поцеловаться... Где-то бродили, гуляли, но было уже ясно, что наш роман пошел на убыль. А после моего возвращения в Москву мы почти не поддерживали и дружеских отношений.

Она создала семью раньше, чем я. А ее лучшая подруга Люба, как я уже упоминал, вышла замуж за моего друга Толю Ржанова. Именно благодаря Толе и его жене я иногда встречался со своей первой юношеской возлюбленной. Однажды при такой встрече Ренита мне сказала, что «первая любовь не ржавеет». Может, и не ржавеет – просто исчезает куда-то. А жаль...

Таких, как я, приехавших в Минск из Москвы по причине недобора баллов, было несколько человек. И после первой же сессии некоторых из моих товарищей, чьи успехи были гораздо скромнее моих, перевели в Москву. Я тоже на это сильно рассчитывал, но меня с моими пятерками перевели только после второй удачно сданной сессии – но все же перевели! Я вернулся в Москву и был зачислен в Московский юридический институт, расположенный на тогдашней улице Герцена, по соседству с Консерваторией.

Оказавшись снова в столице, я увидел, что московское студенчество разительно отличалось от минского. Другие преподаватели, другие требования, другой стиль, другие компании: «золотая» молодежь, стиляги с их узкими брюками, длинными пиджаками, джазом...

Я не принадлежал к «золотой» молодежи, был из небогатой семьи, и интересы у меня и моих друзей были другие. Однако мы имели к ней, как говорят юристы, прикосновенность и встречались со многими приятелями и знакомыми из этой среды и в Коктейль-холле, и на «Бродвее», каковым именем мы по-модному называли часть улицы Горького от площади Пушкина до Охотного ряда.

Моя общественная активность в Москве сама собой быстро угасла: в самодеятельности я участвовал совсем мало, а комсомольскую работу и вовсе забросил. Учеба, однако, продолжала интересовать меня, но появились и новые увлечения. Я стал часто бывать в Консерватории, которая соседствовала с нашим институтом, завел новых институтских друзей.

* * *

Выбор профессии был мною сделан довольно рано, и поступал я в институт с идеей стать не следователем, не прокурором, не судьей, а именно адвокатом. По окончании вуза я действительно написал заявление в адвокатуру, а поскольку стать адвокатом в Москве было чрезвычайно сложно, пришлось уехать в провинцию. Но свое первое «дело» я провел задолго до окончания института!

Я уже упоминал, что мой любимый дядя Митя в самом начале войны был арестован по обвинению чуть ли не в распространении пораженческих взглядов. Но довольно быстро его признали невменяемым. Дело в том, что на него действительно очень сильно подействовало объявление войны. Особенно его, чистокровного русского, взволновало то, как жестоко и последовательно нацисты расправлялись с евреями – а ведь его жена, моя тетя Бэлла, была еврейкой! Нервный, эмоциональный, верующий человек, дядя Митя был глубоко потрясен всеми этими событиями.

Психиатрическая экспертиза признала у него реактивное состояние, и его осуждение стало невозможным. Дядю отправили на лечение в спецбольницу закрытого типа при органах госбезопасности. После войны его сочли выздоровевшим, выпустили на свободу, однако права проживания в Москве он был лишен и выселен на 101-й километр, то есть за границу 100-километровой зоны вокруг Москвы. С таким поражением в правах он фактически скитался, жил то в Александрове, то во Владимире, разлученный с женой, дочерью, братьями, сестрами, которые все оставались в Москве.

И вот, когда я был, кажется, на втором курсе юридического, дядька однажды при встрече мне сказал:

– Ну что, студент, надо что-то делать. Давай писать.

И я написал огромную бумагу: мол, как же так, ведь человек ни в чем не виноват, ведь он был признан только невменяемым – какие же у него могут быть поражения в правах?! Описал, конечно, что вся его жизнь была безупречна, что до настоящего момента он работает – и тоже безупречно. Эта моя жалоба возымела действие – его вернули домой, разрешили жить в Москве с семьей. По этому случаю дядя подарил мне кожаный портфель, что по тем временам был достаточной редкостью и ценностью, и сопроводил подарок словами:

– Вот твой первый гонорар, адвокат!

Этот случай в самом деле еще больше утвердил меня в решении быть именно адвокатом. Да и дядька мой, горячо любимый, так и сказал:

– Да, конечно, это твой путь.

Так что первое мое адвокатское «дело» увенчалось успехом и открыло мне, можно сказать, эту дорогу...

* * *

Позднее я, кстати, анализировал причины этого своего успеха. Наверное, мы написали здорово – искренне, ясно, четко. Писали вдвоем, советовались – и дядя Митя тоже внес свой вклад... Мы просили учесть, что после окончания института кинематографии и искусствоведческого факультета МГУ он много и хорошо трудился, воспевал в своих фотографиях красоту русской природы и великолепие старой русской церковной архитектуры. Его работы получали признание. После своего лечения он продолжал работать, стал даже корреспондентом ТАСС.

И все же, наверное, не одно это повлияло на принятие благоприятного решения о его судьбе. Я понимаю, что этот случай может показаться удивительным на фоне воспоминаний моих современников, которые зачастую рисуют картину абсолютно беспросветного правового беспредела. А тут такое торжество справедливости! Что ж, бывает – ведь не все же погибали даже во времена самых жестоких массовых репрессий, кому-то везло.

Не все погибают даже в таких, казалось бы, безнадежных ситуациях, как авиационная катастрофа, – даже в них порой один из сотен пассажиров или член экипажа остается жив. У меня самого было такое дело, связанное с авиакатастрофой, когда погибли все, кроме одного человека – пилота. Он оказался довольно далеко от места аварии, живой, что породило немедленно толки: ах, мерзавец, катапультировался и бросил свой самолет погибать! Долго не могли понять, что произошло. А случилось, действительно, чудо: кабина пилота от удара лопнула, пилота выкинуло через образовавшуюся щель, а трещина за ним снова захлопнулась. Пилот сам ничего рассказать не мог, он потерял сознание и не мог вспомнить, как оказался вне кабины, – установила такое чудо только экспертиза.

Так и в годы великого террора – все-таки посадили не все двести миллионов человек, которые в то время жили в стране! На кого-то не донесли, кого-то пощадили, а кто-то и выходил из застенков.

Когда я работал в Калинине, там был судьей человек, на которого в мрачные годы массовых репрессий донесли. Его посадили и должны были бы расстрелять, да вот не расстреляли – подержали да и выпустили. Еще большим чудом я всегда считал, что отца моего ни разу даже не арестовывали.

Впрочем, и в худшие времена далеко не все удавалось силовым ведомствам, и по каким-то причинам наша власть все время кого-то миловала, кого-то «справедливо» оправдывала. То ли нужно было показать: существуют и закон, и справедливость, и гуманность. То ли это происходило просто потому, что среди тех, кто принимал решения, были все же порядочные люди, которые кого-то спасали, то ли были и такие, кто по ошибке кого-то выпускал.

Вот дядя Митя рассказывал, что его при аресте фактически спас один крупный в те времена профессор психиатрии, который провел экспертизу и решился на то, чтобы дать заключение о Митиной невменяемости. В то время это было мужественным поступком. Они не были знакомы и как-то связаны, скорее, просто возникла симпатия между двумя интеллигентными людьми. В общем, это была невероятная удача, этакий выигрыш в лотерею, только вместо денежной премии – свобода и жизнь.

Можно только гадать, что именно столь благоприятно повлияло на Митину судьбу. Может, какие-то новые тенденции внутри государственной машины, о которых мы не догадывались. А может, была какая-то разнарядка, о которой мы тоже не знали: столько-то процентов освобождать, стольким-то разрешать возвращение в Москву – и дядя Митя просто по каким-то критериям попал в эту категорию счастливчиков.

Какой процент жалоб удовлетворяли и как можно было в этот процент попасть – не знаю. Словом, почему повезло именно нам, мы не знали, да нас это, если честно, особенно и не волновало. Сработало – и слава богу!

Наверняка знаю только про то, как «срабатывали» те письма, что писались Председателю Президиума Верховного совета СССР М.И.Калинину. Один из моих однокашников работал в секретариате «Всесоюзного старосты», куда шло огромное количество посланий с разного рода просьбами и где была установка: технические работники просматривали тысячи писем и, найдя среди них наиболее выигрышное с точки зрения торжества гуманности и справедливости дело, докладывали о нем «дедушке Калинину». Он тогда лично принимал, выслушивал этого человека, и после этого по его повелению принималось положительное решение. Это, конечно же, становилось известно, и постепенно родился такой миф: главное – добиться приема у самого Калинина, и уж он-то разберется по совести!

Я допускаю, что подобная же схема работала и у Сталина – для поддержания его славы мудрого, доброго, милостивого вождя.

Глава 7
БУДНИ ПРОВИНЦИАЛЬНОГО ЮРИСТА

После института я по распределению уехал в Калининскую (ныне Тверскую) область. Система направления на работу распространялась тогда на весь Советский Союз, и отправить любого окончившего вуз могли из Москвы в любой город страны. Конечно, те, кто имел какие-то связи, блат или смог в институте начать карьеру в комсомольских, партийных органах, оставались в столице. У меня таких связей и возможностей не было.

Распределение шло несколько дней, и одним из первых, до меня, путевку в Калининскую область получил один мой товарищ, Юра Юрбурский. Он уговорил меня проситься туда же, вместе с ним. Поскольку о Москве для меня не могло быть и речи, я довольно легко согласился – Калинин близко от столицы, да к тому же я вспомнил, что мой друг Алеша Николаев рассказывал, какой это прекрасный город: на Волге, с уникальной планировкой и архитектурой замечательного архитектора Казакова...

Прямо накануне распределения я умудрился подраться: сдуру на улице полез на троих здоровых ребят – заведомо безнадежное было мероприятие. Меня здорово побили, причем изрядно пострадало лицо. Что было делать? Мы с моим другом Витькой Ковельманом (ныне Шаровым) придумали, что я попал в аварию, забинтовали меня, как только было возможно. Члены комиссии по распределению мне даже посочувствовали, а уж поверили этой сказке или нет – не знаю. А распределиться мне при этом предложили в Вологодский край.

Почему-то тогда мне это показалось жуткой тмутараканью, чуть ли не Крайним Севером. Подписывать эту путевку я категорически отказался, ссылаясь на болезнь недавно овдовевшего отца, которого никак нельзя было оставлять одного, уезжая так далеко.

В комиссии по распределению заседал и директор нашего института Бутов, который, услыхав про папу, тут же выступил с репликой:

– Подумаешь, папа – у меня вот тоже папа.

Не знаю, откуда я набрался дерзости, возможно, помогли бинты, скрывавшие все лицо, но я ответил:

– Ну, так вот вы же никуда и не едете!

Этот мой бойкий ответ чрезвычайно понравился важному чиновнику из Министерства юстиции, который, видно, Бутова недолюбливал. Он громко расхохотался и предложил найти для меня «что-нибудь поприличнее». Тогда я попросился в Калинин и получил вожделенное распределение.

Забавно только, что мой приятель Юрка туда в итоге не поехал – его высокопоставленный отец сумел с помощью своих связей оставить его в Москве. Юрбурский оказался в Верховном суде РСФСР и даже стал секретарем Пленума ВС. К несчастью, его ждала трагическая судьба: довольно толковый и неплохой парень, Юра впоследствии покончил с собой.

Калинин оказался действительно прелестным городом, и я был им очарован. Меня впечатляло его историческое прошлое – Тверь ведь в свое время оспаривала у Москвы первенство среди русских городов, и Тверское княжество не уступало Московскому, а в какие-то периоды и превосходило его. С этим городом было связано немало известных имен. Вице-губернатором в Твери в свое время был М.Е.Салтыков-Щедрин, великий наш сатирик, а попечителем народных училищ Тверской губернии – один из творцов русского исторического романа И.И.Лажечников. Здесь он написал самый знаменитый свой роман – «Ледяной дом». Сохранилось здание гимназии, где он директорствовал, и многие другие дома на Советской, раньше Миллионной, улице, где когда-то были дворянское собрание, театр, путевой дворец императрицы и примыкающий к нему сад над Волгой.

Интересна была и сама планировка города, особенно «версальский трезубец», трехлучевая композиция улиц, сходящихся в одной точке. Такие улицы встречаются еще в Питере. И, конечно, совершенно очаровательная набережная, спроектированная Казаковым. Там я впервые в сознательном возрасте увидел Волгу.

Но в Калинине я оставался недолго. Никто меня на работу в этом славном городе не ждал, и я получил направление на полугодовую стажировку в Ржев. Только после этого я мог рассчитывать получить место уже постоянной работы.

Начало моей самостоятельной жизни после окончания института пришлось на знаменательный в жизни нашей страны год – год смерти Сталина. В стране происходили очень серьезные пертурбации, и почти накануне моего приезда в Ржев была объявлена амнистия, которую потом называли бериевской. Она была чрезвычайно широкой, освободили огромное количество людей, в том числе матерых бандитов, поэтому разгул преступности был невероятным. Стало просто страшно жить – особенно в маленьких городах. По оценкам историков, за два первых месяца после объявления амнистии в европейскую часть России из мест заключения нахлынуло более 700 тысяч вчерашних зэков, а число зарегистрированных преступлений с апреля по август 1953 года выросло более чем в два раза.

Ржев в этом смысле был особенно опасен, поскольку находился на 101-м километре, сразу за границей 100-километровой зоны вокруг Москвы, закрытой для лиц, ограниченных в правах. Я помню, что приехал к месту назначения ночью, и в вагоне все мне говорили, что идти в город в такой поздний час немыслимо, что надо переждать на станции. Но я и еще несколько отчаянных пассажиров этого поезда коротать ночь на вокзале, тем не менее, не захотели. И вот мы пошли по этому чужому, незнакомому городу, темному, практически без единого фонаря, с сохранившимися следами разрушений: Ржев был захвачен в войну немцами и сильно пострадал в ходе шедших за него боев. Несмотря на то, что путь мой до плохонькой местной гостиницы прошел вполне благополучно, впечатление от города, конечно, осталось какое-то зловещее.

В местной юридической консультации, куда у меня было направление, я нашел радушный прием. Надо сказать, что внешний облик местных адвокатов совершенно не вязался с тем образом представителя благородной профессии, который я видел в кино и встречал порой в жизни в Москве, – ничего похожего на беловоротничковую столичную элиту.

Заведующий консультацией Филиппенков имел вид неухоженного простого мужичка, женщины были ему под стать, и только один из адвокатов выделялся из этой простецкой среды: сухой, поджарый, аристократического вида, он походил скорее на англичанина (как я их тогда себе представлял). Говорил при этом томно, слегка растягивая слова и грассируя – как бы тоже, в соответствии со своим обликом, с небольшим иностранным акцентом. Одет же, однако, был бедно, костюм был сильно поношен и неопрятен.

Кстати, заведующий, когда я его поближе узнал, оказался чрезвычайно толковым, умным, знающим юристом, обладающим к тому же прекрасным, каким-то подлинно народным юмором и свободной речью.

А «англичанин», некто Кустов, в свое время учился в Дерптском университете, был юристом с дореволюционным стажем, грамотным, но несколько несовременным человеком.

Женщины-адвокаты были довольно далеки от юриспруденции. Одну из них, Смирнову, назначили моим руководителем. Она была очень хорошим человеком, но мало что могла мне дать в профессиональном плане, хотя и искренне делилась всеми своими знаниями. Жаль, что их было так немного. Так что моими первыми наставниками стали только Филиппенков и Кустов – они хоть чему-то могли научить.

Началась моя стажировка. Сказать по правде, вначале я практически ничего не умел. Помню, как впервые мне предложили написать заявление о взыскании алиментов. И хотя это вообще самое простое, что только существует в юриспруденции, я понятия не имел, как приняться за дело. Ни интернета, ни программ типа «Консультант» тогда и в помине не было, просто скачать готовую форму было неоткуда. Максимум, на что мог рассчитывать новичок вроде меня, – это раздобыть книжку-пособие «В помощь судье» и попробовать найти там какие-то образцы.

Что-то мне показали, что-то объяснили мои наставники, но я понял, что надо лезть в законы и из них черпать понимание того, что и как надо делать. Кустов нашел для меня на своем чердаке старые, еще дореволюционные, книги по юриспруденции, которые я прочитал с большим интересом. Так, самообразовываясь, я постепенно начал кое-что соображать. К тому же я постоянно ходил в суд то с Филиппенковым, то с Кустовым, то со Смирновой, присутствовал на приеме ими граждан и познавал, таким образом, азы профессии.

Один урок, полученный от Филиппенкова, я запомнил на всю жизнь. Мы оба были в командировке в одном из близлежащих к Ржеву районов. Я чуть ли не впервые должен был самостоятельно защищать своего клиента.

И Филиппенков в обеденный перерыв, прямо перед началом наших выступлений в суде, от чистого сердца посоветовал мне выпить водки – мол, смелее будешь. После долгих колебаний я его все же послушался и выпил не то сто, не то сто пятьдесят грамм. Понятно, что для моего начальника, крепкого взрослого мужчины, это была ничтожная доза, а вот меня развезло. Наверное, сказалось еще и нервное напряжение... И вот надо выступать, а у меня язык заплетается. Честно говоря, не помню, как закончилось то дело, да и было оно совершенно проходное, моя роль в нем была формальной. Но урок я усвоил и с тех пор никогда в жизни не позволил себе перед выступлением ни грамма спиртного!

* * *

В Ржеве я одно время делил квартиру со своим тезкой, Генрихом Ревзиным, тоже адвокатом из Москвы. Мы, конечно, подружились. Неглупый, разбитной малый, он мало интересовался адвокатурой, хотя выступал неплохо благодаря хорошо подвешенному языку. Но ничего общего с серьезной защитой это не имело. Впрочем, у него к этому времени был уже некоторый практический опыт, и я мог чему-то у него поучиться. Хотя учил он меня, в основном, выпивать. И я оказался способным учеником!

С Генрихом мы ходили на танцы в Клуб железнодорожников и в какой-то еще, название я сейчас не помню. Домой с танцев можно было идти двумя путями: либо длинным, по улицам, либо значительно более коротким – но этот второй путь проходил по кладбищу. Несколько раз мы с моим товарищем ходили этим коротким путем и ничего не опасались. Но однажды я пошел по кладбищу один – а была уже ночь! – и внезапно услыхал какие-то загадочные шорохи, увидел таинственное мерцание огоньков и движение каких-то теней. Стало жутковато. Когда мы ходили с Ревзиным вдвоем, увлеченные разговорами, не замечали ничего вокруг, а одному мне неожиданно стало очень неуютно, особенно когда с деревьев с шумом да с криками «карр-карр» вдруг срывались вороны и галки.

Сначала я, было, решил больше не ходить этим путем в одиночку. Но потом устыдился своей слабости и принялся воспитывать волю и смелость. Несколько раз еще – без всякого удовольствия! – прошелся по этому кладбищу, а затем решил, что уже достаточно себя перевоспитал, и стал пользоваться только длинной дорогой.

По окончании стажировки меня «в поощрение» направили на самостоятельную работу в райцентр под названием Погорелое Городище.

Что касается моего тезки, то после того, как мы оба уехали из Ржева, наши пути разошлись. Я еще всего два-три раза видел Генриха в Москве, но его дальнейшая судьба мне не известна.

* * *

На новое место работы (и на первое – самостоятельное!) я прибыл, кажется, в августе. На станцию, что располагалась в полутора километрах от самого поселка, я приехал в летнем наряде, вполне уместном в Москве. На ногах у меня были полуботинки. Но едва я сошел с поезда, как понял: дойти в них до места назначения практически невозможно – грязь была в буквальном смысле по колено.

Мое передвижение по «грязно-неуклюжей»[1] дороге выглядело примерно так: я делал шаг, мои штиблеты немедленно увязали в глинистой жиже, слезая с ног. Я их извлекал, снова пристраивал на место и пытался сделать следующий шаг.

---

[1] И.Северянин. «Октябрь»:

Морозом выпитые лужи
Хрустят и хрупки, как хрусталь;
Дороги грязно-неуклюжи,
И воздух сковывает сталь.

Так, весь в грязи, я с горем пополам доплелся до Погорелого Городища и предстал пред местным судьей. Это была высокая, худощавая женщина, явно смутившаяся при виде меня. Помимо нее, в суде работали еще две женщины: одна – секретарь судебного заседания, другая – секретарь суда. Они откуда-то появились посмотреть на меня, как на заморское чудо. Хохоту по поводу моей обувки было много, и тут же все стали решать, что же на меня надеть.

В магазинах тогда ничего не было, а мне срочно требовалась какая-то подходящая для местной грязи обувь. И тогда кто-то из них вспомнил, что в одном деле было вещественное доказательство – резиновые сапоги. Их немедленно извлекли с чердака, где они валялись в ожидании своего часа, и вручили мне. Одна беда – сапоги были размеров на пять больше, чем мне требовалось. Тогда мне кто-то из них посоветовал:

– А ты влезай в эти сапоги прямо в ботинках.

Звучало как шутка, но я и вправду стал так делать. Надо мной смеялись, говоря:

– Нашего адвоката, когда он идет, видно так: сначала в окне появляются носки сапог, а потом уже он сам.

Вот так я стал адвокатствовать в Погорелом Городище...

На новом месте меня встретили приветливо, с осторожным любопытством. Оно и понятно: Погорелое Городище было захолустьем, некоторые его обитатели не бывали никогда не только в Москве, но даже и в областном центре. Появление столичного жителя не могло не взбудоражить умы – меня рассматривали как какую-то диковинку. Однако уже вскоре после моего приезда в Погорелое Городище у меня установились прекрасные товарищеские отношения со всеми моими коллегами: с судьей, прокурором, следователем, другими работниками суда (я помню их по именам – Надя и Нина, славные, кстати, были тетки).

Надя, если я не ошибаюсь, была еще и судебным исполнителем.

Надо сказать, что по многим делам я защищал обвиняемых по назначению суда, а суд уже затем взыскивал с них определенные суммы гонорара, точнее – выписывался исполнительный лист на взыскание денег за мою работу, но, конечно, реально я ничего не получал. Так продолжалось до тех пор, пока мой дружок Генрих Ревзин не научил меня, что нужно как-то заинтересовать судебного исполнителя – и тогда хоть какую-то часть взысканных денег можно будет получить.

Следуя совету более опытного товарища, я предложил Наде отстегивать ей десять процентов с каждой реально взысканной суммы. И денежки потекли маленьким ручейком, спасая меня от нищеты.

Мои будущие процессуальные противники также отнеслись к моему появлению скорее доброжелательно. В прокуратуре тогда работал старый прокурор Соловьев, милейший и безукоризненно честный человек. Следователем был Стрельцов, на фронте потерявший одну ногу и ходивший на протезе, – он был более, если так можно выразиться, суровый, но столь же честный. Никто из нас тогда и не представлял себе возможности решать какие-то вопросы при помощи взятки! Может быть, эти люди не были высоколобыми интеллектуалами, но работали на совесть, делали свое дело так, как они его понимали.

Прокуратура, милиция и суд – все состояли в одних профсоюзной, партийной и комсомольской организациях: судья, прокурор и следователь были коммунистами, я – комсомольцем. У нас были нормальные человеческие и деловые отношения. Конечно, в суде мы горячо спорили, сражались так, как и должны были сражаться по долгу службы, но никаких обид, никаких претензий друг к другу у нас не возникало. Все праздники мы отмечали вместе, знали жен-мужей друг друга.

В Погорелом было очень много неудобств, точнее, отсутствовали многие удобства, привычные тогдашнему столичному жителю и тем более нынешнему современному человеку. За время жизни там я сменил две квартиры, а на самом деле – два закутка в деревенских избах.

В первой избе я жил за загородкой в одной комнате с хозяевами-стариками. Внешняя стена моего закутка была одновременно и стеной скотного двора, так что я слышал, как дышит корова, хрюкают и чавкают свиньи, возятся куры на насесте. Уборная с выгребной ямой была у нас тоже на этом скотном дворе, дверь в него вела прямо из комнаты, которую я снимал у хозяев.

Хотя аромат, тянувшийся со скотного двора, был не слишком приятен, зато прямо под моим окном пели соловьи. Я услыхал их тогда впервые в жизни, а раньше себе это пение представлял иначе. То есть я совершенно серьезно думал, что они именно поют – ну, как поют великие певцы, наверное: если не басом и баритоном, то какой-нибудь колоратурой. А они в основном щелкали – и я был даже немножко разочарован! Но уже вскоре я ощутил всю прелесть этого доносившегося из кустов пения.

Электричество в поселке было местное – от движка. Этот движок давал неяркий мигающий свет в лампочках, а часто, когда запивал дядя Вася, работавший на этой «электростанции», света вообще не было. Так что дядю Васю старались как можно быстрее привести в чувство.

Посреди площади Погорелого Городища на столбе висел громкоговоритель. Помню, как к нам в командировку приехала одна адвокатесса (когда были групповые дела, я не мог работать один с несколькими подзащитными, и к нам выезжал какой-нибудь адвокат из другого района), и мы с ней шли по улице поздно вечером, а из репродуктора вдруг полились звуки фортепьянной пьесы из альбома «Времена года» Чайков-ского. Это было совершенно восхитительно. Представ-ляете: мы шлепаем по грязи, моросит дождь, промозгло и слякотно, а сверху, сквозь шипенье и хрипы динами-ка, доносится музыка – «У камелька».

Живьем фортепьянную музыку, конечно же, в Пого-релом мне слушать не приходилось. В клубе и на вок-зале танцевали под гармошку. Вокзальные танцы были весьма экзотичными. Станция представляла собой де-ревянную платформу с деревянным же домиком, где располагались железнодорожная администрация и зал с буфетной стойкой для пассажиров. В углу этого зала стоял бачок с водой, к кранику которого была цепочкой приторочена металлическая кружка. С потолка свисали электрическая лампочка, засиженная сплошняком му-хами, и «липучки», на которых покоились трупики мух и жужжали недавно прилипшие насекомые.

Танцы устраивались в этом зале, а летом – прямо на платформе, которая была освещена несколько лучше, чем зал. Помимо танцев, привлекал молодежь на стан-цию особый ритуал: мы часто ходили на железнодорож-ную станцию встречать и провожать поезд.

Скорый поезд Москва–Рига проходил, не останавли-ваясь, через станцию Погорелое поздно вечером. Меня всегда волновало его появление. Он возникал из-за по-ворота слева. Вначале появлялся свет его прожекторов, потом слышалось постукивание колес о стыки рель-сов, и затем уже вырывался из леса локомотив с длин-ной вереницей сверкающих огнями вагонов – эдакий левиафан. Этот поезд проносился мимо нас, и мы за-вороженно смотрели в его окна, в которых пролетала перед нами, как нам казалось, блистательная и счаст-ливая жизнь. Мы же оставались на грязной деревянной платформе, в грязных сапогах, вдалеке от света и блеска цивилизации. Возвращаться со станции нам предстояло примерно полтора километра по непролазной грязи.

Грязь в Погорелом, конечно, была не круглый год – зимой нас засыпало снегом. И я хорошо помню, как в марте, на Масленицу, судейские решили прокатиться на санях. При местном суде была лошадь, мало напоминавшая арабских скакунов, но исправно тянувшая летом телегу, а зимой – сани. Меня тоже вовлекли в затею с катанием и даже разрешили попробовать свои кучерские способности. Управлять лошадью до этих пор мне никогда не приходилось, но казалось очень простым делом. Кончилось же это все, само собой, тем, что я вывалил всех в снег. С визгом и хохотом вся компания выбиралась из сугроба.

Уехал я из родительского дома в Калининскую область с малюсеньким, чуть большим, чем портфель, чемоданчиком. Помнится, что лежали в нем три-четыре пары трусов, несколько пар носков, пара брюк, сколько-то рубашек, ну, и туалетные принадлежности: бритвенный прибор, мыло, зубные порошок и щетка. Вряд ли была какая-нибудь обувка помимо той, что на ногах.

Одет я был в перелицованный из отцовского пиджачок и пальтишко. Была еще и кепочка. Зимних вещей с собой не было, как почти совсем не было и денег. Получать зарплату я начал с первого же месяца стажировки в Ржеве. Составляла она 350 рублей – примерно столько платили стипендию в институте. Прожить на эти деньги было невозможно, едва хватало на оплату жилья. Спасали командировки: суточные иной раз доходили до 200 рублей в месяц, и это было серьезным подспорьем.

Когда я начал самостоятельно работать в Погорелом Городище, мои доходы несколько возросли. И я смог себе позволить приобрести кое-что из самого необходимого – а за полгода стажировки я поизносился изрядно! Вот я и купил себе новые трусы, носки и даже пару полуботинок. Теперь такие не сыщешь ни на барахолке, ни в музее. Это были белые парусиновые полуботинки, которые чистили не ваксой, а зубным порошком. Зубной порошок осыпался с парусины, оставляя белые следы на полу.

Замечательная обнова – мечта пижона!

Несмотря на столь значительные приобретения, в момент моего романтического знакомства с будущей женой я поразил ее внушительного размера заплатой на брюках, которую она увидела, когда я невзначай повернулся к ней, *pardon*, задом. Увы, на брюки я еще не заработал, а ведь к этому времени уже работал в Торжке, где получал побольше, чем в Погорелом (скажу, впрочем, что на исходе полутора лет моего пребывания там я в последний перед переездом месяц не заработал вообще ни рубля).

И все же это был прекрасный период – время познания жизни, общения с людьми, с природой, время становления профессионала, обретения самостоятельности, осмысления своего места в жизни и ощущения радости бытия и работы. Благословенно время молодости и познания мира!

У всех в Погорелом Городище были огороды, все держали коров, свиней, кур, кроликов – их разводили по причине плодовитости и неприхотливости: жуют себе свою травку и дают отличное мясо. Я состоял у своих хозяек (сначала у одной, потом у другой) на полном коште: я платил за кров, а они меня поили и кормили. Мне делали винегреты, варили или жарили картошку – все со своего огорода, кормили сметаной и поили молоком от своей коровы... Кроме того, были домашние яйца, время от времени резали петуха, раз в год – поросенка. В общем, в избытке была простая, немудрящая пища.

Но при этом: масла не было, сахара не было, о колбасе и сыре даже не мечтали. Поэтому время от времени мои новые коллеги и знакомые снаряжали меня за продуктами в Москву, что для меня всегда было приятным поручением. Коллективно собирались деньги на проезд – и в путь! Я привозил все, что было нужно и что невозможно было достать иначе как в столице. Порой же возил в Москву то, что там было или втридорога, или вовсе не достать – то гуся, то поросеночка молочного…

Ездил я на почтово-багажных поездах, потому что другие в Погорелом не останавливались. Когда билетов не было, я проникал в вагон за взятку проводнику и размещался на третьей полке рядом с узлами и чемоданами. Ехать до Москвы было около пяти часов.

В Москве я появлялся в своих знаменитых сапогах и телогрейке и шел в гости к кому-нибудь из своих друзей, которых мой наряд очень развлекал.

В Погорелом, на той же улице, что и я, наискосок от моего дома, жила женщина с двумя ребятишками лет по десяти на вид. Эту женщину все называли «немецкая овчарка». Услышав это прозвище, я был страшно удивлен, но вскоре выяснил, что во время оккупации она сожительствовала с немецким солдатом, за что и получила это прозвище – так называли женщин, которые сходились с оккупантами. Меня этот факт ее биографии потряс, а местные, хоть и дали ей такое неприятное прозвище, по всей видимости, совершенно ее не осуждали. Мол, в жизни каждый устраивается, как может. Она успела родить от немца двоих детей, и к ним в деревне вполне дружелюбно относились.

Повторяю: я был потрясен. Хотя я помню, какое удивление в свое время у меня вызвало отношение к пленным немцам в Москве – когда их вели по улицам нашей столицы, уже после Сталинграда. На них сбегались смотреть толпы народа, и я своими глазами видел, как некоторые женщины бросали хлеб этим несчастным людям, которые брели перед ними в своих ужасных лохмотьях. А ведь еще недавно эти жалкие и ничтожные пленные были безжалостными завоевателями на нашей земле! Но русские незлобивые бабы уже готовы были их пожалеть.

Но те же самые бабы могли быть при случае жестокими и несправедливыми...

Однажды появились у нас в Погорелом Городище две молодые девчонки – приехали после окончания Калининского педагогического института. Одна из них была преподавателем английского языка. А я тогда как раз хотел освежить свои неплохие когда-то знания английского. Самому заниматься мне никак не удавалось, а тут неожиданно и кстати – учительница английского! Мы встретились, познакомились, и я попросил ее со мной позаниматься.

Сначала она категорически отказалась: «Это както неудобно!» – думаю, что она просто заподозрила: за этим кроется нечто другое. Но я действительно всего лишь хотел заниматься английским, и в результате хоть с некоторым трудом, ее уговорил. Так она стала заходить ко мне домой и давать мне уроки.

Я уже рассказывал, что в избе, где была одна большая комната, я жил за тончайшей дощатой перегородкой. Насколько я помню, перегородка была даже не до самого потолка, а дверь в нее фактически не закрывалась. В этом уголке размещалась кровать с брошенным на нее сенником, то есть набитым то ли сеном, то ли соломой тюфяком, а от стены откидывался приставной столик. Это была вся обстановка моей «комнаты». Из стены еще торчали гвоздики, на которые можно было повесить какие-то вещи, под кровать я пристроил чемоданчик...

Вот в эти хоромы и приходила моя учительница, правда, всего три или четыре раза, а потом наотрез отказалась: все, больше она не может. Что?! Почему?! Оказалось – поползли слухи: мол, ходит к молодому одинокому мужчине. Для нашей деревни это было абсолютно неприлично – училка ходит к адвокату...

Не помогло даже то, что наши занятия происходили на виду и на слуху у хозяйки, которая, по существу, находилась с нами в одной комнате. То ли ее свидетельством никто не интересовался, то ли она сама сомневалась в подлинной сути наших отношений, а потому за нас не вступалась – но всей деревне, конечно же, было куда интереснее подозревать романтику (или пошлятину) в наших отношениях, чем видеть простую и скучную действительность. Так что девушка-учительница решительно прекратила свою преподавательскую деятельность.

Я не раз в дальнейшем сталкивался с нежеланием людей видеть простую и скучную правду – вымысел был для них интереснее и желаннее. Вот уж поистине, как всегда, прав Александр Сергеевич Пушкин: «Тьмы низких истин нам дороже нас возвышающий обман»! Только порой именно вымысел был низменнее правды и не возвышал, а очернял и принижал. С этим же желанием выдумать, исказить действительность, приписать людям несуществующие недостатки, а иной раз и пороки, я встречался не раз и по уголовным делам, в которых участвовал. Чрезвычайно трудно бывало убедить суды в надуманности, несоответствии истине многих таких свидетельств. Ведь судьи – такие же люди, как и авторы этих измышлений, и они тоже – увы! – охотнее верят в дурные мотивы, чем в естественные и простые, а тем более – благородные.

А возвращаясь снова к воспоминаниям о Погорелом, скажу лишь, что вместо уроков английского я в итоге снова стал проводить досуг в местной чайной, где пил много пива, так как в тогдашних чайных было все, что угодно, кроме чая: пиво, квас, воды, какие-то жуткие вина и водка.

Не только пиво, конечно, занимало мой досуг. У меня к тому времени собралась уже неплохая библиотека –

к сожалению, большая часть ее впоследствии в результате множества переездов была растеряна. Источником ее пополнения был маленький книжный магазинчик, куда приходила и периодическая литература, и книжные новинки. Тогда работала система справедливо-равномерного распределения всех благ просвещения, и в Погорелое Городище, которое было райцентром, по этой разнарядке исправно приходило хотя бы по одному экземпляру от каждого тиража издававшихся в Советском Союзе книг.

Спрос на них, скажем честно, там был невелик. Так что я очень быстро и без особой конкуренции стал получать все интересующие меня новинки, всю периодику, в том числе юридическую. Времени для чтения у меня было достаточно, а это занятие я любил с детства, но именно в Погорелом Городище я стал больше читать не художественную литературу, а специальную: и серьезнейшие монографии, и юридическую периодику – журналы «Социалистическая законность», «Советская юстиция», «Государство и право», Бюллетени Верховных судов СССР и РСФСР. У меня доставало времени не только просматривать их, но и изучать почти каждую публикацию, размышлять над прочитанным и узнавать новое и неизвестное ранее. Так же вдумчиво я изучал каждое свое дело. И все это вместе в значительной степени помогало мне становиться, смею думать, настоящим юристом.

Но свободного времени все равно оставалось в избытке.

До того, как я оказался в Калининской области, я, по существу, не бывал на природе, не знал прелести собирания грибов и ягод, удовольствия рыбной ловли и охоты. Мое общение с природой ограничивалось летним отдыхом под Москвой в Быково или на море в Геленджике, Анапе или Ялте. В Погорелом же городище я впервые испытал радость пребывания в лесу, лежания в траве на полянке, рассматривания вблизи полевых цветов, всяких козявок, божьих коровок, стрекоз и бабочек. Я ходил по ягоды, научился собирать грибы и отличать поганки от белых и сыроежек. В Погорелом впервые в жизни мне удалось побывать и даже принять участие в охоте, да еще в какой – на волков! Несколько раз ходил с местными жителями на рыбалку.

В нашей семье рыболовом был только Алексей Иванович Писарев, муж тети Иды и отец моего двоюродного брата Лени. Помнится, я в раннем детстве раза два ходил с ним на рыбалку, но мне это занятие показалось скучным. Здесь же, в Погорелом, были совсем другие ощущения, когда я сам впервые поймал рыбу. Помню, как неумело и чуть-чуть боязливо снимал ее с крючка, а она продолжала трепыхаться в моих руках. Признаюсь, что жалости никакой у меня к ней не было, напротив – появились азарт и гордость за новое умение.

В дальнейшем мне приходилось еще бывать на рыбной ловле. Меня брали в заповедные места под Калининым, и это было замечательным отдыхом и развлечением. Я даже научился забрасывать спиннинг, однако настоящим рыбаком так и не стал.

Теперешний мой водитель Сережа – страстный рыболов, и время от времени в наших совместных поездках мы говорим о рыбной ловле: он – как большой специалист, а я – как жалкий дилетант. Но все же мне приятно порой в разговоре с ним вспомнить, как у меня долгое время при бросании спиннинга получалась «борода», или рассказать о том, какую рыбацкую уху мы варили в те времена.

Я только в Погорелом впервые увидел, как пасутся стада – луга начинались совсем рядом с моим домом, туда выгоняли коров и единственного быка, который был моим врагом: он мне очень не нравился, и, по-видимому, я ему тоже – во всяком случае, он очень недоброжелательно на меня смотрел и даже пару раз пытался угрожать. Правда, до «драки» у нас с ним не доходило ни разу, обошлось.

В минуты досуга я с удовольствием наблюдал за нравами не только мелкой и крупной домашней живности, но и ухаживающих за ней пастухов и скотниц. Близость их к животным вызывала нечто вроде зависти к их умению достигать такого полного взаимопонимания с животным миром, к их такому естественному и необходимому труду.

Обидно только, что в Погорелом мне не удавалось поплавать вдосталь: протекающая здесь маленькая речушка, больше похожая на ручеек, была непригодна не только для плавания, но и для купания. Только в полноводье можно было слегка побрызгаться в воде, пару раз окунуться и проплыть несколько метров. Увы, это была не Волга и даже не Москва-река!

В Погорелом Городище я начал по-настоящему самостоятельную работу. Приходилось заниматься всем: разделом крестьянского двора, наследственными спорами, договорами займа... Несмотря на нарисованную мною буколическую картинку патриархальной жизни, были тут и кражи, и хулиганство. Хулиганили много, что и неудивительно – пили! Случались и убийства, причем довольно дикие.

Наиболее трагичным и трудным для защиты делом в Погорелом Городище было убийство одним из жителей села своей жены. Слушалось оно вскоре после того, как снова была введена высшая мера наказания[1] – смертная казнь.

Я изначально понимал, что это дело будут стараться подвести под расстрел: все формальные признаки для применения этой меры были налицо.

Во-первых, мой подзащитный был неоднократно ранее судим, причем с большими сроками наказания по очень тяжелым статьям Уголовного кодекса. Во-вторых, он нигде всерьез не работал. В-третьих, очень сильно злоупотреблял алкоголем.

Да и само преступление – убийство жены – выглядело очень страшным: он бежал за истошно кричавшей

---

[1] Смертная казнь в СССР не применялась в период с 1947 по 1950 г., но затем ее восстановили Указом Президиума ВС СССР «О применении смертной казни к изменникам родины, шпионам, подрывникам-диверсантам» и применили в знаменитом «Ленинградском деле». В апреле 1954 г. эту меру наказания распространили и на «неполитических» убийц.

женщиной по улице деревни со штыком от винтовки, догнал и стал колоть ее на виду у всей деревни, пока не заколол насмерть. Потом вернулся к своему дому и поджег его. А там жили еще мать его жены и двое маленьких детей-близнецов. При этом старуху с внуками он выгнал на улицу, а сам схватил ружье и стал стрелять дробью в односельчан, которые сбежались на пожар в страхе, что огонь перекинется на их дома. В результате были ранены несколько человек.

Затем этот несчастный взял собаку и ушел в лес. Побродив какое-то время в одиночестве, он убил собаку, разломал ружье, вышел на дорогу, остановил проезжавшую машину и потребовал отвезти его в милицию: «Я – убийца».

Как видите, найти фигуру, более подходящую для смертной казни, было трудно! Дело слушалось в большом клубе в Погорелом Городище при огромном стечении народа. Требование государственного обвинителя – прокурора о расстреле покрыл гром аплодисментов.

Но вот председательствующий объявил, что слово для защиты предоставляется адвокату. Поднялся невероятный шум: люди кричали о продажных защитниках, требовали не давать мне слово... В общем, зал чрезвычайно враждебно воспринял саму возможность того, что этого злодея будут защищать. Я же видел перед собой живого человека и представлял себе, что по воле судей он вскоре может превратиться в бездыханный труп...

Председательствующий с трудом навел относительный порядок, воцарилась грозная тишина, которая готова была взорваться в любой момент. И в этих условиях я начал речь.

Надо сказать, что, несмотря на такие бесспорные формальные обстоятельства, дающие возможность применить к этому человеку смертную казнь, были и другие детали, которые лично меня убеждали в невозможности расстрела. И в своей речи я просто еще раз пересказал все обстоятельства жизни этого человека.

Ему было около 14 лет, когда началась война. Деревня, где он жил, недалеко от Погорелого Городища, довольно скоро была оккупирована немцами. Незадолго до оккупации во время бомбежки погибла мать подростка. Он остался вдвоем с отцом, который пошел на службу к немцам – причем был очень активным в этой работе, стал даже кем-то вроде бургомистра. Мальчик, который был воспитан в лучших советских традициях, был пионером, с отвращением относился к деятельности своего отца. Он переживал, стыдился, мучился и начал мелко вредить немцам. Однажды открутил несколько гаек у немецкого танка, на чем и был пойман.

Если бы он не был сыном немецкого прихвостня, его попросту повесили бы или расстреляли. Но его отдали отцу – разобраться и наказать, чтоб другим неповадно было. Отец, недолго думая, публично, на площади, мальчишку высек. На следующий день пацан убежал из дома.

Каким-то чудом он перебрался через линию фронта и оказался у наших, в прифронтовой полосе. В героических книжках о войне это было бы описано замечательно: подросток находит свою новую семью среди суровых воинов, становится сыном полка... Действительность же была совсем другой: мальчик вел жизнь голодного волчонка, прибиться ему было некуда, и кончилось все тем, что он попался на краже буханки хлеба из какой-то лавочки. Его осудили к лишению свободы. Так он в свои пятнадцать лет оказался в лагере. Это и само по себе испытание, а уж особенно в таком возрасте, да во время войны... Вскоре он попытался оттуда бежать. А в то время это рассматривалось как страшное, чуть ли не контрреволюционное преступление – ведь вся система лагерей тогда работала на оборону, а раз ты попытался уклониться от этой работы, то это уже саботаж. Его поймали и осудили снова, добавив срок.

В общей сложности он отсидел лет десять. Вышел на свободу уже после войны, в 50-е годы, самому же ему при этом было чуть больше двадцати. Он снова оказался возле Погорелого Городища: без средств к существованию, без дома, с жутким биографическим хвостом в виде многолетнего стажа в местах лишения свободы, без нормальной специальности – правда, научился в лагере кое-какому сапожному мастерству...

И вот он встретил женщину, старше себя лет на шесть. Это была первая женщина в его жизни, ведь он попал в лагерь совсем мальчишкой! Влюбился он в нее безумно. Сначала без взаимности, несколько месяцев она не отвечала на его чувства, но потом постепенно у них сложились отношения, довольно серьезные, они стали жить вместе. Она потребовала, чтобы он прекратил пить, устроился на работу... Вскоре женщина родила двойню – правда, это были не его дети: к моменту их встречи она была уже беременна. Он знал, от кого – от женатого директора местной школы, с которым она, конечно же, обещала прекратить связь.

Около двух лет пара жила довольно спокойно, если не сказать счастливо. Он бросил пить, стал работать сапожником. Относился к жене очень хорошо – он ее любил. Однако неожиданно он узнал, что она все это время продолжала встречи с любовником. Женщина каялась, обещала, что больше это никогда не повторится. Он простил, но снова начал выпивать и подозревать ее. А потом убедился, что подозрения небеспочвенны. Разразился скандал. В ответ на его упреки жена высказала все, что накопилось за эти годы у нее: она его не любила и не любит, с трудом преодолевает отвращение, живя с мужем, а любит все равно только одного мужчину – отца своих детей. И как он вообще может себя сравнивать с этим человеком – умным, образованным, директором школы! А он кто?! И тут самые обидные, оскорбительные слова сорвались с губ разъяренной женщины. Вот тогда он и схватил штык...

Я говорил в своей речи о том, что преступник пришел к своему преступлению через выпавшие ему на долю страдания и муку. Что его преступление было не продуманным актом садизма, а внезапной вспышкой – сильнейшим душевным волнением, как говорят юристы, вызванным, мягко говоря, не совсем правильным поведением самой потерпевшей.

Я искренне верил в правоту своей позиции. Конечно, я не ставил вопрос о его оправдании, но при таких условиях смертная казнь была бы, на мой взгляд, вопиющей несправедливостью... он не такой злодей, как могло показаться по формальным признакам!

Надо отметить, что я всегда тщательно готовил свои речи и особенное внимание уделял концовкам – стремился, чтобы они были яркими, страстными и вызывали бы отклик в душе слушателей. Помните, в какой обстановке я начал говорить? А теперь представьте: когда я закончил, снова раздались аплодисменты. Может быть, они не были такими громкими, как после речи прокурора, но все же...

К сожалению, это не подействовало на суд. И это было единственное дело в моей жизни, которое закончилось расстрелом преступника. Судья мне прямо сказал:

– Если не расстреливать таких, то тогда надо просто отменять смертную казнь – у него полкодекса обвинений, от убийства до поджога.

Помню страшное посещение моего подзащитного в тюрьме, уже после вынесения приговора. Меня пустили внутрь, в отдельную камеру – приговоренных на смерть уже не выводили для встреч с адвокатом. Я помню, как мы обсуждали возможности обжалования приговора, а он вдруг вскакивал, кричал, что ничего не поможет. Он бегал по своей камере, как зверь в клетке... Я всю ночь после этого не мог заснуть. Написал кассационную жалобу со всей страстью, на какую только был способен. Но ничего не помогло – приговор привели в исполнение.

После этого дела я впервые глубоко задумался о смертной казни, и вскоре всем своим существом ощутил неприемлемость и совершенную недопустимость такого наказания в современном обществе. Долгое время меня мучило воспоминание об этом человеке и не давало покоя сознание того, что его расстреляют по приказу не враги и даже не недоброжелатели, а равнодушные, незнакомые люди, сограждане. Расстреляют по приказу людей, которым, в свою очередь, другими людьми дано не принадлежащее им от природы право решать вопросы жизни и смерти. Ведь по религиозному учению даже самоубийство – грех. Человек не вправе распорядиться даже своей собственной жизнью!

С того времени я стал последовательным сторонником отмены смертной казни. Смертная казнь вредна обществу, она повышает уровень жестокости, не помогая при этом борьбе с преступлениями. Я уж не говорю о безнравственности узаконенного убийства, о многочисленных ошибках – осуждении на казнь невиновных, о статистике, подтверждающей, что число преступлений, за которые вводится смертная казнь, не уменьшается.

Все это широко известно, но, увы, люди, открыто ратующие за отмену смертной казни, и по сию пору получают свою порцию оскорблений, угроз, обвинений. Особенно возмутительны, на мой взгляд, требования не только сохранить смертную казнь, но и ввести различные изуверские ее способы. Я знаю, например, прозвучавший когда-то вполне серьезный призыв связывать осужденных преступников, прикреплять к их ногам камни и сбрасывать с самолета в Ледовитый океан – пачками, одного за другим! И делать это следует в назидание и воспитание людей, особенно молодого поколения...

Я же убежден, что присвоение себе обществом права убивать (не говоря уж об изуверских способах такого убийства), права распоряжаться чужой жизнью хуже всего отражается на состоянии самого общества.

Еще в начале XIX века при президенте Джефферсоне в Соединенных Штатах поняли, что рабовладение портит белого человека больше, чем раба-негра, и оказывает самое вредное влияние на детей белых. Об этом же писал и наш гений Александр Сергеевич Пушкин: «Ребенок окружен одними холопами, видит одни гнусные примеры, своевольничает или рабствует, не получает никаких понятий о справедливости, о взаимных отношениях людей, об истинной чести»[1].

Но в 1861 году крепостное право было отменено в России. Так неужели цивилизованное общество должно оставить себе присущее рабовладельцу право распоряжаться жизнью человеческой?!

Уверенность в необходимости отмены смертной казни не поколебалась ни разу за всю мою практику и привела меня к тому, что через много лет я вместе с московским адвокатом Анной Евгеньевной Бочко обратился в Конституционный суд Российской Федерации от имени одного из своих клиентов с жалобой на неконституционность существования в нашем законодательстве смертной казни за некоторые преступления. Не имея возможности в этой жалобе ставить вопрос о полном уничтожении смертной казни, мы обратили внимание Конституционного суда только на один момент.

---

[1] Записка А.С.Пушкина «О народном воспитании», 1826 г.

Дело в том, что разрешение применять смертную казнь нарушало конституционное равенство людей в связи с тем, что в 1999 году суды присяжных были далеко не во всех российских регионах, а по Конституции каждый гражданин, которому могла грозить смертная казнь, вправе был требовать суда присяжных. Такого суда не было в то время даже в Москве – но зато он был в Московской области. Поэтому убийца, совершивший преступление в области, мог осуществить свое конституционное право быть судимым судом присяжных. А в Москве, сколько ни проси, добиться суда присяжных было невозможно. Такое неравенство, я полагал, противоречит Конституции и потому до введения повсюду суда присяжных смертную казнь применять, на мой взгляд, было нельзя.

Конституционный суд согласился с этой позицией, и с того времени до настоящего момента смертная казнь в России не применяется.

Я понимаю чувства людей, потерявших от руки убийцы кого-то из своих близких. Я не могу не сопереживать горю матери или отца, похоронивших своего ребенка. Их жажда отмщения кажется мне естественной и понятной. Но как юрист, как гражданин я призываю отказаться от требования «зуб за зуб, око за око». И хотя я знаю, что, быть может, многие, негодуя, готовы предать и Конституционный суд, и меня анафеме, я горжусь тем, что причастен к приостановлению узаконенного убийства наших граждан в нашей стране.

Еще в период стажировки в Ржеве и до направления в Погорелое Городище на самостоятельную работу я провел свое первое самостоятельное дело в командировке, по случайному совпадению, именно в этом же поселке. Оно мне памятно во многих отношениях.

Однажды в Погорелом собралась гулянка по случаю возвращения земляка из армии. Все было как положено: пьянка и пляски под гармошку. А кончилось тем, что, напившись, демобилизованный солдат утащил в близлежащий лесок молоденькую, еще несовершеннолетнюю девушку и изнасиловал ее. Опомнившись и осознав, что он наделал, преступник убежал из Погорелого Городища и исчез. Пострадавшая девушка, кстати сказать, совершенно очаровательная – такая русская красотка! – через некоторое время тоже уехала.

Прошло более восьми лет. И вот однажды в милицию города Сталинграда явился знатный рабочий – ударник коммунистического труда, портрет которого красовался на областной доске почета, с орденом Трудового Красного Знамени на груди, примерный семьянин и отец двоих детей. Пришел и сказал: «Сажайте меня, я – преступник, я восемь лет назад изнасиловал девушку».

Должен сказать, что за весь мой более чем полувековой путь в адвокатуре это был единственный случай подлинной явки с повинной. В большинстве случаев пишут явки с повинной лица, уже арестованные и заподозренные в совершении преступления. Но чтобы человек сам, по своей воле пришел в милицию и заявил о своей виновности в совершении преступления по прошествии многих лет – такого в моей практике более не встречалось.

Репутация этого человека была настолько безупречна, что его даже не сразу арестовали. Но стали выяснять обстоятельства, послали запрос в Калининскую область. Пришел ответ: да, действительно, был такой случай, объявлялся розыск, но преступник исчез.

Тогда его арестовали и отправили по этапу в Погорелое Городище, чтобы здесь судить. К этому времени нужно было найти и потерпевшую, и свидетелей, а из них многие кто поразъехались, а кто и умер. Но, хоть и с большим трудом, по прошествии довольно длительного времени причастных к делу лиц все же нашли. И вот мне, тогда совсем мальчишке, предстояло защищать этого раскаявшегося преступника.

Делал я это, надо сказать, со страстью. Я был искренне убежден, что его нельзя было лишать свободы! Он пришел после мучительных восьми лет страдания, страха, раскаяния. Он себя этой мукой уже наказал и искупил свою вину.

Интересно, что и девушка, жертва, его простила. Она сказала:

– Я все давно забыла. У меня давно своя жизнь. Я не хочу, чтобы его судили, никакого зла на него я не держу.

Происходящее мне казалось какой-то бессмыслицей. Безусловно, за такой поступок должно быть возмездие, но оно же уже свершилось! В конце концов, он к тому времени уже более полугода провел в тюрьме. Он опозорил себя в городе, где жил до сих пор и где осталась его семья. Разве это не достаточное возмездие?!

Однако закон, предусматривающий ответственность за изнасилование, был очень суров. Минимальное наказание за изнасилование несовершеннолетней было, если мне не изменяет память, восемь лет. И суду, конечно, было чрезвычайно трудно согласиться со мной и не лишать его свободы. В результате его осудили всего на три года.

Меня успокаивали, говоря, что это счастье – ему так мало дали, хотя изнасилование несовершеннолетней считается одним из самых страшных преступлений. Но я не мог примириться с этим приговором. Я обжаловал его, но вышестоящий суд со мной также не согласился. В конце концов осужденный сам меня остановил: мол, не надо жаловаться, я свой срок и так уже скоро отбуду. И его, действительно, довольно быстро условно-досрочно освободили, в заключении он пробыл всего год или полтора.

Конечно, я спрашивал своего подзащитного:

– Почему вы пришли в милицию через столько лет? Ведь у вас семья, у вас дети...

– Вот именно поэтому, из-за детей, я и пришел, – получил я ответ. – Я боялся. Ужасно боялся, что однажды это станет известно моим детям не по моей воле. И как я буду им смотреть в глаза?!

Он рассказывал мне, как он постоянно жил под этим гнетом, под страхом разоблачения, как все эти годы буквально переходил на другую сторону улицы, увидев идущего навстречу милиционера. Он мучился все эти восемь лет и не мог больше жить в страхе, таиться от людей, не мог больше носить в себе память о совершенном. Добровольно усадил себя на скамью подсудимых.

* * *

После этого и последующих дел об изнасиловании, вопросы, связанные с половыми преступлениями, стали предметом моих серьезных и глубоких размышлений. Я пришел к убеждению, что именно по этим делам совершалось наибольшее количество ошибок и осуждения невиновных.

Но прежде чем перейти к итогу этих размышлений, я хочу рассказать... о курах и петухах. Именно эти домашние птицы позволили мне в свое время понять некоторые нюансы человеческих взаимоотношений. Ходить далеко не пришлось – я изучал жизнь с завалинки своей избы, наблюдая за курами и петухами, мирно копающимися вокруг в пыли. О, поверьте – это необычайно интересное зрелище! Я даже придумал для одного подсмотренного мною у домашней птицы явления особый термин – «куриный инстинкт». О нем и хочу рассказать.

Представьте: на лужайке перед домом, сосредоточенно тюкая землю клювиками, бродит дюжина кур. Непрерывно поклевывая то зернышко, то камешек, они медленно перемещаются друг относительно друга. Петух же ведет себя совершенно иначе: он ходит вокруг, посматривает на кур, иногда краем глаза – на землю. Обнаружив что-то ценное, он не склевывает сам, а особым клокотанием подзывает своих подруг, и одна-две курицы тут же бросаются к нему. Я не замечал, чтобы петух клевал что-то сам.

Вдруг поведение петуха меняется. Если раньше он ходил между курами, по-хозяйски оглядывая всех и никому не отдавая особого предпочтения, то тут он неожиданно начинает совершать круги возле одной из них, да и сам преображается – как-то нахохливается, выпячивает грудь, ходит боком, боком... Все остальные куры незаметно отдаляются, и вокруг избранницы, которую в данный момент обхаживает петух, образовывается некое свободное пространство. Между тем эта курочка, ничего не замечая или только делая такой вид, продолжает сосредоточенно тюкать клювиком.

Дальше происходило нечто неуловимое для моего взгляда – курица внезапно и стремительно срывалась с места и пускалась бежать, истошно крича, помогая себе взмахами своих маленьких крылышек. Конечно же, петух ее догоняет и топчет. В то же мгновение она прекращает крик, оставляет всякое сопротивление и попытки к бегству. А когда петух соскакивает на землю, она, слегка отряхнувшись, почти в ту же секунду снова начинает в пыли свое «тюк-тюк-тюк», как будто ничего не случилось, как будто только что окрестности не оглашались ее истошным воплем.

Но зато уж как хорош петух в эти мгновения – грудь колесом, ходит вокруг, горделиво озираясь, испуская какой-то победный клекот. Он горд собой, он жаждет, чтобы все им любовались и были потрясены его статью и мощью. Так продолжается некоторое время, и только потихонечку, понемножечку его перышки приглаживаются, грудь опадает, и он вновь вливается в свой куриный гарем. Все продолжается, как и раньше: куры дружно ведут свое «тюк-тюк-тюк», а он снова время от времени подзывает их полакомиться чем-то им найденным. Однако же через некоторое время (довольно продолжительное, но я все еще сижу на завалинке!) все в точности повторяется: другая курица истошно кричит и бежит что есть мочи, и снова через мгновение он демонстрирует свою очередную победу. А я размышляю над этим куриным инстинктом и вспоминаю поведение некоторых встречавшихся мне в жизни и в томах уголовных дел женщин с таким инстинктом – убежать, спрятаться, увернуться, кричать: «Нет, нет, нет!..»

Изнасилование или домогательство? Этот вопрос нередко возникает по уголовным делам, связанным с сексуальными преступлениями, и, по моему убеждению, часто разрешается судами неверно. В связи с этим я хочу привести только два примера вопиющих судебных ошибок, наиболее ярких и наиболее нелепых.

Двое парней вполне интеллигентных профессий, журналист и врач, в ресторане гостиницы «сняли» девицу. Она с ними обильно выпивала, потом охотно поднялась в номер одного из них. Там возлияния продолжались. Девица явно была не против того, чтобы остаться на ночь, вот только кровать была всего одна. Проблему решили просто: один из парней улегся на кровати, а тюфяк сняли и постелили на пол – на нем разместились девушка и второй парень. Пара обнималась и целовалась, но дальше этих ласк дама (заметьте – добровольно обнажившаяся перед тем, как лечь!) зайти не позволяла. Можете себе представить состояние молодого человека, возбужденного и выпитым алкоголем, и близостью обнаженного женского тела? Во Франции мужчина в таком состоянии признается частично вменяемым. На мой взгляд – справедливо. Конечно, он домогался и был уверен, что она сопротивляется мнимо, повинуясь тому самому «куриному инстинкту». Но наутро девица подала заявление – покушение на изнасилование. Причем судили обоих парней: одного за то, что покушался (то есть домогался), другого – за то, что своим присутствием на месте совершения преступления оказывал моральное давление на потерпевшую.

Второй случай был еще более диким: мальчишку судили за то, что он в течение двух недель (!) насиловал девушку на чердаке. Можете себе такое представить?! На самом деле, конечно, была совершенно обыденная история: юноша сожительствовал с девушкой, используя для встреч такое «романтическое» место, как чердак, – пойти им было больше некуда. Так продолжалось до тех пор, пока девушка не обнаружила, что он одновременно занимается тем же с ее подругой. Причем в этом составе пара для своих встреч использовала еще более экзотическое место: они занимались любовью в большой пустой канализационной трубе, валявшейся на соседней стройке. Представьте себе все чудовищные «удобства» этого положения – в таком изысканном интерьере и по добровольному-то согласию нелегко разместиться, а уж чтобы насильно овладеть сопротивляющейся девушкой?!

Но подруг это не смутило: узнав об измене и горя́ жаждой мщения, они пошли и обе подали заявление на своего вероломного любовника – мол, изнасиловал. И только с колоссальным трудом я добился в высших судебных инстанциях, чтобы парня осудили не как насильника, а за половое сношение с несовершеннолетними.

Такие судебные ошибки были бы смешны, если бы не ломали жизни людей. Совсем невеселые мысли по этому поводу побудили меня обобщить мой опыт по подобным делам в статье, содержание которой я позволю себе здесь привести.

Изнасилование ли?[1]

Одно из самых чудовищных изнасилований среди тех, которые встречались в моей судебной практике, было надругательство над семимесячным младенцем.

Лично я был убежден и поныне уверен, что только помрачение рассудка, только какое-то временное расстройство душевной деятельности может объяснить случившееся. Психиатры так не считали. Преступник был признан вменяемым, ответственным за свои действия и судом осужден за изнасилование.

Юридически по действующему нашему законодательству было совершено изнасилование, то есть половое сношение с использованием в данном случае беспомощного состояния потерпевшей.

Интересно, что в дореволюционном русском законодательстве такие преступления рассматривались не как изнасилование, а лишь по аналогии с ним. Такое действие, как «любодеяние, произведенное над лицом, лишенным сознания или воли», наказывалось менее строго, чем изнасилование.

[1] Статья впервые опубликована в газете «Адвокат», № 1–2, 1993 г., здесь печатается в более поздней редакции автора.

По действующему у нас законодательству, напротив, половое сношение с малолетней не только расценивается как изнасилование, но и как преступление, совершенное при отягчающих вину обстоятельствах. Но и самые суровые наказания, вплоть до смертной казни, не останавливают преступников, не помогают избавиться от этого зла.

Надо сказать, что хотя понятие «изнасилование» в истории уголовного права претерпевало значительные изменения, но почти всюду и всегда (как и многие другие половые преступления) наказывалось чрезвычайно строго.

Если в римском праве насильственное совокупление с женщиной или мальчиком еще не рассматривалось как самостоятельное преступление, а просто как любое другое насилие, то уже германские уголовные законы очень строго наказывают за насилие над женщиной. Так, *Швабское зерцало*[1] предусматривало «отсечение головы за изнасилование женщины и погребение заживо за изнасилование девицы». Последнее обстоятельство особенно характерно, и на нем хочется остановиться.

В частности, отечественное законодательство под изнасилованием понимало насильственное обесчещение непорочной женщины, то есть под изнасилованием предполагалось преступление не против половой свободы женщины, как в настоящее время, а против женской *половой* чести!

Закон ранее говорил именно о «необесславленной» замужней женщине, девице или вдове. «Относительно женщин, которые их женскую честь предоставляют

---

[1] Schwäbenspiegel – вошедшее в употребление в XVII в. не вполне точное название немецкого законодательного памятника последней трети XIII в. Пользовалось большой популярностью и большим распространением; при составлении других кодексов и при судебных решениях оно играло большую роль.

в угоду всем и каждому», речь могла идти опять-таки, как в Древнем Риме, только о простом уголовном насилии, а не об изнасиловании в современном понимании этого термина.

Это отличие представляется очень интересным и показательным. Ныне наш закон защищает не честь женщины, а ее половую свободу, то есть ее право на выбор партнера, на решение самого вопроса об интимной близости в зависимости от своего желания. Закон защищает это право женщины даже от мужа, ибо если муж пытается осуществить свое естественное желание обладания супругой вопреки ее воле, он может предстать перед судом. Мне в моей практике приходилось защищать мужей, обвинявшихся в изнасиловании жены!

Подобное понимание изнасилования в начале XIX века прозвучало бы кощунственно по отношению к понятию брака. Даже когда многие уголовные кодексы уже не стали требовать непорочности женщины, внебрачное совокупление как признак преступления оставалось. Я думаю, что неслучайно под изнасилованием уже не понимается обесчещение женщины, ибо меняются в целом понятия о чести, о личном достоинстве и свободе. И порой эти представления меняются не в лучшую сторону, а честь не только женщины, но вообще гражданина у нас защищается все меньше и хуже.

Большой практический интерес не только с точки зрения судебной практики, но и с точки зрения общественной морали и нравственности представляет собой понятие добровольности полового акта.

Вопрос тут заключается в самой специфике взаимоотношения полов, в особенностях психологии мужчины и женщины, их отношения к интимной близости.

И хотя многое и в этой сфере человеческих взаимоотношений меняется, немало еще осталось нам в наследство от XIX века. Мы до сегодняшнего дня с некоторым удивлением узнаем о легкости и беззаботности совсем молодых девушек, свободно, бескомплексно и открыто живущих половой жизнью с группами ребят (общие девочки). Нас шокирует многочисленность проституток, распространенность венерических заболеваний, рождение детей детьми же (девочками 14–15–16 лет). Все это вторгается в жизнь молодых людей, но и сейчас еще, как ни успешно (или трагично?) эмансипируется женщина, в ее сознании (или подсознании? – пусть ответят психологи) гнездится и страх перед половой близостью (тут и боль, и боязнь беременности или заражения), и ощущение стыда и позора внебрачных связей, и бог знает что еще породил этот древний инстинкт женщины, вечно противоборствующий с инстинктом продолжения рода.

Таковы женщины. Вот и пойми, что они хотят, когда позволяют ласкать себя, когда отвечают на объятия и поцелуи, когда оказываются в жарких объятиях мужчины, но вдруг в последний момент отвергают возможность полового акта и уклоняются от него. Что это? Подлинное нежелание или продолжение любовной игры? Борение в ней страстей или холодный расчет?

И как расценивать в этих условиях поведение мужчины?

Покушается ли он на изнасилование, то есть на совершение полового акта против воли потерпевшей, сознавая, что она действительно не желает переходить какую-то грань, или же он уверен, что его действия приятны и желанны женщине и, по его убеждению, ее сопротивление является мнимым, притворным или даже естественным, но не волевым и сознательным, а инстинктивным?

Все эти вопросы издавна занимают юристов, и от их правильного разрешения нередко зависят судьбы людей. Об этом хорошо было известно и нашим криминалистам.

«Во всяком случае, женщина должна оказать существенное сопротивление, и простая настойчивость мужчины, называемая древними криминалистами *vis grata* (право силы), не рассматривается ни в коем случае как действительное насилие», – написано в учебнике Уголовного права в 1867 году.

Увы, все это нашей практикой давно и безвозвратно забыто. Если будет услышано в суде, что женщина говорила «нет, не надо», а мужчина продолжал домогательства, можно смело ставить 100 против 1, что он будет осужден. Увы, несмотря на указания Верховного суда, несмотря на призывы некоторых ученых и, конечно же, защиты, почти каждый мужчина, домогаясь женщины, рискует получить не только немедленную пощечину (что как раз бывает весьма редко), но и срок (что бывает гораздо чаще).

Нет сомнения, истинное изнасилование есть одно из гнуснейших преступлений. Оно свидетельствует о забвении преступником естественных человеческих прав женщин, наших матерей и дочерей, жен и сестер, наших подруг и возлюбленных.

Но смею утверждать, что у нас в стране на совести так называемых потерпевших и нашего так называемого правосудия есть немало невинных жертв.

Говоря об изнасиловании, я упоминал уже, что уголовное право XIX столетия признавало возможность изнасилования женщины лишь вне брака. В этой связи чрезвычайно интересно, как человечество относилось в разные времена к прелюбодеянию (любодеянию), то есть к половым отношениям вне брака.

Внебрачное половое общение женатого мужчины со свободной, незамужней женщиной не считалось римлянами адюльтером (т.е. супружеской неверностью, изменой), вступление же в связь с женой другого мужчины считалось преступным. При этом виновными признавались оба.

Закон требовал от женщины большей воздержанности, чем от мужчины. Римляне исходили при этом из того, что, во-первых, женщина прелюбодеянием нарушает права мужа и разрушает домашний очаг, а во-вторых, делает сомнительным происхождение детей от мужа. Домашний суд, который вправе был творить в этих случаях муж или отец, мог строго наказывать, вплоть до убийства, застигнутых врасплох любовников.

Впоследствии государство наказание виновных взяло на себя, но и в этом случае право на убийство оставалось. Несколько неожиданным представляется обязанность оскорбленного мужа начать обвинение жены, ибо при отказе от такого обвинения он сам мог подвергнуться наказанию за сводничество.

Такое же понимание прелюбодеяния было и в языческом германском праве, которое защищало мужа, но не давало защиты от неверности супруга жене.

Только после того, как христианство осудило одинаково прелюбодеяние обоих полов, каноническое право потребовало от мужчины такого же целомудрия, как и от женщины.

Указанные преступления не являются половыми, они рассматриваются как преступления против брака и семейного состояния. Но все эти действия тесно примыкают к половым преступлениям, и поэтому упоминание о них кажется мне уместным, тем более что в нашем законодательстве ответственности за прелюбодеяние не существует, и, думается, это связано с нашим отношением к половым преступлениям и с нашим пониманием свободы половых взаимоотношений как со стороны мужчины, так и женщины. И хотя многобрачие (как один из видов прелюбодеяния) у нас запрещено, нам далеко до того, чтобы рубить голову «на две части, каждой жене по одной», как это требовал один из средневековых законов.

По-иному следует расценивать такие преступления, как принуждение женщины к вступлению в половую связь (например, начальником своей подчиненной), или половое сношение с лицом, не достигшим половой зрелости, или развратные действия. Все эти преступления, несомненно, опасны и, как правило, не вызывают трудности при рассмотрении уголовных дел.

К великому сожалению, у нас все еще уделяется очень мало внимания половому воспитанию детей. Большинство половых преступлений, особенно изнасилований, совершается молодыми ребятами, часто несовершеннолетними.

В борьбе с половыми преступлениями, впрочем, как и любыми другими, одни юристы бессильны. Только педагоги и врачи, психологи и родители, органы власти, общественные организации, все наше общество в целом, вооруженное знанием законов, в состоянии более или менее успешно противостоять этому человеческому пороку, не обольщаясь надеждой на полное искоренение его.

Человек несовершенен и слаб. Мы можем лишь попытаться помочь ему стать нравственнее и сильнее в борьбе с собственными пороками.

Вот к таким выводам я пришел в результате участия во многих делах об изнасиловании.

Глава 10
КОМАНДИРОВКИ

Живя в Погорелом, я немало ездил в командировки в другие районы Калининской области. Эти путешествия (наряду с поездками в Москву с гусями в одну сторону и с маслом – в обратную) были одним из тех «развлечений», которые скрашивали жизнь, разнообразили ее, давали возможность полнее узнать мир вокруг. Ездить мне приходилось либо на групповые дела, когда в районе не хватало местных адвокатов, либо когда кто-то из моих коллег уходил в отпуск или болел – тогда туда по направлению руководства Калининской областной коллегии адвокатов приезжал кто-то из соседей, в том числе командировали и меня.

Особенно запомнились мои командировки в Молодой Туд – столицу Молодотудского района. Этот районный центр километров на тридцать пять отстоял от станции Оленино железной дороги Москва–Рига. Регулярного транспортного сообщения между Оленино и Молодым Тудом не было. Весной или осенью добраться до райцентра можно было только либо верхом на лошади, либо пешком. А идти выходило или целый день, или ночь – как получится, и лишь изредка, в сухое время года, можно было кое-как проехать на грузовичке.

Первый раз, направляясь в Молодой Туд, я переночевал на станции Оленино, а утром двинулся пешком. На дворе стояло лето, и идти было в охотку: я шел проселочной дорогой, которая вилась то по полям, то по лесам, то через малюсенькие деревеньки с их низенькими покосившимися избами, и к вечеру благополучно добрался до места. Красотой его я был восхищен!

Легенда гласит, что старинное название Молодого Туда связано со свадьбой местного барчука. Он то ли перед самым венчанием, то ли в какой-то другой решительный момент заключения брака, словно гоголевский Подколесин, куда-то исчез. Его долго искали и нашли в кустах возле речушки. Нашедшие стали громко кричать остальным: «Молодой тут, молодой тут!» От этого будто бы и пошло название селения – я не знаю, насколько это правда, но мне эта легенда всегда нравилась.

Перейдя по мостику через небольшую речку Тудовку, я вступил в длинную березовую аллею, которая вела к барской усадьбе. А в самом барском доме, старом, деревянном, находился районный суд.

К суду я подошел в самом радужном состоянии духа: вечер был прекрасный, теплый, живописные виды усадьбы и ее окрестностей навевали романтическое настроение. В суде меня встретила секретарь – доброжелательная, улыбчивая, очаровательная девушка. Она радушно меня приняла, отвела сначала к судье и познакомила с ним, а затем проводила к местному «отелю» – Дому колхозника.

Эти Дома колхозника были в те времена в каждом районе и даже в областном центре, и я на своем веку немало повидал этих грязноватых уродцев. В комнатах, неряшливых и вонючих, располагались, как правило, четыре-шесть кроватей – железных, с матрасами, вата в которых вздувалась комьями, жесткими подушками, серыми простынями и наволочками. Здесь же стоял обычно стол, не покрытый ни клеенкой, ни тем более скатертью. На столе обычно на газетах лежали какие-то продукты, стояли железные кружки. Умывальник был либо в самой комнате, либо в коридоре, другие удобства размещались во дворе или в пристройке.

В молодотудском Доме колхозника меня, помню, больше всего поразил абажур, свисавший с потолка в центре комнаты. Это был кусок плотной бумаги, свернутый конусом и прикрепленный к шнуру «лампочки Ильича». Он был прожжен в нескольких местах от нагревавшейся лампы и грозил в любой момент вспыхнуть. К счастью, этого не случилось. В этой гостинице мне было так неуютно, что во второй мой приезд в Молодой Туд мне просто поставили раскладушку в густых живописных кустах возле здания суда, и так провести ночь оказалось гораздо приятнее, чем в Доме колхозника.

В судебном заседании мне пришлось состязаться с молодым прокурором, приехавшим по направлению на работу из Ленинградского университета. Мы с ним страстно, до хрипоты спорили в процессе, судья разрешил каждому из нас по нескольку раз выступить в прениях. Когда же суд удалился для вынесения приговора, мы дружески продолжили обсуждать сначала дело, а потом уже и просто посторонние, но интересные нам темы. Наши хорошие отношения, возникшие в Молодом Туде, сохранились надолго, и мы потом не раз пересекались с ним по делам службы и в Лихославле, где я также некоторое время работал, и в Калинине.

Приговор по делу был оглашен в третьем часу ночи. Мы с прокурором терпеливо его ожидали, и оба испытали некоторое разочарование, – суд не согласился ни с моей, ни с его позицией.

Впрочем, переживал я недолго. К утру следующего дня я отправился в обратный путь, и здесь меня ждало неприятное происшествие.

За те три-четыре дня, что я находился в Молодом Туде, дорога до станции благодаря хорошей погоде основательно подсохла, и по ней с грехом пополам можно было проехать на попутной машине, чем я и решил воспользоваться. Впрочем, проехать – это не совсем верное слово: машина не ехала, а еле тащилась по выбоинам, колдобинам, ямам так называемой дороги.

Это была не легковая машина, а древний грузовичок, в котором перевозили льнотресту – льняную солому. Укладывалась она в кузове очень высоко, выше кабины, придавливалась сверху гнетом – бревном, которое лежало вдоль кузова и было притянуто к нему веревками. На этом сооружении я и расположился для длительной поездки. У меня оказались две попутчицы – местные жительницы.

Кряхтя и завывая, медленно двигалась по дороге машина. Убаюканный тряской, я задремал. А когда проснулся, обнаружил себя лежащим на дороге. Оказывается, во сне я свалился со стога льнотресты. Машина мгновенно остановилась, выскочил разъяренный водитель, который начал кричать: мол, ему за меня отвечать и какого черта я не держался!

Я встал, убедился, что руки и ноги целы, начал как-то оправдываться. Ощупав меня, водитель велел снова лезть наверх и держаться за гнет.

Сидевшие все это время наверху мои попутчицы были довольно сильно напуганы. Они рассказали мне, как я сладко заснул и неожиданно для них после очередной рытвины вдруг сполз со стога и свалился на дорогу.

В конце концов мы добрались до станции Оленино, и я вернулся в Погорелое Городище. К сожалению, как потом выяснилось, в результате падения с машины я все же немного повредил позвоночник, и с тех пор мучаюсь поясничным радикулитом.

При рассказах о командировках по Калининской области невольно возникают в памяти неожиданные особенности некоторых районных судей.

Помню, что в районе, называемом Высокое, был судья, сразу удививший меня тем, что он слово «кодекс» произносил с ударением на последний слог и со звуком «е», смягчая предшествующую согласную – «коде́кс». Говор его был не тверской – судья чрезвычайно сильно окал. Сам он внешне напоминал какого-то старичка-боровичка, правда, без бороды, но с седоватым ежиком волос – низенький, приземистый, неторопливый.

Были мы там с моим коллегой Генрихом Ревзиным, о котором я уже здесь писал. И Ревзин, выступая, несколько раз произнес: «Противная сторона» – это было общепринятое выражение, обозначающее противника в процессе. Неожиданно, однако, судья его прервал и произнес, сильно окая:

– ЧтО вы тОкОе гОвОрите – прОтивная стОрОна, прОтивная стОрОна – для суда обе стОрОны ОдинакОвО прОтивные!

Я столько потом рассказывал эту историю, что она широко разошлась, превратившись в анекдот.

Другой судья слушает показания свидетеля. Свидетель утверждает, что подсудимый выражался нецензурно.

– Как именно выражался подсудимый? – спрашивает судья.

– Нецензурно, – мнется свидетель.

– Что именно он сказал? – настаивает судья.

– Не могу повторить...

– Ну, на какую букву, – не отступает судья.

– На «Р».

– Нет на эту букву нецензурного ругательства, – заключает судья.

– Есть, – упирается свидетель.

– Ну, хорошо, – вскипает судья, – прошу всех покинуть зал судебного заседания, дальнейшее слушание будет вестись при закрытых дверях.

Всех выводят. Участники процесса остаются одни.

– Ну, как он вас обозвал, повторите.

– Распиздяй.

Судья радостно всплескивает руками:

– Точно, есть такое слово!

Суд продолжается.

В другом районном центре, городе Зубцове, одна из судей была поклонницей Бахуса. О ней, а точнее, о том, как она совмещала эту свою страсть со служебной деятельностью, ходили легенды! Мне самому пришлось видеть, как ее под руки усаживали в машину, когда мы отправлялись на выездную сессию суда в какую-то деревню. Правда, пока мы доехали, нас изрядно растрясло и проветрило. Так что из машины она уже вышла самостоятельно. А затем, на удивление, вынесла неплохо аргументированный приговор.

Не менее необычной личностью была и судья в поселке Лесное – тоже районном центре. Эта дама была твердо убеждена, что путь к правосудию должен проходить через ее опочивальню, которая находилась в том же здании, что и сам народный суд. Многих приезжих мужчин ждали там жаркие объятия. Полагая, что суд, в котором она служит, – это храм, доморощенная Мессалина из Лесного, видимо, искренне считала себя служительницей хорошо известного в древности и весьма почитаемого храмового культа.

Рассказывая об этих особенностях некоторых судей того времени, я понимаю, что многим мои воспоминания покажутся почти невероятными, а то и клеветническими. Конечно же, далеко не все судьи обладали такими «выдающимися качествами» – в целом Калининская судебная юстиция вполне успешно обеспечивала нужды и требования правящего класса.

Среди судей встречались справедливые и мыслящие люди, квалифицированные специалисты. Такими были, например, судьи, муж и жена, в Ржеве, судья областного Калининского суда Кабаненко, замечательный судья и человек Юрий Пушкин и многие другие. Но все же то, что я написал выше о некоторых сельских судьях, – это абсолютная правда.

Запомнился мне Лесной район не только пылким темпераментом районного судьи. Попасть туда из Калинина можно было только самолетом. Однажды я прилетел в Лесное, провел дело и должен был возвращаться назад, причем довольно срочно, поскольку у меня уже было назначено слушание в Калининском областном суде. Но на мое несчастье погода не позволяла лететь на местном пассажирском самолетике. После длительных переговоров с Калинином мне предложили лететь на почтовом самолете – правда, оговорились, что это только по моей доброй воле. Недолго думая и не очень представляя себе, что это такое, я согласился и приехал на так называемое летное поле.

Вскоре на него приземлился самолет. Честно говоря, увидев его еще в воздухе, я принял его за стрекозу – такой он был малюсенький, летел низенько и приветливо стрекотал! Приблизившись к самолету, я понял, что он собран из того конструктора, который у меня был в детстве, но, видимо, в связи с потерей большого количества узлов и деталей они были заменены фанерками и проволочками. Ничего подобного креслам для пассажиров в нем не было – он вообще внутри фюзеляжа не имел никаких приспособлений для перевозки людей.

Сложив в самолет почту, работники аэродрома засунули туда и меня – через дырку в верхней части корпуса, прямо на гору посылок. Ноги мои и самая нижняя часть туловища оказалась внутри, но сам я парил в воздухе. Меня это немножко взволновало, но не испугало. Самолет, коротко разбежавшись, взлетел. И уже через несколько минут полета я понял, что спасения нет – как нет и никакой возможности долететь. Самолет трясло, кренило, он то и дело падал в воздушные ямы, и я должен был по всем законам физики, аэродинамики или чего-то там еще вывалиться из машины, так как держаться мне было не за что – снаружи и изнутри он был абсолютно гладким.

Мой центр тяжести, как мне казалось, тоже находился снаружи, в воздухе, а не внутри самолета. Более того, когда самолетик попадал в воздушную яму (а он это делал непрерывно и многократно), он падал, а я весь, кроме, может быть, пяток, оказывался висящим в воздухе и только каким-то чудом потом плюхался обратно на место.

Лететь пришлось примерно минут сорок. Когда самолет приземлился, у меня было ощущение, что я во время полета, прямо в одежде, принял ванну, такой я был мокрый от пота с головы до ног.

В Лесной район мне пришлось потом лететь еще однажды, и в этот второй раз пассажирские самолеты снова не летали, но воспользоваться услугами почтового я отказался наотрез. Тогда мне предложили ехать на попутных машинах. Такой вариант показался мне гораздо привлекательнее, однако поскольку дороги в сторону Калинина не было, нужно было сначала из Лесного ехать в Новгородскую область, а уж оттуда добираться в Калинин. Я вынужден был согласиться.

Машины в то время по некоторым дорогам, или, вернее сказать, по бездорожью, в одиночку не ездили – нужно было собрать колонну хотя бы из трех грузовиков. Ведущие колеса машин обвязывали тяжелыми цепями. Из-за жуткой грязи и, мягко говоря, неровностей дороги грузовики непрестанно буксовали. Их вытягивали, добавляя к лошадиным силам человеческие. Так и двигались – от одной чайной до другой, где все, конечно же, во главе с водителями, выпивали, «закусывали» рукавом, а потом снова садились по машинам и тащились дальше. Я до сих пор помню натужное тарахтенье несчастных двигателей этих машин и шлепанье цепей по дорожным лужам.

Все были, естественно, забрызганы грязью. Я был такой же грязный, как и все мои спутники, – ведь не мог же я не толкать машину вместе с водителями. Не отставал я от шоферов и в чайных. Так что к Новгородской области я добрался в очень веселом настроении. А вот как потом ехал в Калинин, совершенно не могу вспомнить – видимо, это уже показалось слишком обыденным после моих приключений.

* * *

Несколько раз то ли Погорельский райком комсомола, то ли даже райком партии засылал меня в местные колхозы читать лекции – как правило, о том, о чем сам я понятия не имел. Например, разъяснять какое-нибудь постановление ЦК КПСС о необходимости выращивания кукурузы – во времена Хрущева это была наиважнейшая тема! Сам я даже не представлял, как она растет, но помню до сих пор, как с важным видом рассказывал колхозникам: если вырастить кукурузу до молочно-восковой спелости, а потом накормить этой кукурузой корову, то надои от нее увеличатся *чуть ли не во много раз*. Усвоив это ценное знание, я иной раз и роженицам мог при случае поведать о таком чудесном свойстве кукурузы и с серьезным видом посоветовать включить ее в свой рацион. По логике этого постановления проблем с молоком у кормящих матерей никак не могло возникать!

Это были незабываемые поездки! Уж не знаю, что на самом деле было на душе у этих слушавших меня в колхозах людей, но они таких, как я, «просветителей» радушно принимали, кормили, поили – в основном как раз поили, причем самогонкой. И я в этих командировках, конечно же, главным образом, пил самогон и дрых, потому что читать лекции о севообороте крестьянам, которые этим жили испокон веков, было по меньшей мере смешно, а убеждать их сажать кукурузу, которая в этих местах сроду не росла, – грешно!

Видел я и этих коров, которых полагалось кормить кукурузой молочно-восковой спелости – они буквально подыхали от голода, от холода, от грязи на своих скотных дворах. Да и что это были за скотные дворы – одно название: какие-то плетни, криво приколоченные доски, столбы, на которых еле держится крыша, всюду – по колено навозная жижа. И подвязанные к стропилам коровы.

Коров подвязывали, чтобы они не упали от бескормицы, потому что если они падали, то уже не поднимались, а так у них сохранялась некая видимость жизни. Подвязывали их так, как будто они стояли на ногах, копытами касались земли, но при этом висели на веревках, потому что выдерживать собственный вес их ноги уже не могли. Я потом это видел в кинофильме Алексея Салтыкова «Председатель». Помню, как некий критик, которому в целом понравился этот фильм с гениальным Ульяновым в главной роли, говорил, что подвязанные коровы – это уж преувеличение, которое негоже вставлять в реалистический фильм. Я не стал с ним спорить. Он просто судил о том, чего не знал и не видел. А я видел это собственными глазами.

Кстати, именно в этих поездках по местным деревням я имел возможность почувствовать разницу между отношением к своему, личному, и к колхозному. Когда у агронома, в избе которого я остановился, отелилась корова, теленочка взяли в дом и ухаживали за ним гораздо заботливей, чем за мной, гостем. И на огороде у агронома был такой порядок, что залюбуешься. А как растили ту же картошку на колхозных полях – без слез смотреть было невозможно!

Еще я иногда ездил по деревням, чтобы выколачивать из местных баб-колхозниц (мужиков-то почти не было!) деньги на заем[1]. Ох, уж как они меня проклина-

---

[1] Внутренние займы (денежные, хлебные, сахарные) у населения были обычной практикой при советской власти. Подписка на них была практически принудительной, средства направлялись на нужды народного хозяйства.

ли! Тогда ведь все были абсолютно нищие, работали не за деньги, а за трудодни, на которые практически ничего не выдавали.

Колхозы в Погорельском районе были невероятно бедны. В войну они были под немцами, после войны хозяйства так и остались без мужиков, избы в деревнях стояли ветхие, вросшие в землю, многие без стекол – со слюдой в слепых окошках. Окошки не отворялись, форточек, как правило, не было. Духота, смрад, голозадые неумытые дети в рубашонках... Это было страшно, поверьте мне! И мне было стыдно идти к этим людям и вымогать у них последние гроши.

Так что должен признаться: я мало агитировал этих крестьян. В основном сидел дома у агронома (или где там доводилось останавливаться) и помогал по хозяйству в меру своего умения и сил. А вечером пил с хозяином самогон.

Такое тесное общение с этими людьми породнило меня с ними – я их полюбил всей душой: и баб на колхозных фермах, и безруких, безногих инвалидов-фронтовиков. Мне стали близки их страдания, их трудности, я не только видел, я вместе с ними жил в этой безысходности – в этой в широком смысле грязи, в этих трудах, в этом пьянстве.

Как люб мне натугой живущий,
Столетьем считающий год,
Рожающий, спящий, орущий,
К земле пригвожденный народ.

(О.Мандельштам)

Я видел, как иногда вскипал угнетенный дух этих несчастных. Однажды при мне на партийном собрании расшумелся один такой обездоленный инвалид войны – да так, что ведущий собрание третий секретарь райкома со страха залез под стол, став посмешищем всего района. Конечно, мужику этого не простили и сурово расправились, дав срок за хулиганство...

Я рад, что познал эту провинциальную или, скорее, деревенскую жизнь без прикрас, во всех ее проявлениях. Я видел кабацкие драки, а не только читал про них у Есенина – даже участвовал несколько раз, хоть и не был никогда физически мощным и мне частенько доставалось. Но ведь не одни только мерзости были в этих провинциальных городках, таких жалких и некрасивых на первый взгляд столичного жителя!

Я помню, как складывались мои отношения с хозяевами квартир, где я жил и столовался, – с теплотой и заботой, неуклюже порой, они искренне старались сделать сносным существование непривычного к сельской жизни горожанина. Стоит пожить там, как начинаешь находить особую прелесть в более простых и человечных отношениях между людьми (такие отношения еще можно было встретить в Москве моего детства и ранней юности, а вот когда я вернулся туда после пятнадцати лет работы в Калининской области – их уже почти не осталось).

Своей активной агитационно-пропагандистской деятельностью я заслужил нежданно-негаданно высокую честь быть рекомендованным в партию.

Рекомендовало меня бюро райкома комсомола. Я довольно сильно напугался, так как никогда не был большим приверженцем КПСС. Но это ведь был период оттепели, в которую я всей душой поверил, как, впрочем, и многие в нашей стране. Я действительно был убежден тогда в возможности построения социализма, как потом стали говорить, «с человеческим лицом».

Такая доверчивость, на первый взгляд, вступает в противоречие с моей профессиональной деятельностью, которая требует от меня сомневаться во всем, проверять каждое утверждение, каждый довод обвинения. И я это делаю. Куда же девается моя доверчивость? И, наоборот, куда исчезают мой скептицизм и подозрительность при столкновении с явлениями жизни вне судебных уголовных или гражданских дел? И во что же я верю в таком случае?

Думаю, все дело в том, что я охотно верю в доброе начало, в чистоту помыслов, в честность людей, и мне трудно строить отношения с людьми, подозревая их во всех тяжких грехах. В суде я как раз и отстаиваю эту веру в людей и не доверяю попыткам опорочить их и приписать им дурные намерения и преступные деяния. Так моя доверчивость легко уживается с моим же критическим отношением ко всему тому, что эту веру в человека пытается разрушить.

Что же касается моей «политической доверчивости», то хочется надеяться, что она не от природной глупости, а от того, что я жил больше другими интересами, и мне проще было многое принимать на веру, не давая себе труда, не тратя интеллектуальных усилий на критическое осмысление всего не столь интересного и важного. Я любил свою работу, любил живопись, литературу, музыку; любил своих друзей и родных; любил женщин. Признаюсь: мне многие годы было интереснее пытаться понять психологию какой-нибудь красотки, чем усваивать смысл постановления ЦК.

Так что я, узнав об оказанной мне чести быть рекомендованным в ряды коммунистов, попытался было робко сказать, что недостоин, но сам думал, что ничего страшного, что все теперь будет по-другому и что я, вместе со всем народом и с нашей партией, буду изживать пороки и недостатки, исправлять ранее совершенные ошибки.

И я стал кандидатом в члены КПСС. Это было что-то вроде полугодичного испытательного срока, после успешного прохождения которого тебя либо принимали в партию, либо гнали прочь. Но так вышло, что мой кандидатский стаж растянулся на более длительный срок, чем обычно. Став кандидатом, я переехал в Торжок, потом в Калинин, и только там эта эпопея завершилась.

Глава 11
ТОРЖОК

Когда-то давно я смотрел фильм Льва Протазанова «Закройщик из Торжка» со знаменитым тогда актером Игорем Ильинским, сегодня, к сожалению, почти исчезнувшим из памяти людской. Потому в Торжке мне было очень любопытно побывать.

Первый раз, как и во многие другие районы области, я попал в Торжок командированным. Ехал я на грузовике, в кузове, а зима была страшно холодная. Я был одет по-городскому – пальто, ботинки, ну, может, только носки шерстяные. В кузове продувает насквозь, понимаю, что замерзаю. Рук и ног больше не чувствую. А в голове звучит «Зимний путь» Шуберта, прицепился почему-то. Пронзительный такой мотив.

Не выдержав, постучал в кабину, где, помимо водителя, ехал какой-то мужик.

– Пустите, – говорю, – хоть немножко погреться, а то труп привезете.

Пассажир меня пожалел и поменялся со мной местами. Это не было радикальным решением вопроса, так как кабины грузовых автомобилей того времени не отапливались, боковые стекла в дверях были плохо пригнаны, и мало того что нещадно дребезжали, но и не спасали от стужи. Но все же это был не кузов, и остаток пути я провел по тем временам чрезвычайно комфортно. Въехали мы в город ночью...

А город оказался замечательный, настоящий древний русский город – с прелестными усадьбами, великолепными старинными церквями (правда, в одной из этих церквей находилась в те времена пересыльная тюрьма) и монастырями. На правом берегу речушки Тверца, притока Волги, расположился мужской монастырь XI века. На другом берегу, чуть выше по течению, несколькими веками позже был основан монастырь женский, и, конечно же, предание гласило, что между ними был прорыт подземный ход – в воображении местных старожилов никак не хуже подземной железной дороги под Ла-Маншем. В великолепных монастырских постройках в мое время размещались мужской и женский исправительные лагеря, причем женский – особого режима.

Само название города – Торжок – происходит от слова «торг». Здесь и впрямь в старину было торжище, и в центре города сохранились живописные белые стены торговых рядов.

В Торжке когда-то проездом останавливался Пушкин, в гостинице Пожарского, где в те времена потчевали теми самыми знаменитыми пожарскими котлетами. И Александр Сергеевич не остался равнодушным к этим образцам кулинарного искусства – помните у него:

На досуге отобедай
У Пожарского в Торжке,
Жареных котлет отведай (именно котлет)
И отправься налегке.

(Из письма к Соболевскому)

Когда я приехал в Торжок, я тоже остановился в гостинице Пожарского – тогда она еще была цела. К слову скажу, что сейчас этой гостиницы уже нет – она сгорела дотла в 2002 году. На ее восстановление и реставрацию были выделены значительные средства. Эти средства были успешно «освоены», но когда пришла пора продемонстрировать результаты этого освоения, гостиница заполыхала, и от исторического памятника не осталось и следа.

Жил я в той самой комнате, где, как мне сказали, останавливался Пушкин. По преданию, поэт не устоял перед прелестями хозяйки гостиницы Дарьи Евдокимовны Пожарской, которая славилась своим гостеприимством и кулинарным искусством. А она, наоборот, устояла, и пришлось Александру Сергеевичу удовольствоваться ее котлетами. А вот мне и котлет отведать не пришлось, и новой Дарьи Евдокимовны в мои времена не было!

Мне показали маленький домик наискосок через улицу от этой гостиницы и рассказали, что там во времена Пушкина будто бы висела вывеска «Цирюльник Евгений Онегин». Так вот, оказывается, кто был прообразом героя самого известного произведения Пушкина – не светский денди, а провинциальный брадобрей! И только гений поэта сделал его на весь мир знаменитым.

В торжокском суде я встретил молодого, цивильного вида прокурора – а надо сказать, что тогда среди судейских мало кто мог похвастаться импозантным внешним обликом. Прокурор этот, Ким Головахо, был родом из Питера, там же он окончил университет и, как и я, был отправлен на работу в Калининскую область. Он стал немедленно меня уговаривать переезжать к ним в Торжок: мол, собирается отличная компания из столичных ребят – молодых специалистов из Москвы и Ленинграда. И я после недолгих колебаний попросил руководство адвокатской коллегии перевести меня из Погорелого Городища в Торжок. Мою просьбу вскоре удовлетворили.

Во главе местной адвокатской юридической консультации стоял тогда Павел Баланев, пожилой человек, с полученным еще за Гражданскую войну орденом Красного Знамени на груди, прекрасный юрист – образованный, умный и хорошо владеющий русским языком. Он был много старше меня и уже давно ушел из жизни, но оставил в моей памяти светлый след и самые добрые воспоминания.

Вторая моя коллега, Рита Мельникова, была местной уроженкой. Очень милая, неглупая, неплохо понимавшая юриспруденцию, но очень мягкая и робкая, одним словом – совсем не боец, она вечно жаловалась на здоровье. Несмотря на эти свои постоянные недомогания и жалобы, она дожила уже до восьмидесяти с лишним лет и дай ей бог прожить еще долгие годы! У нас сложились прекрасные отношения, которые мы поддерживаем до сих пор.

А вот в прокуратуре Торжка была очень нездоровая атмосфера. Вскоре после моего приезда на одной из вечеринок, которыми отмечались на работе праздники, ко мне подошел помощник прокурора, весьма неприятный человек, и предупредил:

– Ты – новичок, и если не будешь работать по-нашему, тебе же будет хуже!

Не помню дословно, чем он мне пригрозил, чуть ли не тюрьмой, но угроза прозвучала недвусмысленно.

Честно говоря, я даже не знал, как реагировать, поэтому просто пожал плечами. Конечно же, я никак не собирался корректировать свое поведение. С Кимом Головахо, например, мы продолжали страстно спорить в процессе – просто пух и перья летели, когда мы с ним выступали, не уступая друг другу ни пяди. Это совершенно не мешало нам с ним потом, после этих жарких боев, вместе идти в гости к нашим друзьям или в ресторанчик.

Вскоре в прокуратуре начались большие неприятности: вскрылись случаи взяточничества, какие-то еще злоупотребления. Грозившего мне помощника прокурора выгнали с позором, а одного из следователей посадили – по иронии судьбы, я же его и защищал. Смешно сказать: его привлекли к ответственности за взятки, в числе которых указывались десяток яиц, банка меда и еще что-то столь же пустячное.

После этих событий обстановка в прокуратуре несколько оздоровилась. Впрочем, и до этого торжокская прокуратура не состояла сплошь из негодяев и взяточников. С большим уважением, например, я вспоминаю Сергея Парамоновича Никанорова, много и успешно работавшего на посту прокурора района, – воистину светлая была личность!

Юридическая консультация в Торжке располагалась на чердаке того же здания, что и суд. Я был тогда совсем молоденьким, только после института, а выглядел еще моложе, просто мальчишка. Однажды я сидел на приеме граждан, и вдруг открывается дверь, входит судья, а с ним какая-то бабка. Судья показывает на меня и хохочет:

– Так вот это и есть адвокат!

Оказалось, несколько минут назад он послал старушку наверх, к адвокату, написать какую-то бумажку. А та заглянула, увидела меня и вернулась со словами:

– Там никаких адвокатов нет, сидит только какой-то мальчик.

Судья мне после этого сказал:

– Что ж ты у нас выглядишь так несолидно – бороду бы хоть отпустил, что ли!

А у меня как раз была такая мечта... Дело в том, что со мной в Минске учился некий Петя Дубов, Герой Советского Союза, и у него была благородная бородка, которая мне безумно нравилась. Говорили, он ее отпустил, чтобы скрыть шрам от ранения на подбородке – не знаю, правда это или нет. Но я в юности часто представлял себя с такой бородкой. А тут, раз уж судья сказал, я и решил попробовать...

«Выращивание» бороды стало серьезным испытанием. Это когда я брился, мне казалось, что у меня жуткие заросли, сквозь которые с трудом пробивалась бритва, доставляя мне неимоверные мучения... А когда начал отпускать бороду, выяснилось, что у меня едва ли не три волосины, и вместо приличной бороды я получил редкую, рыжеватую, неубедительную поросль. Цвет волос тоже доставлял мне переживания: при том, что я темный шатен, борода у меня была рыжеватая. Правда, потом кто-то из приятелей мне сказал, что разный цвет волос на лице и на голове – это признак породы, мол, вспомни Лермонтова[1]. И хотя поэт-то сравнивал породу людей с породой лошадей, меня это утешило.

В то время, в 50-е годы, мужчины редко носили бороды. Ко мне первое время даже незнакомые люди приставали из-за этой бороды. Еду, например, в автобусе, а мне:

– Да что ж ты делаешь, такой молоденький, хорошенький, а бороду отпустил, да сбрей ты ее!

Был у меня в ту пору длинный плащ, который, если застегнуть его наглухо, напоминал священническое облачение. И шляпа у меня была такая, необычная. И вот пару раз, когда я в этом плаще и шляпе входил в автобус, мне уступали место со словами:

– Садитесь, батюшка!

Это было смешно, но не очень приятно. И все же, несмотря на все такого рода «мучения», я с бородкой не расставался.

Много лет спустя, когда моя юношеская поросль стала нормальной, солидной бородой, произошла со мной еще одна смешная история. Я тогда приехал в Москву по делам, и мы с моими приятелями пошли в Сандуновские бани. Помывшись и воздав должное Бахусу,

---

[1] М.Ю.Лермонтов, повесть «Герой нашего времени», из описания внешности Печорина: «Несмотря на светлый цвет его волос, усы его и брови были черные – признак породы в человеке, так, как черная грива и черный хвост у белой лошади».

мы почему-то после бани пошли стричься и бриться. В кресле парикмахера я сидел, подремывая. И вдруг почувствовал, как он отхватил мне часть бороды. Тут я мигом протрезвел и накинулся на бедного цирюльника. Оказалось, один из моих приятелей решил надо мной подшутить и попросил сбрить мне бороду – мол, я сам так хотел. В итоге, конечно, пришлось сбривать ее целиком – и мне стало казаться, что я хожу голым. Я неожиданно для себя стал стесняться своего голого подбородка и даже время от времени машинально прикрывал его рукой. Странное ощущение неприличности своего «голого» лица! Нормально себя чувствовать я смог только после того, как борода отросла снова.

А ведь когда я ее отпускал, то говорил себе и всем окружающим так:

– Сейчас отпускаю бороду для солидности, а потом сбрею, чтобы помолодеть.

Недавно кто-то спросил:

– Ну что, не пора ли тебе молодеть?

Задумавшись, я понял, что это невозможно – я не могу расстаться с бородой, она стала частью меня.

Я уже упоминал, что в одном из монастырей Торжка находилась женская колония особого режима. Там сидели совершенно отъявленные преступницы, осужденные за самые страшные преступления – бандитизм, убийства. Многие имели по несколько судимостей. Быт в колонии был страшный. Там процветали лесбийская любовь, драки, женщины были неуправляемые, работать персоналу было очень тяжело. Все считали, что значительно тяжелее, чем с мужчинами. Мужчины как-то более дисциплинированны, чем пустившиеся вразнос женщины.

И вот две женщины, повздорив с третьей, организовали ее избиение, несколько раз подбросив в воздух и забыв поймать. Та разбилась, хотя осталась все-таки жива. А двух женщин судили за хулиганство и нанесение тяжких телесных повреждений.

И одну из них защищал я. Она была невероятная, неописуемая красавица! Высокая, статная, с удивительным для колонии цветом лица – свежим, как персик. Даже румянец пробивался сквозь мягкий пушок, чернобровая, черноглазая, глаза большие, яркие – просто картина Брюллова «Итальянский полдень».

Вела она себя на суде дерзко, даже нагло. Терять ей было, в общем-то, нечего. Судья задал ей вопрос, она, не шевельнувшись, что-то буркнула в ответ. А судья был робкий и застенчивый, это сразу бросалось в глаза. И он ей вежливо, тихим голосом объясняет: надо встать, когда разговариваете с судьей. Тогда она величественно поднимается, поворачивается к нему задом, нагибается и одним взмахом задирает юбку:

– А это ты видел?

Никакого белья под юбкой, разумеется, нет. Судья в ужасе, закрывшись крест накрест руками, кричит:

– Нет, нет, не надо, не надо!

Я был молод, самонадеян и переживал, что красавица ни разу не взглянула на меня с интересом. Как мужчина, я для нее просто не существовал. Весь процесс она не сводила глаз со своей напарницы – жалкой замухрышки, без пола, без возраста, со следами всех возможных пороков – она была и наркоманкой, и алкоголичкой. Обвисшие щеки, черепашья шея, рачьи какие-то, мутные глазки, низкий лобик, просто полоска над бровями, в палец шириной, прикрытый, вдобавок, жиденькой челочкой. И вот красавица жадно ловит взгляды этой страшной бабы. А та скуповато ее удостаивает вниманием.

В последнем слове обе каются, дают любые обещания, признают свою вину, им все равно, сколько они получат, – и у той, и у другой уже по 25 лет срока, так что им добавить могли только то, что они уже отсидели, и просят только об одном – чтобы их не разлучали, чтобы оставили вместе. Что, конечно, невозможно: по закону совершившие вместе преступление в колонии должны быть разделены.

И вот, после оглашения приговора, вдруг раздается истошный визг и две женщины бросаются друг на друга. За секунду сплетаются в клубок, превращаются в некое подобие спрута, невозможно разобрать, где чьи руки, где чьи ноги, откуда несутся вопли. Конвой растаскивал их долго, отлепляя буквально палец за пальцем. Эта сцена не стирается у меня из памяти.

Знакомство с обитательницами этой колонии на этом не закончилось. Именно туда однажды меня отправили читать лекцию о вреде алкоголизма: «Алкоголь и преступность». Мне не было тогда и 23 лет – молоденький, стройный. Я очень плохо себе представлял, что такое моя будущая аудитория, и отправился на лекцию смело.

Меня встретили на проходной и повели в барак, где мне и предстояло делиться знаниями с «контингентом». Я оказался в длинном коридоре, по обеим сторонам которого расположились живописные женские фигуры – кто-то сидел на подоконнике, кто-то привалился небрежно к стене, кто-то полулежал прямо на полу... Стоило мне сделать первые несколько шагов, как уже захотелось просто провалиться сквозь землю, потому что со всех сторон я услышал в мой адрес такое, что даже в мужской компании не решаюсь пересказать! Меня буквально раздевали эти женские взгляды и эти острые языки: они так откровенно меня обсуждали и так смачно говорили друг другу обо мне, о том, что бы они со мной сделали и как бы это было восхитительно... Я шел по коридору, как сквозь строй. А летевшие отовсюду фразы, для которых не выбирали выражений (или выбирали самые нецензурные), хлестали, будто шпицрутены.

К такой встрече я был никак не готов. Коридор показался мне бесконечным, и я весь взмок, пока дошел до сцены. К счастью, она была отделена от зала занавесом, и я получил короткую передышку.

– Ну что, объявлять? – спросил сопровождающий меня вертухай, явно издевательски глядя на меня.

Огнедышащий за опущенным пока занавесом зал ужасал меня: мои слушательницы все теперь собрались там, галдя, хохоча и продолжая обсуждение моих достоинств. Тогда мне было не до того, чтобы обдумывать, чем вызвано было такое отношение, а потом я, конечно, понял, почему вызвал такую реакцию. Надсмотрщиков они не воспринимали как мужчин и потому никак не могли их вожделеть, а тут – юноша с воли, в белой рубашечке, в узких серых брючках...

И все же в этих своих узких брюках я должен был вновь предстать перед сотнями женщин. Но как переключить их внимание от созерцания меня и эротических фантазий к сути того, что я собираюсь им говорить? С чего начать, как заставить их слушать? Я понимал: одно неверное, ложное слово и конец – разорвут. Но тут я вспомнил одно дело, которое провел незадолго до того. С него я и начал, когда отважился, наконец, выйти на сцену:

– Тут недавно один парень по пьянке откусил милиционеру нос...

Мои слова покрыл хохот зала. Такого энергичного вступления никак не ожидали. Так я сразу же настроил их на новую тему. Предвосхищая обычные вопросы о том, почему же не запрещают водку, если от нее все несчастья, я, рассказав о необычном способе оказания сопротивления милиционеру, заявил, что откусывание чего бы то ни было – не повод запрещать людям носить зубы. Это вызвало новый восторг слушателей. Дальше, уже полностью завладев вниманием аудитории, я говорил про то, что подавляющее большинство преступлений совершается либо в нетрезвом виде, либо как-то по-другому связано со злоупотреблением алкоголем.

Я искренне рассказывал о том, как ломает пьянство людские судьбы, как калечит жизни водка, и сидящие в зале расчувствовались, заплакали, запричитали: «Все правильно, все зло от нее, проклятой!» Провожали меня аплодисментами и звали приходить еще.

* * *

Ким Головахо ввел меня в местное общество. Я познакомился и подружился со старшим следователем местной милиции Юрой Хлебалиным (мы до сих пор поддерживаем отношения). В Торжке я сошелся с человеком, который на долгие годы стал самым близким моим другом – Володей Гельманом, судмедэкспертом и по совместительству патологоанатомом в местной больнице.

У нас образовалась отличная компания, и мы очень хорошо проводили вместе время. К Киму вскоре приехала жена, Клара Соловьева – дочь легендарного начальника Ленинградской милиции Соловьева[1], Героя Советского Союза, фронтовика, генерала, юриста. Примечательно, что, несмотря на наличие такого блата, Ким с Кларой не воспользовались возможностью остаться в Ленинграде, а приехали по распределению в Торжок. Клара, тоже юрист, по приезде стала работать, если я не ошибаюсь, юрисконсультом на одной из фабрик в Торжке. Ким, кстати, не слишком много времени отдавал нашим дружеским развлечениям. Он был совершенно помешан на работе, вкалывая с утра до вечера и с вечера до утра в своей прокуратуре.

---

[1] Герой Советского Союза Иван Владимирович Соловьев возглавлял Управление милиции Ленинграда с 1949 по 1959 г. Он принял ряд радикальных мер для перестройки работы милицейского аппарата, требовал в работе тесной связи милиции с населением.

Вскоре после приезда мы с Володей и Юрой посели-
лись вместе, в одной комнате, и часами философствова-
ли, спорили об искусстве, о медицине, об юриспруденции, о девушках, о дружбе. Порой до утра мы с Володей
говорили о поэзии, о судьбе поэтов в России. Нам было
о чем поспорить, так как во многом наши вкусы не сходились и порой были даже противоположны. Некоторые поэты, которых он высоко ценил и знал наизусть,
были мне почти незнакомы, например Эдуард Багриц-
кий. Я же пытался его приобщить к Тютчеву, которого мой друг с трудом воспринимал. Я этим возмущался,
упрекал моего друга отсутствием понимания истинной
поэзии, а значительно позже с ужасом узнал, что и великий Бродский не очень высоко ценил моего любимого Тютчева.

Володя много мне рассказывал о работе врачей у нас
в стране, при этом, будучи остроумным и ироничным
человеком, он нередко перемежал самые серьезные вопросы анекдотическими фактами. Так, он рассказывал,
что на заседании исполкома горсовета города Торжка
стоял вопрос об увеличении народонаселения. Медики
подверглись критике в связи с тем, что в городе была
очень низкая рождаемость, и в итоге было вынесено решение: увеличить численность населения силами меди-
цинских работников.

Мой друг рассказывал мне и о том, что в разгар трав-
ли, развязанной вокруг так называемого «дела врачей»,
на него писались анонимки: мол, патанатом Гельман
вскрывает не только трупы, но и живых людей. К счастью, никаких последствий эти письма не имели.

Дружеской компанией мы провели немало приятных
часов в нашем любимом ресторане «Тверца» на берегу
одноименной речки, где было выпито изрядно чарок,
в том числе и пива – торжокское пиво было отличным!

За кружкой пива мы нередко погружались в глубо-
комысленные рассуждения и о проблемах Торжка, и о

судьбах всей России. Мы негодовали (осторожно оглядевшись вокруг) по поводу некоторых событий в стране и радовались любой, даже самой незначительной, приятной новости. Часто новости просачивались к нам из расположенной рядом с городом вертолетной воинской части. Правда, они в большинстве своем были трагическими, а вовсе не приятными – вести об очередных катастрофах вертолетов, падавших и разбивавшихся с фатальным постоянством.

Конечно же, немало говорилось нами и о книжных новинках, о новых стихах Галича, Евтушенко или Вознесенского, позднее – о новых песнях Высоцкого или Визбора. Ну, а там, где песни и стихи, там и музы. И как же о них всласть не наговориться, тем более что рядом, в нескольких шагах от ресторана, прямо из окон золотошвейной фабрики стреляли в нас глазки молоденьких золотошвеек?!

Торжок на весь мир славился, и славится до сих пор, своим золотошвейным промыслом. Искусству торжокских золотошвей многие сотни лет. А.С.Пушкин не остался равнодушным не только к пожарским котлетам, но и к торжокским вышивкам. Однажды купил вышитые золотом «поясы» и послал эту красоту жене своего друга Вере Федоровне Вяземской, а самому Петру Андреевичу Вяземскому затем писал: «Получала ли княгиня поясы и письмо мое из Торжка? ...Ах, каламбур! Скажите княгине, что она всю прелесть московскую за пояс заткнет, как оденет мои поясы». Сама Вера Федоровна шутливо бранила поэта: «Количество поясов привело меня в негодование, и только качество их может служить вам извинением, ибо все они прелесть...»[1]

Мы с друзьями имели возможность оценить не только искусное шитье, но и другие достоинства местных мастериц, среди которых было много красавиц. Это,

[1] Пушкин А.С. Переписка 1815–1827 гг.

кстати, тоже имеет исторические корни: по преданию, очарованная золотошвейным искусством Екатерина II повелела собрать со всех губерний «отменнейших незамужних красавиц», поселить их в Торжке и обучить рукоделию, дабы прекрасное создавалось руками прекрасных же дев.

Недалеко от Торжка располагалось богатое имение известной семьи Львовых. Рядом с этим имением – село Митино, знаменитое своим погостом с мрачной старой, XVIII века церковью, огромными вязами, рядами заброшенных могил с полуразрушенными надгробиями, где выбиты многие звучные русские имена. Среди них – трогательная могилка, в которой похоронена Анна Керн – «гений чистой красоты», та самая, которой посвящено пушкинское «Я помню чудное мгновенье». Она умерла в Москве, и ее тело везли для захоронения рядом с могилой любимого мужа в селе Прямухино. Из-за проливных дождей гроб не смогли переправить через речушку и похоронили на митинском погосте, в нескольких километрах от Торжка.

Отсюда, с высокого берега реки, открывается мирный пейзаж: тихая деревушка, никаких признаков цивилизации, вдали пасутся стада – такое умиротворение во всем. Оказавшись в Митино впервые, я несколько часов провел на берегу под церковью, наслаждаясь этим видом, испытывая отдохновение и покой. Это место под Торжком так и осталось одним из самых любимых мною в Центральной России. Я не раз приезжал сюда впоследствии и один, и с самыми близкими мне людьми.

Глава 12
САМОУБИЙСТВА И «ЦЫГАНСКОЕ ДЕЛО»

В Торжке у меня было много работы, и о нескольких интересных делах той поры мне хочется здесь рассказать, благо у меня сохранился текст моей речи, произнесенной в далеком 1957 году в защиту обвиняемого в доведении до самоубийства.

19-летний Вадим Каулин познакомился и вскоре начал сожительствовать с 20-летней Галиной Алимовой (фамилии изменены). Когда девушка забеременела, ее родные потребовали от отца будущего ребенка зарегистрировать отношения. Он сначала вроде бы не отказывался, только просил отложить заключение брака до рождения наследника. Когда же требования будущей родни стали настойчивее, Вадим порвал с девушкой отношения.

В конце концов Галина прервала беременность, после чего их связь с Вадимом возобновилась и продолжалась до новой беременности. Тут вновь возник вопрос о регистрации брака, и снова возлюбленный то назначал определенные даты свадьбы, то откладывал исполнение обещания.

Однажды он не пришел на заранее условленное свидание, и на следующий день, когда молодые люди все же встретились у Вадима, разгорелся скандал. Во время ссоры девушка кинулась на кухню и выпила уксусную эссенцию. Спасти несчастную не удалось – через два дня Галина Алимова скончалась в больнице. А Вадим Каулин был привлечен к ответственности за доведение своей любимой девушки до самоубийства.

Обвинение исходило из того, что покойная Алимова в результате сожительства дважды беременела и попала в зависимость от Каулина, а он своей жестокостью, выразившейся в ложных обещаниях жениться, довел ее до самоубийства.

Прокурор требовал лишить Каулина свободы (он уже находился к моменту рассмотрения дела в суде под стражей). Я в своей речи настаивал на оправдании.

Речь в защиту Каулина
«Доведение до самоубийства!

Вдумайтесь в страшный смысл этого тяжкого обвинения, товарищи судьи! Что должно было скрываться за этой краткой, но достаточно выразительной юридической формулировкой? Какие отношения? Какие люди?

Горькая картина должна была бы развернуться перед вами, не картина смерти, так красноречиво здесь обрисованная обвинителем, а изображение предшествующих этой смерти страданий, унижений, боли, безысходности.

Вы должны были бы здесь увидеть сильного, сурового, нет, не сурового, а жестокого, своевольного человека и мысленно представить себе его слабую, глубоко несчастную, мятущуюся жертву.

И этого мало! Вам должны были продемонстрировать, как эта жертва безуспешно бьется в тисках материальной, служебной или иной зависимости, как безрезультатно пытается освободиться от пут подчиненности, как ищет и не находит путей к спокойной и свободной жизни.

Вас должны были, наконец, убедить в том, что между самоубийством девушки и поведением любимого ею человека имеется причинная связь, что казавшееся ей единственным выходом решение умереть естественно и логично вытекало из тех условий, в которых оказалась она по злой воле другого человека. Что же увидели вы, товарищи судьи? Что узнали вы за эти дни?

Что сможете именем Республики провозгласить людям, вас избравшим и пришедшим сюда узнать правду о причинах гибели молодой девушки?

Где истина, в чем она?

Всего лишь несколько месяцев назад молодой парень познакомился с молодой девушкой. Меньше чем через месяц после знакомства началось их сожительство.

Каковы же были взаимоотношения Каулина и Алимовой в период их интимной связи и, особенно, в последнее время?

Я беру на себя смелость утверждать, что ничто в отношениях этих молодых людей, ничто в поведении Каулина не предвещало трагедии.

Да, я готов согласиться с тем, что Каулин после кратковременного знакомства, не задумываясь над серьезностью своего отношения, не проверяя глубины чувства, не отдавая себе отчета в значимости последствий такого шага, легкомысленно вступил в интимную связь с девушкой. Но, простите, разве эта связь – односторонний акт? Разве все сказанное в равной мере не относится и к той, кого и невозможно, и, быть может, кощунственно сейчас упрекать в чем-либо?

Уважая чувства матери, я обойду молчанием показания Алимовой Антонины Петровны по поводу того, как начиналась интимная близость Каулина и Алимовой, но я не могу не возразить прокурору, пытавшемуся изобразить Каулина эдаким опытным совратителем и развратником, Дон Жуаном, запутавшим в своих тенетах наивную девушку.

Ничто в прошлом Каулина об этом не свидетельствует. Напротив, он утверждает, что Алимова – первая женщина в его жизни, и никто даже не попытался опровергнуть эти его показания. И вместе с тем по возрасту Каулин моложе Алимовой, пусть всего лишь на один год, да и жизненный опыт у Гали к моменту знакомства был богаче, если только можно назвать "богатством" горькие ошибки и расплату за них в местах лишения свободы (впрочем, не будем порочить память умершей)... Но согласитесь, товарищи судьи, что трудно при известных нам фактах увидеть в моменте первой близости в Гале – жертву, а в Вадиме – совратителя.

Однако отношения Галины и Вадима не ограничились первой встречей. Они познали и радость первых поцелуев, и горечь размолвок, и счастье интимной близости, и трудность расставаний, они познали и сладость надежд, и боль разочарований. Они не единственные, кто прошел через все это в 17–19 лет! Быть может, правда, слишком просто, презрев веления морали и нравственности, открыто начали сожительство эти двое молодых людей. Но разве не свободна была Галя в выборе характера своих отношений с Вадимом, разве мы не убедились в том, как легко и даже радостно пошла эта девушка навстречу своему и Вадима влечению?

Но за первыми радостями вскоре же наступили печали, и вот печали больше коснулись Алимовой – с этим нельзя не согласиться.

И возникшие трудности, и огорчения так характерны для подобных отношений, так типичны для обоюдных ошибок, что могут служить азбучными примерами возмездия за легкомыслие и неосмотрительность.

Встречаясь почти ежедневно с Каулиным, бывая у него и ночуя в его доме, поддерживая с ним фактические супружеские отношения, Алимова вскоре забеременела, и тогда – к сожалению, только тогда! – она впервые заговорила с Каулиным о замужестве, о юридическом оформлении их отношений. Разве может быть что-либо более естественным и обычным? Но Каулин просит повременить с браком. Правда, он обещает жениться, но назначает сравнительно отдаленный срок, срок, который не казался бы, впрочем, столь далеким, если бы не было обстоятельств, не терпящих отлагательства. Требования же ускорить регистрацию вызывают обратную реакцию – Каулин вообще прекращает связь с Алимовой. Первоначально все это представляется Гале необычной подлостью, непорядочностью, обманом. Но вскоре она соглашается с Вадимом и прерывает беременность. Она готова ждать и надеяться, она не желает прекращать свои взаимоотношения с Каулиным.

Прервав беременность, живя в это время в доме матери и некоторое время не встречаясь с Вадимом, написав в техникум жалобу на "аморальное" поведение Каулина, работая и имея самостоятельный заработок, Алимова сама не пожелала порвать с человеком, о "непорядочности" которого она писала в жалобе. И вот она пишет новое заявление директору техникума о том, что все недоразумения позади и у нее больше нет к Каулину претензий, идет домой к Каулину и говорит ему, что он прощен ею и она хочет быть снова с ним. И вот уже на настоятельные просьбы матери и брата порвать с Вадимом окончательно она говорит им, что ей хорошо с ним, весело, что она его любит. Вы слышите, товарищи судьи, сама Алимова говорила, что ей хорошо с Вадимом, весело, а вас пытаются убедить в обратном!

Ни одной жалобы от Гали на Вадима не слышал никто: ни подруга, ни мать, ни брат, ни знакомый. Ни одного факта оскорблений, избиения, издевательства, ни одного случая умышленного унижения достоинства, принуждения со стороны Вадима мы здесь не узнали.

Но ведь только такие обстоятельства предусмотрены законом как необходимый элемент состава преступления, называемого доведением до самоубийства.

Постановление Пленума Верховного суда СССР по делу Е. говорит, что нежелание продолжать сожительство не является тем действием, которое могло быть признано преступным. "Факт прекращения интимной связи не может рассматриваться как действие, подпадающее под действие указанной статьи", – указывает Пленум.

Судебная практика твердо стоит на такой точке зрения, и иной быть не может, так как она бы противоречила закону.

Итак, мы убедились, что никакого жестокого обращения со стороны Каулина с Алимовой не было, было лишь стремление оттянуть брак.

И потому никто не слышал от Алимовой ни одной жалобы, а только слова любви, только желание быть снова и снова с ним.

Да, уважаемые товарищи судьи, я готов согласиться, что любовь может подчинить лучше и вернее любых приказов, привязать сильнее любых благ. Но не о такой зависимости говорит закон, и, чтобы разрешить это дело, я вынужден вновь увлечь вас в трудный анализ нормы, предусматривающей уголовную ответственность за доведение лица, находящегося в материальной или иной зависимости, жестоким обращением или иным путем до самоубийства.

Это – закон, проникнутый высокой гуманистической идеей, содержащий величайшую заботу о человеке. Человеческие отношения несовместимы со злоупотреблениями материальной или иной зависимостью, особенно тогда, когда они представляют угрозу для жизни зависимого человека. Директор фабрики или завода, руководитель предприятия или учреждения не вправе издеваться над теми, кто находится в его подчинении.

Этот закон защищает слабого, он не разрешает родителям глумиться над детьми, закон осуждает жестоких и злоупотребляющих властью над детьми людей. Отечественное правосудие строго наказывает того, кто, пользуясь властью, своей жестокостью и издевательствами доведет до самоубийства свою жертву.

Закон направлен на защиту трудящегося от самодура-начальника, закон направлен на раскрепощение жен-

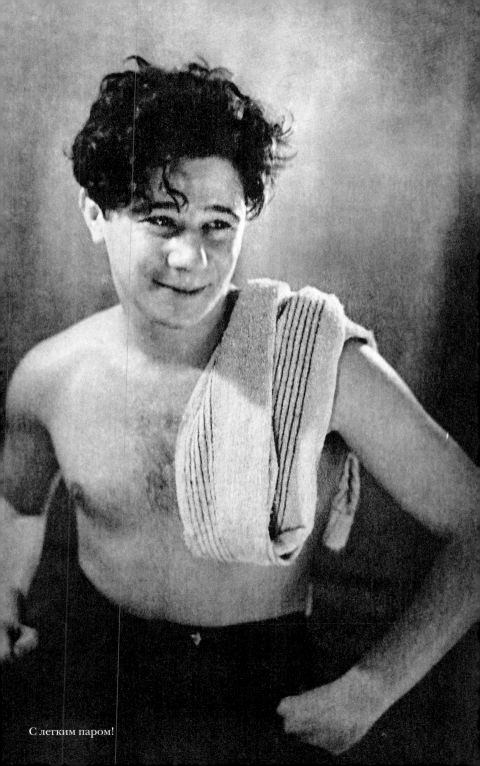

С легким паром!

Маленький папа
(наверху в центре)
с братьями и сестрами
Брест-Литовск,
конец XIX в.

Папа в школе   Папа-студент. Могилёв

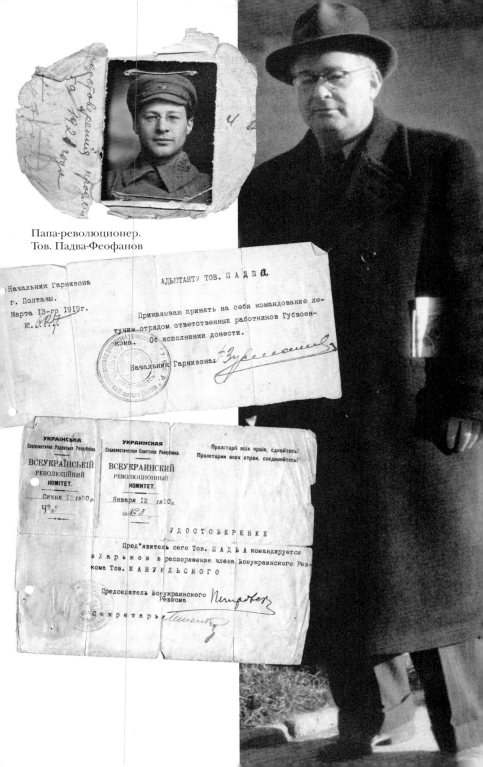

Папа-революционер.
Тов. Падва-Феофанов

АДЪЮТАНТУ ТОВ. ПАДВА

Начальник Гарнизона
г. Полтавы.
Марта 13-го 1919г.
№

Приказываю принять на себя командование ле-
тучим отрядом ответственных работников Губвоен-
кома. Об исполнении донести.

Начальник Гарнизона: Зубелевич

УКРАЇНСЬКА
Соціалістична Радянська Республіка
ВСЕУКРАЇНСЬКІЙ
РЕВОЛЮЦІЙНИЙ
КОМІТЕТ.
Січня 12 1920р.
Ч°

УКРАИНСКАЯ
Социалистическая Советская Республика
ВСЕУКРАИНСКИЙ
РЕВОЛЮЦИОННЫЙ
КОМИТЕТ.
Января 12 1920.
№ 3

Пролетарії всіх країн, єднайтесь!
Пролетарии всех стран, соединяйтесь!

УДОСТОВЕРЕНИЕ

Пред"явитель сего Тов. ПАДВА командируется
в Харьков в распоряжение члена Всеукраинского Ревкома Тов. МАНУИЛЬСКОГО

Председатель Всеукраинского
Ревкома

Секретарь

Мама и сестры. Слева направо: Бэла, Ева, Ида. Начало XX в.

Семья моей мамы (крайняя справа). Рядом с ней мой двоюродный брат Володя, погибший в 1942 г. на фронте. Третий справа – мой дедушка. Бабушка в центре, рядом – тетя Ида. Крайние слева – мои дядя и тетя, родители Володи

Студия Чернецкой. Мама – первая слева

Мама до моего рождения

Папа и мама.
Подмосковье,
начало 1930-х гг.

Папа и мама.
Москва,
конец 1920-х гг.

Мама в комиссии по охране антиквариата.
Вторая половина 1920-х гг.

Родильный дом
имени Грауермана

Любимый Малый
Козихинский – переулок
моего детства

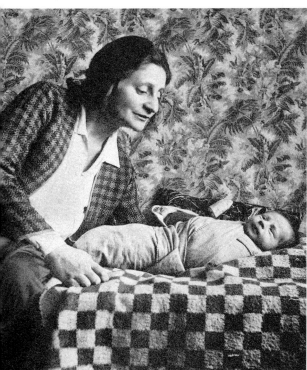

1931 г. Мама и я. Мне 3 недели

Мне 6 месяцев

Счастье победителя (Алла)
и горе побежденного (я)

Я с няней Леной. 1934 г.

Патриаршие пруды (Патрики)

Незабываемое мороженое

Знаменитая «Аннушка»
на бульварном кольце

Слева направо: Лёня Писарев
и Володя Севрюгин

Мы с Аллой. 1935 г.

В эвакуации мы жили в Куйбышеве на улице Фрунзе

Магазин купца первой гильдии, почетного гражданина Самары Егорова

Справа налево: Митя Егоров и Алексей Писарев

Струковский сад (Струкачи) над Волгой

Дина Воронцова, подруга
мамы и Николая Эрдмана

Николай Эрдман, научивший меня
восхитительным «армянским» ребусам

Это один из них – «Бедны Фатьма живот с подлицом»

Любимый кокер-спаниель Антон

Лабрадор Рита

Знаменитая
110-я школа

Знаменитые учителя — Котляревский, Дубинский,
Новиков И.К., Гусева В.А.

Мой
второй
класс.
Я в верхнем
ряду
четвертый
слева

Толя Ржанов, я, Лева Гинзбург,
Володя Машкевич, Алеша Николаев.
Москва, 1945 г.

Инна Тилле, Алка, я. 1946 г.

Проспект
Независимости
в Минске

Минск.
Группа студентов
1-го курса

В Минском
институте
я много занимался
спортом.
На стадионе

Я – студент
Московского
института

Выпуск студенто[в]
Московско[го]
государственно[го]
юридического институт[а]
1953 [г.]
Друзь[я.]
слева в верхнем ря[ду]
Виктор Ковельман (ны[не]
Шаров), рядом Владими[р]
Глоцер (литературны[й]
секретарь сначала Маршака[,]
затем Чуковского), вни[зу]
слева Владимир Бороди[н]

Реклама знаменитого
Коктейль-холла.
Нас, мальчишек,
сюда запускал мой
сосед по квартире
дядя Сережа

Ржев

С Генрихом
Ревзиным.
Ржев,
1954 г.

Погорелое Городище

Таким меня
в то время
увидел
и изобразил
мой кузен
художник
Леонид
Писарев

Торжок

Аля на набережной в Твери

Счастливое семейство.
Юрмала, 1966 г.

Аля с дочкой Ирой. Юрмала, 1961 г.

...ля. Фото автора

Мои друзья

Николай Лотоев

Марк Окунь

Володя и Нина Гельманы

...апа, Аля, Ира и я. Москва, 1965 г.

Мурат Саламов

Владимир Высоцкий
и Валерий Янклович

Владимир Высоцкий,
Марина Влади
и Всеволод Абдулов

С Вадимом Тумановым

етр Баренбойм   Андрей Макаров

новь основанный Союз адвокатов СССР создает совместное с США
двокатское образование. Третий слева – Падва, четвертый – сенатор Маски
бывший Госсекретарь США), пятый – Воскресенский, седьмой – Живина

С Михаилом Александровичем   С Александром Гофштейном
офштейном

Анатолий Лукьянов

Ирина Шаляпина-Бакшеева

Выступление в суде. Липецк, конец 1990-х гг.

Анатолий Быков

Вячеслав Иваньков (Япончик)

Михаил
Ходорковский
и Платон
Лебедев

С коллегами по делу Ходорковского – Дрелем
и Ривкиным

С учениками.
Москва,
конец
1980-х гг.

Я и Генри Резник. Мы веселимся по поводу очередной путаницы с нашими именами.
Москва, 2000-е гг.

С Леной Левиной

С Элеонорой и Олечкой Сергеевыми

Татьяна Лаврова

С Игорем
Квашой
и его женой
Татьяной.
Москва,
2008 г.

С Е.Колобовым
(справа)
и С.Лысенко
в «Новой опере».
Справа на заднем
плане Оксана

Наталья
Нестерова

С дочерью
Ирой
и лабрадо[ром]
Ритой

Аля (внучка) в Лос-Анджелесе

Аля. Фото Ирины Падва

Париж. Тина (в центре), справа налево – Ян, я и Филипп Ренар, муж Тины

Ира (слева), Тина и Аля у ресторана «Padova» в Париже

С Оксаной и ее сыном Глебом на даче

Фото Ирины Падва

щины в семье, закон защищает всякого, кто как-либо, материально или служебно, зависит от другого человека. Таков социальный смысл закона.

И чем глубже вы вникните в смысл предписаний закона, в его исторический, классовый, социальный смысл, тем очевиднее вам станет, что никакого отношения к рассматриваемому нами делу эта норма не имеет, ибо Алимова не находилась в какой-либо зависимости от Каулина в смысле этой статьи.

В подтверждение правильности моих утверждений я вновь позволю себе сослаться на постановление Пленума Верховного суда СССР уже по другому делу. В нем говорится, что сам факт внебрачного сожительства не создает еще той зависимости между лицами, о которой говорит закон. "Из дела видно, – указывается в постановлении, – что А. не находилась ни в какой материальной или иной зависимости от М., она даже не жила с ним в одной квартире и имела самостоятельный заработок". Та же мысль выражена и в определении Судебной коллегии по уголовным делам Верховного суда СССР по делу В., где указано, что зависимость может наступить только в результате брака, а не сожительства двух материально независимых друг от друга лиц. Судебная коллегия обращает внимание на то, что приравнивать сожительство к браку – значит в корне извращать понятия семьи и брака, значит неверно оценивать глубокое значение юридического оформления семейных отношений.

Поэтому я с полной уверенностью утверждаю, что Алимова не находилась в зависимости от Каулина.

Итак, товарищи судьи, нет и следа от той картины, которая должна была бы возникнуть перед вами в случае доведения до самоубийства, нет ни зависимой жертвы, ни жестокого обидчика.

И теперь остается ответить на один лишь вопрос: если не было ни уз зависимости, ни страданий от них, если не было жестоких обид и глубоких ран, откуда тогда возникло у молодой девушки такое близкое к безумию решение уйти из жизни?

Ответ на этот вопрос менее всего находится во внешних обстоятельствах ее жизни, и тем более – в действиях и поведении Каулина. Ответ вы найдете в характере самой Алимовой.

Порывистая, безудержная натура Гали нам хорошо известна. Прочтите два ее заявления в техникум. Они противоположны по смыслу, но тождественны по яростному темпераменту, по эмоциональному накалу, я бы даже сказал, по какой-то исступленности.

Об этих же свойствах Галиного характера поведали вам и свидетели. По утверждению людей, хорошо ее знавших, Галя при жизни была девушкой чрезвычайно неуравновешенной, вспыльчивой, грубоватой, нервной, легко возбудимой. Об этом даже сказано и в приобщенной к делу характеристике, об этом же свидетельствовали и Савельева, и Графова, и Иванова, и Каулины – сын и мать.

Нужно ли удивляться, что такой человек остро и мгновенно, но совершенно неадекватно реагировал на малейшую обиду, на любой внешний раздражитель?

Конечно, нельзя забывать и того, что нервы этой и без того неуравновешенной девушки были в тот период напряжены до предела. Жизнь в доме матери была нелегка. Родные попрекали Галину внебрачной связью, ее осуждали открыто и за глаза многие... "Худая слава бегом бежит..." Свадьба снова откладывалась.

Что и говорить, ситуация не из приятных. Но так ли уж виноват в этой обстановке Каулин, как это пытались изобразить? Давайте посмотрим правде в глаза. Не будучи ханжами и лицемерами, мы должны признать, что как ни глубоко и успешно развивается эмансипация женщины, в психологии мужчины и женщины, как и в оценке их действий другими людьми, и сейчас, в середине XX века, в российской глубинке многое осталось нам в наследие от прошлого. Стремление девушки к браку, ее боязнь остаться в "старых девах", сознание постыдности, позорности внебрачных связей и детей живы еще и в наш век.

И сейчас еще досужие кумушки если и не решаются мазать дегтем чьи-либо ворота, то уж не стесняются бросить камень в женщину-мать, если в паспорте у нее нет лилового оттиска печати отдела записи актов гражданского состояния. Да, уж эти кумушки!!! Они и ребенка-то потом не пощадят... впрочем, не об этом речь.

Так не естественно ли в этих условиях, что в то время, как Каулин сомневался и тянул, Алимова, стыдясь и негодуя, жаждала брака. И разве не столь же знакомо нам стремление ее матери поскорее увидеть дочь замужем, а его матери – оттянуть время появления в доме невестки?

Но беда не приходит одна.

Незадолго до 21 января Каулин случайно узнает о судимости Алимовой за кражу. Он упрекает ее, она тяжело переживает упрек, но вскоре наступает примирение, примирение, не снимающее тяжести с души, оставляющее в ней горький осадок... и, наконец, Алимова вновь была беременна... 21 января Алимова приходит к Каулину и внезапно между ними возникает ссора. Мы знаем теперь, что повод к ней был ничтожен, но повышенная возбудимость Алимовой не дала ей возможности точно и соразмерно реагировать на обиду. В одно мгновение, неожиданно даже для нее самой, впервые молнией проносится в ее воспаленном воображении мысль о самоубийстве, и она бежит, не идет, а бегом бежит, к полке, где стоит уксус, торопясь, трясущимися от возбуждения руками хватает и открывает бутылку и, захлебываясь, обжигаясь, глотает эссенцию...

Необузданное и так легко ранимое сердце этой девушки перестало биться через два дня, и только в эти два дня оно нашло успокоение и новую надежду.

Быть может, впервые в жизни, на пороге смерти, она пишет элегически спокойно. И кому? Тому, кто якобы бросил ее в лапы смерти! "Вадик, – пишет она, – чувствую себя хорошо, болит только горло. Много писать трудно. Галя. Встретимся, поговорим".

Им не пришлось больше встретиться. Жизнь Гали оборвалась трагически и внезапно, но вины в этом Вадима Каулина нет.

Он не был жесток с ней.

Она не зависела от него.

Она убила себя под влиянием быстро и сильно нахлынувших на нее чувств, и он скорбел о ней, плача навзрыд на ее могиле.

Сегодня вы слышите здесь в перерывах плач. Это плачет мать Вадима. Она страшится за судьбу сына. Я надеюсь, что этот страх необоснован. Сын ее должен быть оправдан, ибо он не совершил преступления, и я прошу вас сказать об этом в вашем приговоре и освободить Каулина из-под стражи здесь, в зале суда».

Народный суд признал Каулина виновным и осудил его к лишению свободы на один год. Я обжаловал этот приговор в Калининский областной суд, настаивая на невиновности моего подзащитного. Областной суд согласился со мной, приговор народного суда был отменен, Каулин был признан невиновным в совершении преступления и освобожден из-под стражи.

* * *

Эта речь, как и большинство моих судебных выступлений в те времена (в Погорелом, в Торжке, Калинине), не была плодом сиюминутного вдохновения. Я много и настойчиво работал над каждым делом, мучительно раздумывал над каждой речью. Ночами я писал их от первого слова до последнего, исписывая огромное количество бумаги. Особенно упорно я трудился над началом речи, вступительными словами, так как считал невозможным каждый день повторять одно и то же, начиная речь с обращения: «Товарищи судьи...»

Я пытался разнообразить вступление, затем вдумчиво работал над планом и построением основной части и, наконец, над окончанием речи, ее интонацией.

Надо сказать, что мои выступления нравились многим, однако отнюдь не партийному руководству города Торжка. Само по себе существование защиты в суде, единственной, если можно так выразиться, официально разрешенной оппозиции власти в стране, враждебно воспринималось многими власть имущими. Когда адвокат в своем выступлении просто просил о снисхождении, признавая справедливость обвинения, да еще и похваливал в своей речи партию, правительство и лично товарища Сталина, это еще казалось допустимым. Но если он резко выступал против обвинения, да еще смел делать какие-то обобщения, например, говоря о том, что в ряде случаев общество само виновато в том, что совершаются преступления, – это вызывало яростный гнев партийных бонз.

* * *

В этой связи не могу не вспомнить об одном деле, которое серьезно испортило мои отношения с местными властями. В те времена спекуляция, то есть скупка и перепродажа с целью наживы чего бы то ни было, считалась очень серьезным преступлением. Дело же было такое.

Группа кочевых цыган, переезжая с места на место, от колхоза к колхозу во Владимирской области, приобретала (не воровала, а покупала!) лошадей, которые от бескормицы и плохого ухода уже не могли работать и становились обузой в хозяйствах. Через несколько месяцев они привозили этих лошадей в другие хозяйства и предлагали поменять их там на бычков. Но это были уже совершенно преобразившиеся лошадки! Они были уже в прекрасном физическом состоянии, откормлены, ухожены и вычищены. А бычков за них взамен цыгане получали тощих, немощных и чуть живых. Еще через несколько месяцев этих бычков, столь же чудесным образом преображенных в тучных красавцев, они привозили на торжокский мясокомбинат и сдавали на мясо.

В результате цыгане имели довольно высокую прибыль, и, узнав об этом, доблестная милиция их арестовала и привлекла к ответственности как спекулянтов. Логика обвинения была проста: вначале, при покупке лошадей, они заплатили совсем немного, впоследствии, при продаже бычков на мясо, денег было получено во много раз больше – вот вам и скупка, и перепродажа с целью наживы. В суде представители колхозов, продавших за бесценок лошадей, объясняли, что средств содержать их у хозяйств не было и бедные животные просто погибали. А вырученные от продажи деньги были хоть и небольшим, но все же подспорьем.

Другие колхозники, которые получили взамен погибавших бычков цыганских лошадей, нахваливали их, утверждая, что эти лошади – единственные, которые исправно работают в хозяйстве. А представители торжокского мясокомбината, купившие у цыган бычков, утверждали, что ни до, ни после они не кормили таким прекрасным мясом жителей Торжка. Было очевидно, что цыгане потратили много труда и принесли своими действиями много пользы.

Несмотря на все это и на очевидную нелепость обвинений, прокурор требовал признать всех цыган (насколько помню, было их пятеро) виновными в спекуляции и приговорить их к различным срокам лишения свободы. В зале было много цыганок, их живописные наряды украшали многочисленные ордена и медали материнской славы, а отцы сидели на скамье подсудимых. Конечно же, женщины отправлять суду правосудие спокойно не давали!

Не знаю, что подействовало на суд – настроение ли в зале суда, мои страстные речи или очевидная, бросающаяся в глаза несправедливость обвинения, но произошло чудо: суд освободил всех пятерых из-под стражи, определив им условную меру наказания.

На следующий день к вечеру я оказался в цыганском таборе, расположившемся неподалеку от Торжка. Неожиданное возвращение пятерых мужчин было, конечно, воспринято там с восторгом, и я был принят цыганами как самый желанный гость. Меня угощали вином и шашлыками, в мою честь пели и плясали. А одна необыкновенной красоты 18-летняя девушка, расчувствовавшись, плакала при всех на моем плече, говоря о том, что она не имеет не только высшего образования, но и даже четырех классов, а потому не могла даже представить себе такую честь – плясать перед столь высокообразованным мужчиной! Под утро табор снялся с места стоянки, а я отправился домой.

Увы, моя радость и счастье цыган были преждевременными. Прокуратура обжаловала (или, как ранее было принято говорить – опротестовала) приговор, и областной суд его отменил, признав чрезмерно мягким и не обеспечивающим успешной борьбы с таким опасным преступлением, как спекуляция. Кочующих цыган, естественно, сразу найти не удалось.

Но пока их искали, произошло чрезвычайно важное событие: был издан указ о приобщении цыган к оседлому образу жизни. «Наши» цыгане осели в деревнях, большинство мужчин стали кузнецами в сельских кузницах. Тогда-то их и нашли, снова вернули в Торжок и под конвоем привели в зал судебного заседания.

Прокурор, как и в первый раз, требовал их всех лишить свободы. А у судьи, как он потом сам мне признался, рука не поднималась это сделать. Причем это был другой судья, не тот, который в первый раз освободил подсудимых цыган.

И вот перед тем, как закончить дело, он вызвал меня к себе (нравы тогда были простые, но помыслы чистые) и попросил найти какие-то убойные доводы, свидетельствующие о невозможности удовлетворить требование прокурора. И такой довод, к счастью, нашелся. Им стал тот самый указ о приобщении цыган к труду и тот факт, что в связи с указом образ их жизни полностью изменился. А главным аргументом решения областного суда, отменившего первый приговор, было то обстоятельство, что при кочевой жизни цыган условное наказание не могло быть реально исполнено, поскольку следить за их перемещениями и осуществлять необходимый надзор было невозможно. Но раз теперь наши цыгане жили оседло, прекрасно характеризовались по новой работе и их не пришлось бы нигде искать, применить условную меру наказания стало возможно – это представлялось единственно справедливым решением.

И вот суд вновь освободил всех пятерых в зале суда из-под стражи. В этот раз я не мог отпраздновать это событие в таборе, так как к тому времени его уже не существовало...

Это дело, как и некоторые другие, до чрезвычайности настроило против меня местные власти, которые не привыкли к тому, чтобы людей освобождали из-под стражи и не выполняли волю власти обвинительной.

* * *

Между тем, подошел к концу мой кандидатский стаж в партии. Надо сказать, что я к тому времени успел уже несколько разочароваться в хрущевской оттепели. И никакого желания становиться членом КПСС у меня не было, о чем я искренне сказал нашему председателю президиума коллегии адвокатов – своему непосредственному начальнику в адвокатуре Алексею Александровичу Левашову. К тому же я знал, что первый секретарь торжокского горкома партии плохо ко мне относился из-за моих, по его мнению, политически незрелых выступлений в суде. В общем, шансы пополнить ряды коммунистов у меня были невелики.

Я именно так и сказал Левашову: мол, и сам вступать не хочу, да и не примут. Он ужаснулся:

– Ты с ума сошел! Если тебя не примут в партию, мы вынуждены будем тебя отчислить. Не вступи ты в кандидаты, так бы и работал себе спокойно, а вот быть кандидатом и оказаться недостойным вступить в ряды коммунистов – это, считай, подписать себе приговор: работать адвокатом ты уже не сможешь никогда.

Тут уже испугался и я – и ждал теперь с трепетом заседания бюро, где обсуждали мою кандидатуру.

Как и ожидалось, на бюро первый секретарь торжокского горкома явно был настроен против меня:

– Вот, друг народа нашелся – всех он защищает. А мы что – не друзья народа?!

Надо отдать должное нашему прокурору Сергею Парамоновичу Никанорову: он осмелился напомнить, что защищать – это, собственно, моя обязанность как адвоката. За это тут же попало от первого секретаря и ему!

Однако в какой-то момент разбушевавшийся партийный вождь, видимо, сам понял, что переборщил, поэтому, к моему облегчению, на голосование было внесено предложение продлить мне кандидатский стаж, а не отлучить от партии. Правда, решение было принято с серьезным предупреждением: мол, если будешь продолжать так себя вести – смотри!

Я немедленно поехал в Калинин сообщить об этом исходе дела Алексею Александровичу. И он, поняв из моего подробного рассказа об этом заседании бюро, что меня в Торжке уже точно никогда не примут в партию, а значит, и погубят карьеру адвоката, принял решение перевести меня в областной центр.

Так что истечение второго кандидатского срока я встретил уже в Калинине. Но и тут не обошлось без казуса. Я тогда уже отпустил бородку, и именно она почему-то резко не понравилась первому секретарю Калининского райкома (мою кандидатуру рассматривали на бюро комитета партии одного из районов города). Он весьма недружелюбно спросил:

– Ты под кого подделываешься этой бородой?

Я растерялся – да и что тут скажешь? Но тут поднял глаза и вдруг увидел: на стене, прямо за спиной секретаря райкома, висит портрет Ленина – с бородой. В задумчивости, не отрывая глаз, смотрел я на этот портрет, решая, сослаться на него или нет, но партийный секретарь, уловив направление моего взгляда, не обернувшись, но, видимо, вспомнив, чей облик у него за спиной, вдруг резко заявил:

– Ладно, есть предложение принять.

Так я стал коммунистом – без всякого убеждения в правоте большевистских идей, но лишь ради того, чтобы уцелеть в адвокатуре. Увы – именно так.

Правда, фактически получилось, что именно благодаря затруднениям с кандидатским сроком и помощи явно сочувствующего мне Алексея Александровича Левашова я оказался на работе в областном центре. К этому времени одна случайная встреча изменила многое в моей судьбе.

Глава 13
«БОЛЬШИЕ ВОДЫ НЕ МОГУТ ПОТУШИТЬ ЛЮБВИ, И РЕКИ НЕ ЗАЛЬЮТ ЕЕ»[1]

Когда я еще работал в Торжке, в Калинине у меня появился товарищ, тоже адвокат и тоже москвич, Миша Иоффе. В квартире, которую он снимал, я чаще всего останавливался, когда приезжал с ночевкой в Калинин. Да и в Москву, кстати, мне тоже удобнее было ездить через областной центр.

И вот однажды, когда я так в очередной раз наведался в Калинин, мы с Мишкой прогуливались по набережной Волги.

Надо сказать, что к этому времени мы – и я сам по себе, и вместе с Мишкой – вели довольно разгульный образ жизни. Я любил работать и много работал, но при этом не отказывал себе в самых различных удовольствиях.

Я уже рассказал о моей первой, еще совсем незрелой, наивно-целомудренной влюбленности в Рениту. Действительно, я долгое время сохранял в душе романтико-платонические чувства к девушкам и поздно вступил «на путь греха». Однако плоть в какой-то момент победила, и уж победа ее была полной до поры до времени. Но все же только до поры, когда вновь восторжествовал дух и обуздал плоть. Пришла потребность любви. Она явилась раньше, чем само чувство и чем ее объект. Я думаю, так часто бывает: человек созревает для любви, еще не встретив ту или того, кого он полюбит.

---

[1] «Песнь Песней».

Именно в таком состоянии – ожидании, потребности, предчувствии любви – я однажды приехал в Калинин к Мише.

Так вот мы идем с моим другом по набережной, треплемся... И вдруг я вижу – на скамейке сидят молоденькая девчонка и какой-то парень. Когда я увидел ее, то остолбенел в буквальном смысле слова – встал и говорю:

– Миша, вот женщина, которая мне нужна.

Он посмотрел тоже:

– Да, ничего.

А я стою и не представляю, что делать дальше, не могу никуда двинуться. Миша меня тащит: мол, пойдем, неудобно, она с парнем, что ты стоишь...

С набережной Миша меня потихонечку уволакивает, но я понимаю, что должен найти эту девушку. Без этого моя жизнь больше уже не будет иметь смысла. Она была воплощением моего идеала красоты: тонкие, безупречно правильные черты лица рафаэлевской Мадонны и ослепительная белозубая улыбка голливудской звезды. Невысокого роста, аккуратно и скромно одета. Ей шел двадцать первый год.

Я стал расспрашивать всех знакомых, описывать ее. И мне, в конце концов, рассказали, кто это: студентка медицинского института, приехала вместе со своим вузом из Ленинграда. Тогда был период, когда Хрущев «разукрупнял» и Москву, и Ленинград, и некоторые институты переезжали в провинцию. Так и медицинский институт из Ленинграда вместе со своими студентами переехал в Калинин. Я узнал, как зовут мою мечту – Аля, Альбина. Но как ее найти?..

Какое-то время спустя с торжокским моим приятелем, Юрой Хлебалиным, мы вместе поехали в Москву через Калинин. Путь этот был не прост и занимал около четырех часов. Сначала надо было на местной паровозной тяге доехать из Калинина до Клина – более двух часов тащился этот поезд из трех-четырех вагончиков. А уже потом, в Клину, приходилось брать еще один билет и на электричке ехать в Москву.

И вот на вокзале в Калинине, где мы берем билеты до Клина, я вдруг вижу – и сердце бешено заколотилось – Алю: они вдвоем с подругой тоже покупают билеты на тот же поезд. Мы, конечно, за ними – в вагоне садимся напротив на скамейку и начинаем разговор. Точнее, пытаемся завязать беседу, но Аля со мной не очень-то разговаривает. Смысл ее ответов был, грубо говоря, такой: «Отстаньте, чего вы к нам пристали». К счастью, ее подруга, которую звали Луиза, более снисходительно к нам отнеслась и кое-как поддерживала разговор – если не со мной, то с моим другом Юрой. Как потом выяснилось, он ей сильно понравился.

Мы вышли в Клину, купили билеты на электричку и сели в вагон – конечно же, опять напротив «наших» девушек. И тут все-таки какой-никакой разговор завязался. Выяснилось удивительное совпадение: оказывается, они через некоторое время, буквально через пару месяцев, едут в Торжок на практику. А сейчас у них закончились занятия, и они едут в Москву. Мы обрадовались:

– А мы из Торжка, приезжайте, мы вас встретим...

В конце путешествия мы расстаемся уже знакомыми. Я на седьмом небе, она нравится мне безумно.

Через два-три месяца мой друг Володя Гельман, судмедэксперт и патологоанатом, сообщает долгожданную весть:

– Ребята, к нам в больницу на практику приехала команда студентов-девчонок из Калининского медицинского института.

Я, конечно, тут же помчался в больничный городок. Хожу, ищу: одна, другая, «моей» все нет и нет. Где же она? И вдруг смотрю – идет девушка, еще лучше, значительно лучше, чем Аля. Эх, думаю, бог с ней, с той Алей (до чего я был тогда легкомысленным!)... И только когда я подошел к этой «другой» и мы с ней заговорили, я понял – это и есть та самая Аля, о которой я мечтал. Просто в моей памяти не сохранилась вся та красота, которой она обладала.

Всю их практику с утра до вечера я пропадал в больничном городке – забросил всё и вся... Но в первые же встречи Аля мне рассказала, что она совсем недавно вышла замуж. Потому она сначала, в поезде, так не хотела со мной знакомиться. Муж ее, Юра, будущий военный медик, учился в Харькове. Торжества в честь их бракосочетания уже вовсю готовились и в Москве, где жила Юрина мама, и в Риге, где жили родители Али и куда они оба должны будут приехать: она – после практики, он – после окончания учебного года. Уже назначен день, приглашены гости, куплены подарки – и вдруг я тут со своей любовью!

Однако это меня не охладило. Я с тем же рвением, хоть и с заплатой на заднице (новых брюк я себе еще не завел), продолжал ухаживания. Вскоре я начал понимать, что мои чувства находят отклик, моя любовь – взаимна. А практика между тем заканчивалась, и приходило время принимать какие-то решения. Аля была тверда – она даже отдала мне обручальное кольцо, сказав:

– Все, я развожусь.

Однако перед самым концом практики, к тому времени, как наши чувства с Алей достигли апогея, раздался звонок – это был Юра, муж! Он говорит, что ждет ее, когда ее встречать? Но в ответ слышит, что ни встречать, ни ждать не надо. Она не приедет, и их свадьбы не будет.

Юра все понял, но сказал:

– Знать ничего не хочу – я тебя люблю. Мало ли что ты там по молодости... Ты должна ехать, я – твой муж, ты – моя жена. Забудь его, и я никогда в жизни не вспомню и не упрекну.

Аля пытается возразить, но он со словами: «Всё, я выезжаю к тебе!» – бросает телефонную трубку.

Еще сегодня, под утро, провожая Алю, я был наверху счастья и блаженства. А сейчас оказался на грани ужаса и отчаяния. Она смотрит на меня – и в глазах ее вопрос и нерешительность. У меня же в голове рой полубезумных идей. Уехать с ней – но куда? И как ей на это решиться?! Спрятаться, закрыть въезд в Торжок, преградить ему дорогу... Мне казалось, я схожу с ума. А у Али на глазах слезы.

И вот он приезжает, и они уединяются. Муж и жена! А кто я?

Пока Аля выясняет отношения с мужем, я с Юркой Хлебалиным сижу в ресторане и пью горькую. А ее подружки бегают, как челноки, от больницы, где происходит «семейная сцена», ко мне, носят новости. Все они сочувствуют мне, потому что мы все за это время подружились, а Алиного мужа никто не знал и знать не хотел. Кроме того, девчонки считали, что и Аля более склонна ко мне, а не к нему – так что чего это он тут...

Наступает развязка. Мы встречаемся, и Аля говорит:

– Я ничего не могу поделать. Как я от него уйду?! Что скажет моя мама, что скажет мой папа? Папа у меня военный, такой абсолютно правильный, железный мужик... Я же замужем! Я должна ехать.

Вот только обручальное кольцо при этом осталось у меня, она его не потребовала обратно.

Отъезд супругов назначили на следующее утро. А я, в отчаянии от того, что происходит, и от своего бессилия что-либо изменить, кинулся на работу:

– Дайте мне какую-нибудь командировку – в Лихославль или куда-нибудь, я не могу, мне надо уехать.

Такая возможность для меня нашлась, и на следующее утро я тоже выехал из Торжка. Меня кто-то (уже не помню сейчас) вызвался отвезти на машине. Но отъехали мы недалеко, так как с автомобилем что-то случилось, и мы остановились на обочине. Пока водитель что-то там чинил, я праздно стоял рядом.

И вдруг вижу: едет автобус Торжок–Москва, и в нем у окна – моя Аля. Дороги тогда были крайне плохие, автобус полз медленно. Аля тоже видит меня, наши глаза встречаются, она становится белее снега... и автобус медленно уезжает. А я уезжаю в Лихославль.

Там у меня более полутора суток идет судебный процесс. По возвращении в Торжок я обнаруживаю две ожидающие меня телеграммы. Первая дана тем же днем, когда и она, и я уехали из Торжка: «Жду тебя сегодня в семь часов вечера в Москве возле Метрополя». Но это же уже вчерашний день!

Вторая телеграмма была более поздней – Аля не дождалась меня в семь часов вечера и на следующее утро снова телеграфирует: «Жду тебя у Центрального телеграфа». Но меня нет и на следующий день, я ведь все еще в Лихославле. И никаких обо мне вестей нет тоже. Что она передумала и перечувствовала в это время, она никогда мне так и не сказала...

Я не знаю, что делать, несусь в Москву в надежде что-то выяснить, ведь в Москве живут Алины дедушка с бабушкой и мама Юры – но я не знаю ни где они живут, ни номеров их телефонов...

Позднее выяснилось: в Москве Аля поехала вместе с Юрой к его маме, по дороге в какой-то момент ухитрившись дать мне телеграмму о встрече в семь часов. У свекрови их ждал обед, после которого Аля под каким-то предлогом сумела на некоторое время отлучиться из дому и съездить к Метрополю: она надеялась, что после встречи со мной ей уже не придется возвращаться к мужу. Но меня не было, и вернуться пришлось.

Но что делать дома? Вечером пора идти спать, а она отказывается ложиться с мужем. Он бежит за веревкой: «Я сейчас повешусь!» Но Алю его отчаяние не останавливает, и она уже практически ночью уезжает к своим бабушке и дедушке.

Те в совершенном недоумении, не понимают, что происходит. А там дед – человек, надо сказать, довольно крутой! Не приходится рассчитывать, что он поймет внучку в ее метаниях. Аля, тем не менее, ночует у них и наутро следующего дня снова дает мне телеграмму – и опять меня нет. Тогда она покупает билет и уезжает к родителям в Ригу.

В Риге разражается скандал. Аля вынуждена объяснить: она приехала одна, без Юры, потому что любит другого. Родители в полном смятении. Отец кричит:

– Кого я воспитал! Как ты могла?!

Мама причитает:

– Приглашены гости, они купили подарки, как я буду им смотреть в глаза?!

Мать каким-то фантастическим образом узнает, кто я такой и как меня разыскать, – в Алькиных записях, видимо, нашла. Она приезжает в Москву, звонит моему дяде Мите, где я обычно останавливался, когда приезжал в Москву, и зовет к телефону адвоката из Торжка. А я случайно там в это время, совершенно случайно!

Митя, помню, меня подзывает: мол, там тебя какая-то женщина спрашивает. И я слышу:

– Здрасьте, это мама Али, я хотела бы с вами встретиться.

Я хоть и счастлив, что нашлись какие-то концы, но встреча с разъяренной мамашей не сулит мне ничего приятного. Однако мы встречаемся – я помню, почему-то у Курского вокзала. И она меня пару-тройку часов уговаривает: «Оставьте в покое мою дочь, я понимаю, вы поигрались – но всё. У нее потрясающий муж, такой заботливый, он ее любит по-настоящему, он красавец, он прекрасный». При этом Нина Александровна, так звали Алину маму, убеждала меня, что я не смогу быть счастлив с Алей, потому что у нее очень тяжелый характер, да к тому же слабое здоровье (она перенесла тяжелую болезнь и операцию). Я в ответ пытаюсь убедить, что расстаться с Алей я не могу – я ее люблю.

Мы ни до чего не договорились, а через некоторое время я получаю письмо от Али: «Я не понимаю, где ты и что ты. Если ты меня еще не забыл, пиши мне до востребования в Ригу». И я начал писать. Писал по нескольку писем в день. Писал о любви, и снова, и снова о любви. Писал страстные, ласковые, нежные признания и призывы. Сколько же можно об этом и говорить, и писать – все о любви?! Как выяснилось – бесконечно. К счастью, писал я не в пустоту. Аля отвечала, хотя нечасто: ей нелегко было под неусыпным материнским надзором изловчаться писать и посылать письма.

Между тем, Алины каникулы подходят к концу, приближается и день назначенной свадьбы. Они с мамой едут в Москву. Мама, которая так и не узнала, что мы переписывались с ее дочерью, созванивается с Юрой: «Аля просидела весь месяц дома, на диване. Я думаю, она его уже забыла, все образуется. Встречай нас, все будет нормально».

Но Аля не забыла. По приезде в Москву она еще на Рижском вокзале ухитряется каким-то образом выскользнуть ненадолго из-под материнского надзора и позвонить мне. Я с бьющимся сердцем слышу любимый голос: «Мы с мамой приехали, сейчас поедем к бабушке с дедушкой, давай в семь часов встретимся у Центрального телеграфа».

Дальше они вместе с Юрой едут к родным, где их ждет торжественный обед – с выпивкой, заздравными тостами... Но в начале седьмого Аля поднимается и начинает собираться.

– Ты что?
– Я ухожу.
– Куда?
– Я иду к нему.

Несмотря на жуткий скандал, она все-таки уходит из дома. Мы встречаемся и проводим совершенно волшебный вечер: сидим в Александровском садике и целуемся – деться нам больше некуда. Аля потом часто вспоминала, как к нам в тот вечер подошла цыганка и протянула мне розочку: «Купи цветочек». Цену, которую она запросила, мы оба запомнили на всю жизнь: 25 рублей. По тем временам это было все равно, что сейчас сказать: 25 тысяч. Одна розочка! Но для меня не существовали тогда деньги, хотя у меня кроме этих 25 рублей больше не оставалось ни копейки. Я покупаю эту розу, Аля ее берет, мы садимся вдвоем где-то на скамеечке... А часов около одиннадцати она говорит:

– Мне надо идти – там мама, там бабушка, дедушка. Когда смогу – позвоню.

И я пошел ее провожать, но не до самого дома...

Рано-рано утром – телефонный звонок (а я ночую все там же, у Мити): «Приезжай на Ленинградский вокзал». Я мчусь туда и вижу Алю – у нее чуть-чуть рассечен лоб, вся она как-то взлохмачена, небрежно одета (притом что всегда была очень аккуратна!), с какой-то авоськой. Что случилось?! Встретили ее неласково, почти всю ночь выясняли отношения, оскорбляли.

Услышав это, я не стал выяснять подробности, а взял ее за руку, мы подошли к кассе, купили билеты и уже днем были в Калинине. Так началась наша совместная жизнь...

Глава 14
ВМЕСТЕ

Через некоторое время мы получили от Юры письмо с единственной просьбой к Але: «У меня скоро выпускные экзамены, давай не будем пока официально разводиться, потому что это плохо отразится на моем распределении». Конечно, мы эту просьбу выполнили, Юра ведь не был ни в чем перед нами виноват. Так мы около года прожили «во грехе» – и Аля была отвергнута своими родителями. Они категорически с ней не общались, не отвечали на письма, не звонили – ведь дочь их опозорила!

Но мы целый год прожили счастливо. А через год Алины родители переехали из Риги в Феодосию – ее отца, первоклассного летчика-аса, перевели туда командиром авиационного полка. Перед самым их переездом я настоял на том, чтобы Аля еще раз написала им письмо. Я видел, что она страдает, и понимал, что без восстановления отношений с родителями покой невозможен. И вот однажды я фактически продиктовал ей письмо к родителям, в котором объяснял, что она уже долго живет со мной, убедилась в своей любви и правильности своего поступка, но она не может быть счастлива без их, так сказать, благословения. И вот, наконец, мы получили от них письмо в ответ! Мама писала ей: «Приезжайте, посмотрим на этого твоего...» (она-то, впрочем, меня видела).

Мы приехали в отпуск в Феодосию. Честно говоря, у меня тряслись поджилки: как примут меня, простят ли Алю? Родители встретили нас на вокзале, на служебной машине отца привезли в дом, где гостили в то время и Алины бабушка с дедушкой. Как водится, усадили за стол. Первоначально все были очень напряжены. Но как ни удивительно, вскоре обстановка разрядилась, завязался разговор, родители явно оттаяли.

Правда, ее отец, хоть и признал меня, и даже, смею думать, полюбил, хоть и выпито, и говорено, и пережито вместе с ним потом было немало, все равно, даже через многие годы, время от времени повторял: «Нет, я все-таки не понимаю, ну как она могла! Она же была замужем! Ну какая же может быть любовь?! Я сам, кроме Альки и мамы, никого в жизни не любил». Как это ни удивительно, жену свою он никогда не включал в список любимых женщин.

Я пробыл в Феодосии чуть меньше месяца и уехал раньше Али – мне нужно было на работу. И тут не обошлось без некоторых сложностей. Не успел я добраться до дома, как Аля стала просить побыстрее прислать ей денег на обратную дорогу – она хотела поскорее уехать. Я не понимал, в чем дело. Соскучиться так быстро она вряд ли могла, в доме с папой и с мамой отношения наладились и были очень дружественными и любовными, погода была превосходная, море ласковое, а она плавать и загорать обожала. Оказалось, все просто: стоило Але одной показаться на пляже, как тут же появился настойчивый и наглый ухажер, от которого она вынуждена была буквально убегать. Нахальный воздыхатель стал преследовать мою жену, и ей не у кого было искать защиты, так как отец почти круглые сутки был на службе. Мне пришлось побегать в поисках денег, но требуемая сумма была найдена, и через пару дней я уже встречал Алю на вокзале в Москве.

Наша счастливая жизнь в Калинине продолжалась. Ближайшими друзьями нашей семьи были Володя Гельман и его жена Нина Чернова. Нина была из той же «команды» практиканток, приезжавших в Торжок, что и моя жена. Их роман с Володей, без таких сложностей и драматизма, как у нас с Алей, протекал параллельно, и мы с тех пор дружили и все время проводили вместе – благо Володя Гельман тоже перебрался из Торжка в Калинин, так что разлучаться с друзьями не пришлось.

Постепенно компания разрасталась. Однажды мы с Мишей Иоффе были в Москве, в Верховном суде. Когда уже собрались уезжать и я сел в машину, мой друг остановился и разговорился с каким-то человеком, показавшимся мне пожилым. Когда Миша наконец подошел и я спросил, кто это, он сказал:

– Это очень хороший парень.

Я засмеялся:

– Это же старик!

– Да нет, ты что, он незначительно старше меня, – сказал Мишка и рассказал мне, что это необыкновенно талантливый и умный юрист, который блестяще окончил наш же институт и был направлен на работу в Ижевск. Звали его Марк Окунь.

Марк пришел в институт после фронта, две кафедры рекомендовали его в аспирантуру, но он имел несчастье быть евреем и вместо аспирантуры загремел по распределению в Удмуртию. Мишкин рассказ о замечательном человеке так вдохновил и меня, и моего друга, что у нас возникла мысль перетащить Марка в адвокатуру Калинина.

Вскоре нам действительно удалось это сделать, и Марк начал работать – сначала не в самом Калинине, а в одном из районов области (если мне не изменяет память, в Калязине). Он оказался действительно умницей, вдумчивым, серьезным юристом и образованным человеком, любил и хорошо знал историю и художественную литературу. Отличительной его чертой была необыкновенная тактичность. Деликатен он был до крайности. Однажды, в самом начале моего с ним знакомства, приехав поздно вечером из Калязина в Калинин, он пришел в квартиру, где жил Миша и где часто останавливался я, и позвонил в дверь. К несчастью, самого Миши не было, а я был в это время в его квартире. Подойдя к двери, но не открывая, я спросил, кто там, на что услыхал вежливый вопрос: «Нет ли дома Михаила Адольфовича?» Я ответил, что нет, и получил слова извинения в ответ. Марк отправился на улицу и более двух часов бродил возле дома в ожидании Михаила – назвать себя и представиться нашим коллегой Марк постеснялся, а я его в то время почти еще не знал и по голосу, конечно, узнать не мог.

Когда мы с ним оба уже жили в Калинине и были дружны, то одно время снимали две комнаты в одной квартире и жили через стенку. Однажды ночью мы с женой проснулись от каких-то странных звуков: два-три отрывистых стука, неуверенных и звучавших через большие паузы. Спросонья мы никак не могли понять, откуда шел звук, и сначала нам показалось, что он раздавался снаружи, с улицы (мы жили на первом этаже). Аля была напугана, но когда я встал и выглянул в окно, там никого не было. Стук вроде бы прекратился совсем, мы снова легли, но заснуть нам не удалось – стук возобновился. До самого утра он время от времени возникал и снова пропадал. Наконец, когда уже рассвело, я вышел из комнаты и замер – из-под двери комнаты Марка раздался его приглушенный голос:

– Герка, помоги хоть советом.

Я ничего не понял, но внезапно из нашей комнаты раздался веселый Алин смех:

– Пусть использует цветочную вазу! – моя жена быстрее соображала.

Оказалось, Марк среди ночи попытался выйти из комнаты в туалет, но сломал ключ. Поэтому он стал стучать в стену, вернее, не в стену, а в разделявшую наши комнаты голландскую печь. Но так как он очень стеснялся и боялся нас потревожить, он два-три раза робко стукал и замирал надолго. Такая вот забавная деликатность – хотя весь смысл его стука заключался как раз в том, чтобы прервать наш сон и попросить помощи, он в то же время опасался нас будить. Вот такой был Марк Окунь.

Много друзей у меня было и среди врачей, что неудивительно, поскольку и моя жена Аля, и ближайший друг Володя Гельман, и его супруга Нина – все были медицинскими работниками. Так в нашу компанию влились Андрей Никольский с женой Руфой и Мурат Саламов с женой Светланой.

Особенно тесно мы сошлись с Муратом, нейрохирургом, родившимся во Владикавказе, но всю сознательную жизнь прожившим в Центральной России. Позднее он почти одновременно со мной и Володей Гельманом переехал в Москву и работал в одной из больниц Москвы заведующим нейрохирургическим отделением – добрый, мягкий, безупречно порядочный и очень интересный человек...

Заводилой многих наших застолий и гулянок стал Коля Лотоев, уроженец горного селения Сурами, в сердце Грузии. Помесь армянина с грузином, он был самым младшим из нас, энергичным, веселым, знавшим толк в вине и его производстве. Коля многие годы сам готовил вино на калининской земле, и его дети по старому крестьянскому грузинскому обычаю давили виноград ногами.

Между тем незаметно наступил момент, когда Алина учеба в институте подошла к концу и уже пора было получать распределение. Для того чтобы остаться в Калинине, ей нужна была какая-то причина – и ею, конечно, являлся бы брак с жителем областного центра. И тогда (только тогда!) мы вдруг опомнились, что нужно придавать юридический статус нашим отношениям, и побежали регистрировать брак. В загсе с нас потребовали за это 15 рублей, а у нас не было и трех. Побежали брать деньги в долг. Вернувшись вскоре, зарегистрировались – так мы сыграли свою свадьбу. Не было ни белого платья, ни фаты, ни даже бутылки шампанского. А счастье – было.

Наша дочь Ирина появилась на свет в Риге, куда уехала рожать моя жена – там снова жили ее родители, вернувшись из Феодосии. А я в это время оказался в армии на двухмесячных военных сборах, неподалеку от Калинина. Так что о рождении дочери я узнал, находясь далеко от семьи.

Признаться, я был обескуражен: мне и Аля, и теща, и акушерки, и бабки, и врачи – в общем, абсолютно все говорили, что будет мальчик по всем приметам! И вот на тебе – звонит теща и по телефону сообщает: «Поздравляю, у тебя родилась дочь!» Как дочь?! Не могу сказать, что я был огорчен – но все же ведь должен был быть сын!

Поехать в Ригу я смог только недели через полторы после того, как стал отцом. Только тогда я и увидел свою дочь. Какие чувства я испытал? В первую очередь – невероятное недоумение и изумление: что это, откуда, как это так – моя дочь? При этом (я даже просил потом у Ирки прощения за свои чувства, но надо быть честным) я почувствовал ужасную брезгливость! Это было совсем некрасивое, какое-то мокрое, странное существо. Хорошо помню и свой ужасный страх. Когда я видел, как теща уверенно и, мне казалось, неосторожно и даже грубо пеленала мою дочь, мне хотелось закричать, отнять у нее ребенка – так я боялся, что она поломает эти крошечные ручки и ножки! Но никакой нежности, любви и ласки я первые два-три дня не испытывал.

Ирка, как это бывает со многими детьми, ночами плохо спала, плакала, и ее нужно было брать на руки.

Аля с ней, конечно, сбивалась с ног. Так что в какой-то момент, ночью, увидев, как жена снова который час мучается с плачущим ребенком, я вызвался ее сменить. Помню, как я неловко взял дочку на руки, походил с ней по комнате, покачивая... И вдруг она слегка заворочалась, устраиваясь поудобнее, повернула ко мне мордашку, прижалась к моей груди, почмокала губами и заснула. И вот тут я погиб: такая нежность меня затопила, такой любовью облилось сердце, так вдруг стало понятно мое предназначение – защитить это существо от трудностей жизни... В этот момент я почувствовал себя отцом – раз и навсегда, и чувствую по сей день.

Появление на свет внучки я пережил совсем иначе. Я не испытывал уже того недоумения и той брезгливости, но страх был удесятеренный, потому что ничего и никого более тоненького и маленького я не встречал ни до, ни после. Выражение «руки как спички» всегда воспринимается как преувеличение. Но поверьте мне, ручки и ножки моей внучки были как спички без всякого преувеличения! Что уж говорить о крошечных пальчиках... А голосок был ну совершеннейшим писком! Вся она была, как маленький клопик. Клопиком я ее и прозвал и называю так до сих пор. Но надо было дать и имя, так сказать, официальное. Мы решили назвать ее в честь бабушки Али. Так она стала Алькой, Альбиной.

С рождения Алька отличалась одним удивительным качеством: она никогда не хотела есть – хотела только спать. Когда ее расталкивали, она с трудом брала «титю», пару раз сонно чмокала и снова засыпала. Так что для того, чтобы накормить мою внучку в младенчестве, ее приходилось непрерывно будить и тормошить. Да и когда она подросла, сцены кормления были чем-то выдающимся! Отсутствие аппетита осложнялось невероятной твердостью характера. Однажды рассерженная мать не разрешила ей выйти из-за стола после обеда, не дожевав котлеты. С котлетой за щекой Аля просидела за столом до ужина.

Худенькая и тоненькая, она обладала, как я уже сказал, невероятно высоким голоском, при этом могла удивительно точно воспроизводить им разные звуки, что было очень забавно и трогательно. В моем сердце, казалось бы, целиком заполненным любовью к дочери, нашлось место и для внучки, и она прочно в нем укоренилась. Впоследствии наши отношения переросли в нежную дружбу и взаимное уважение, она выросла чрезвычайно интересным, своеобразным, способным, добрым и преданным человеком.

Какое же это счастье – любить и отдавать любимым, родным и близким себя без остатка! Ощущать тепло и ответную нежность – мамы, жены, дочери, внучки... И мне выпало это счастье в жизни.

После появления на свет Иришки мой папа не раз просил нас сфотографироваться всем вместе, вчетвером. Долгое время по разным причинам мы никак не могли собраться и выполнить, в общем-то, такое простое и естественное желание отца и деда. Наконец, однажды мы пошли все вместе гулять, и папа все же завел нас в какое-то фотоателье. Фотограф принялся нас рассаживать и делал это с таким важным видом, так нелепо и искусственно, а Иришка и ее дедушка были так преисполнены осознанием торжественности происходящего, что Але и мне стало безумно смешно, и мы не смогли удержаться от хохота. Это возмутило фотографа и вызвало явное неодобрение старшего и младшего в нашей семейке. Все это Але и мне казалось чрезвычайно комичным, и мы смеялись до той поры, пока не стал очевидно назревать скандал. Только тогда мы сумели обуздать свое веселье и, подавив смех, заняли указанные нам фотографом места. Так появилось фото, где я и Аля с напряженными лицами запечатлены рядом с бесконечно любимыми моим отцом и нашей дочерью.

Однажды дочка поразила нас самым неожиданным образом. Моя жена захотела сходить на калининский ипподром, посмотреть бега. Для нее это было ново и интересно, и мы отправились втроем, прихватив дочку, которой тогда было не больше пяти лет.

Меня на скачки еще в ранней юности водил дядя Митя, потом я время от времени там бывал, а заядлым игроком не стал – не заразился, так сказать. Но в Калинине был тотализатор, и мы решили сыграть. Конечно, ничего о тех лошадях, что были указаны в программке, мы не знали, поэтому предоставили выбор ребенку. Мы прочитали дочке клички всех лошадей, участвующих в заезде, и спросили, какая прибежит первая. И Ира немедленно, ни мгновенья не раздумывая, назвала какую-то из лошадок. На нее мы и поставили. И выиграли!

Второй забег – мы снова просим «поставить» нашу дочь, и вновь наша прорицательница, не задумываясь, выбирает кличку одной из лошадей. Мы выигрываем и второй раз. Потом – и третий. Тут уже вокруг нас образовалось некое «общество», которое начало следить за нашими ставками, видя нашу удачу. Наконец, в четвертый раз мы снова спрашиваем Иру, на какую лошадь ставить, а она вдруг говорит:

– Не знаю.

Я хорошо помню, что одну из лошадей звали Улыбка, и по всем объективным характеристикам она имела шансы на победу. Мы убедили и дочку, и себя, что надо ставить на нее, но удача от нас уже отвернулась – больше мы ничего не выиграли, а Ира категорически отказывалась снова называть имена будущих победителей забегов.

Глава 15
СУДЕБНЫЕ ДЕЛА – ЧУЖИЕ СУДЬБЫ

Моя, несомненно, счастливая, мирная семейная жизнь порой очень ярко оттенялась судьбами, с которыми мне приходилось сталкиваться на работе. В Калинине я часто вел громкие дела, защищая людей, которым любовь приносила горе и разочарование и приводила к ужасным трагедиям.

До сих пор во всех подробностях помню одно громкое убийство, когда суд удовлетворил требование прокурора о высшей мере наказания, но потом по моей кассационной жалобе вышестоящая инстанция заменила расстрел лишением свободы. Пожилой, старше 70 лет человек убил свою жену. Она была его моложе лет на 20, и он прожил с ней долгие годы, когда вдруг узнал, что она не просто ему изменила или изменяла время от времени, но все это время вела двойную жизнь, имела постоянного возлюбленного, с которым регулярно встречалась и переписывалась. Эти-то письма, самого нежного и страстного свойства, в итоге попали к мужу.

Обманутый супруг не просто убил изменницу – он разрубил тело на пятнадцать частей и побросал их в колодец. А на стене написал ее кровью: «Ты изменяла мне 15 лет, я размотал тебя на 15 кусков». Он не скрывал своего преступления, все рассказал, во всем признался. Сказал и то, что ни о чем не жалеет, что покарал ее заслуженно, а сейчас просит приговорить его к смертной казни, потому что жизнь ему не нужна. Суд его просьбу удовлетворил!

Сам он отказался подавать кассационную жалобу. Но когда подал жалобу я, он ее не отозвал. Верховный суд по моей жалобе заменил ему смертную казнь лишением свободы.

Надо сказать, что в начале моей профессиональной деятельности ревность рассматривалась законом как обстоятельство, отягчающее вину. Так, наказание за убийство из ревности было предусмотрено той же статьей уголовного законодательства, что относилась к убийству с особой жестокостью, убийству двух и более лиц, убийству беременных и тому подобным особо тяжким преступлениям. Этому было объяснение: вскоре после революции ревность стала рассматриваться как низменное побуждение, как проявление частнособственнических инстинктов, и поэтому законодатель признал это чувство обстоятельством, отягчающим ответственность.

Но постепенно в обществе стали высказываться мысли о том, что ревность является естественным, порой даже вполне оправданным и вовсе не низменным побуждением. В юридической печати появились публикации, призывающие отказаться от неверного понимания истоков и причин возникновения ревности. В результате закон был изменен, и ревность перестала рассматриваться как обстоятельство, отягчающее ответственность.

Более того, порой обоснованная ревность могла признаваться судами обстоятельством, ответственность смягчающим – особенно в тех случаях, когда основания для нее возникали внезапно и наглядно.

В связи с этим по упомянутому выше делу я настаивал на том, что мотив преступления должен был быть учтен как обстоятельство, смягчающее вину, поскольку то, что неожиданно узнал подсудимый о длительной связи его жены с другим человеком, потрясло его и глубоко оскорбило.

Она разбила его веру в любовь, преданность и целомудрие. Он ощутил в действиях жены предательство их отношений, его любви, нарушение супружеского долга верности. Эти доводы возымели действие в суде второй инстанции, и Верховный суд учел их, изменив приговор в части наказания.

* * *

Имя Отелло стало нарицательным для всех ревнивцев, но классический сюжет, когда смерть становится наказанием для неверной (подлинно ли, мнимо ли) возлюбленной или возлюбленного, в жизни порой разыгрывается по иному сценарию. И те, кто были виновниками кипения страстей, выходят сухими из воды – в то время как жертвы их вероломства погибают или ломают себе жизнь опрометчивыми поступками и даже преступлениями.

В бытность мою в Калинине там располагалась военная академия. В нее-то и приехал учиться из Минска некий офицер, тогда носивший майорское звание. По приезде он стал подыскивать варианты обмена квартиры в Минске на жилплощадь в Калинине. Так он и познакомился с одной местной жительницей.

Она еще не так давно была замужем, жила с мужем и детьми обычной трудной и скучной жизнью. Неожиданно главу семьи настигла нелепая, трагическая смерть: он был в лесу, когда началась гроза, и его убила молния. Так женщина осталась одна с детьми. Ей было уже за сорок, внешне она была не очень привлекательна. Надежды на личную жизнь не было никакой, материальные трудности после смерти мужа возросли. Одним словом, унылые будни в борьбе за существование...

Предложение поменять жилплощадь и переехать в Минск ее заинтересовало, так как в Калинине у нее не было никого из родных, а в Минске жила единственная по-настоящему близкая подруга.

Майор пришел к ней осмотреть квартиру и обсудить возможность обмена. Он пришел еще и еще раз, и в один из приходов остался у нее на ночь. Как ей показалось, это не была случайная короткая связь. Он говорил ей о том, что жена его не любит и не ценит, что она страшная неряха, что ему с ней одиноко. Он говорил о том, что наконец встретил женщину, которая его понимает, которая дарит ему радость бытия.

Будучи по природе дамским угодником, майор был чрезвычайно внимателен к своей новой возлюбленной. Часто приносил ей цветы и коробки конфет, какие-то подарки сыну. Он помог мальчику поступить в Суворовское училище и даже позанимался с ним по математике, избрав, конечно же, тем самым, верный и прямой путь к сердцу женщины-матери. Нужно ли говорить, что она влюбилась без памяти – на нее свалилось неправдоподобное, сказочное счастье, как ей казалось, взаимной любви.

Майор тем временем стал подполковником. Его очередное звание они отпраздновали у нее дома, с его друзьями и сослуживцами. Обмен же квартирами не состоялся, да и был уже, наверное, не нужен в свете начавшегося романа.

Но ее счастье, как это часто бывает, оказалось недолгим – приехала жена. Уже до ее приезда, едва узнав о нем, наш герой стал бывать у своей калининской возлюбленной все реже, а после приезда супруги почти совсем исчез. Они долго не виделись. Легко представить себе состояние покинутой женщины; в довершение она почувствовала последствия их связи, такие обычные и почти всегда неожиданные.

Вскоре после этого неприятного открытия бывшие любовники случайно встретились на улице, буквально столкнувшись нос к носу. Он шел с двумя своими сослуживцами и попытался сделать вид, что ее не заметил, но женщина отозвала его в сторону. Офицер явно был недоволен и хотел сразу же прервать свидание, но она успела сообщить ему о своей беременности. Он явно занервничал, сказал, что ему сейчас совсем некогда, что они созвонятся попозже, и исчез. Он не позвонил. Через несколько дней она сделала аборт.

В относительно небольшом городе трудно избежать встреч. Бывшие возлюбленные еще раз случайно встретились на улице (на этот раз офицер шел с супругой), и несчастная женщина, не удержавшись, опять отозвала его и снова попыталась объясниться, говоря, что она его любит, что она готова примириться с ролью любовницы, но хотя бы изредка принимать его у себя.

Мужчина пробормотал что-то невнятное и снова исчез. Униженной и оскорбленной женщине оставалось только, плача, рассказывать о своих переживаниях приятельницам – слабое утешение!

Вскоре, однако, они встретились вновь. На этот раз мужчина был один и, не заботясь о внешних приличиях, сам подскочил к бывшей возлюбленной и высказал ей все, что накипело:

– Да как ты смеешь подходить ко мне, когда я не один, как можешь равнять себя с моей молодой красавицей женой! Посмотри на себя, подстилка!

Ничего более оскорбительного для женщины нельзя было себе и представить – ну разве что по щекам не надавал!

Конечно же, добрые подружки постарались, как могли, утешить страдалицу. Их общее мнение было: надо наказать подлеца – но как? Нужно сообщить его жене, какой он мерзавец, и пусть она сама с ним разберется.

И вот, потеряв и стыд, и разум, бедная женщина пришла в квартиру своего вероломного возлюбленного, выбрав время днем, когда его наверняка не должно было быть дома.

Но открыл дверь... он сам, в этот день по случайности вернувшийся со службы раньше обычного. Оба растерялись. Женщина пришла в себя первой и начала говорить вышедшей тем временем в прихожую жене что-то про обмен квартирами. Невероятно напуганный, бледный, заикающийся глава семьи разговор толком поддержать не мог, но женщины разговорились. В квартире супругов, как оказалось, шел ремонт. И слово за слово от обмена квартирами речь перешла на краску, растворители, шпаклевку и еще какие-то ингредиенты, которые были необходимы при ремонте. Так как любовница по специальности была химиком и имела на работе доступ к каким-то нужным химикатам, естественным с ее стороны было пообещать их раздобыть. На том и расстались.

После этого женщина сказала своим приятельницам, что чувствует себя вполне отомщенной: «Я видела его испуг, видела, каким он был жалким и униженным. Он свое получил». Но обещанную его жене банку краски она все же решила отнести.

Так бы все и закончилось миром, если бы всем на горе она снова на улице не встретилась со своим бывшим любовником. Тут он уже окончательно распоясался, кричал, что жена что-то заподозрила, да и как она вообще смела прийти в дом к женатому человеку! Его оскорбления сыпались на голову бедной женщины градом.

«Так он ничего и не понял», – решает она, и вот уже с банкой краски (!) снова отправляется в дом к жене своего бывшего любовника, чтобы рассказать той всю правду о его неверности.

Жена не верит, но любовница приводит какие-то интимные подробности, подтверждающие их отношения. И тогда жена бросает ей в лицо:

– И ты еще, блядь такая, смеешь приходить и рассказывать мне об этом!

Женщины хватают друг друга за волосы, завязывается драка двух разъяренных соперниц, но любовнице попадается под руку молоток – и она принимается бить свою противницу по рукам, плечам, голове. Бьет много – тридцать пять ударов наносит обезумевшая преступница и убегает.

В полубреду она прибегает домой, пишет записку, что не может больше жить после совершенного, принимает гигантское количество снотворного и засыпает, чтобы уже не проснуться.

Но случайно в ее квартире оказался сосед, которому она вдруг зачем-то понадобилась. Постучав, он обнаружил, что дверь не заперта, вошел, нашел ее спящей – но как-то странно, слишком крепко. Не сумев ее разбудить, сосед вызвал «скорую помощь», женщину увезли в больницу. Там она, придя в себя, призналась в своем преступлении, и, вернув неудавшуюся самоубийцу к жизни, врачи передали ее в руки правосудия.

Ее судили. Город бурлил, об этом деле знали и говорили буквально все.

Надо сказать, что до ее признания в больнице никто не догадывался, кто же совершил убийство. Были подозрения на ограбление – но в квартире все было цело. Рассматривалась версия об изнасиловании, но и она не выдерживала критики, так как никаких признаков сексуальных домогательств обнаружено не было. Личных врагов у убитой, только что приехавшей в город, тоже не могло быть. Подозревались даже рабочие, которые в это время делали ремонт во многих квартирах в доме, а также и снаружи, – мол, они могли из люльки, висевшей за окном, перебраться в квартиру... И вдруг выясняется, что это любовница убила жену своего любовника!

Что тут началось! Все жены были возмущены до невероятности, причем их возмущение было направлено и против неверных мужей (мало того, что они нам изменяют, так они еще и приводят своих любовниц к нам в дом, чтобы нас убивали!), и против обнаглевших любовниц. И если мужьям они готовы всё же были простить, то этой «твари», конечно же, никогда!

Удивительно, что и в любовницах не нашла преступница сочувствия и понимания: как же, мы вот терпеливо сносим наше унизительное положение, уважаем семью, не смеем показаться на глаза женам. А она что позволила себе?!

Но особенно почему-то были возмущены старые большевики: они собирались на собрания, говорили об общем падении нравов и требовали расстрела, только расстрела!

Во время суда был оцеплен весь квартал, а не только улица, где размещалось здание областной фемиды. Меня, защищавшего бедную женщину, водили под конвоем, опасаясь, что адвоката убийцы растерзают, уж не знаю, кто: жены, любовницы или старые большевики – угрожали все! Любовника и мужа (теперь вдовца) тоже водили под охраной, так как раздавались слабые голоса, что и «он хорош». А он и в этой ситуации не терялся, приносил девушкам из канцелярии суда шоколадки, был всегда тщательно выбрит и аккуратно одет, мило общался с представительницами прекрасного пола.

Огромный зал был битком набит все дни суда (дело слушалось два или три дня). Показания подсудимой и ее любовника слушали, затаив дыхание. В задних рядах вставали на скамейки, тянули шеи, чтобы получше рассмотреть и услышать обоих. Требование прокурора о расстреле вызвало бурные аплодисменты.

В своей защитительной речи я рассказал все то, что здесь сейчас описал. Я говорил о том, как безрадостна и трудна была ее жизнь до встречи с этим «блестящим» офицером, как эту жизнь вдруг осветила любовь, как это чувство дало ей надежду на счастье и как безжалостно эта надежда была втоптана в грязь человеком, в которого она поверила. Я говорил о том, что и подружки сыграли свою неприглядную роль, подзуживая страдающую женщину и толкая ее на безрассудства. Я говорил о том, что это убийство не было предумышленным, корыстным, а было страстной реакцией на неожиданную ситуацию.

Я просил сохранить преступнице жизнь, и суд приговорил ее к лишению свободы, отклонив многочисленные ходатайства и требование государственного обвинения о расстреле.

* * *

Примерно в этот же период в Калинине у меня было еще одно дело, связанное со смертной казнью. Оно стало одним из самых больших моих потрясений – в смысле профессионального поражения. События происходили в одном из районов Калининской области – это было групповое преступление, и я защищал одного из преступников.

Суть дела проста: двое убили одного. При этом непосредственным убийцей был только один – не мой подзащитный, а второй участник преступления. А мой, напротив, даже в какой-то момент потребовал от своего сообщника прекратить избиение, и тот перестал бить, но было уже поздно – потерпевший скончался. Прокурор просил убийце смертную казнь, а моему подзащитному 10 лет. Я же считал, что даже 10 лет – много, так как его роль была второстепенна, да он к тому же пытался предотвратить страшный исход.

В те времена мои речи очень нравились слушателям в залах судебных заседаний. Во всяком случае, довольно часто мои выступления вызывали аплодисменты. Я говорил эмоционально, абсолютно искренне. Как я уже упоминал, свои речи я очень тщательно готовил, мог сидеть над ними ночами напролет, прописывал каждую строчку. Старался найти яркие образы, убедительные аргументы, подыскивал сравнения, эпитеты, готовил иногда необходимые цитаты, которыми подкреплял свои соображения.

И в этот раз, выступая в клубе при большом стечении народа, я вызвал бурю аплодисментов. Что меня особенно порадовало: председательствующий прислал мне через секретаря записку более чем комплиментарного характера. Можете представить, как я гордился собой: в перерыве ходил гоголем, ловил восторженные взгляды! Я с нетерпением ждал приговора. И вот наконец он провозглашен – обоих признают виновными: одного (не моего) приговаривают к 10 годам лишения свободы, а моего подзащитного – к расстрелу! Я не знал, куда деваться от ужаса и стыда.

Вот только что я закончил свою защитительную речь. В ней не только конкретные соображения по этому делу. В ней – все мое понимание людей и жизненных ситуаций, в ней мой опыт и знания, и раздумья бессонных ночей, и страстные споры с коллегами. В ней мои убеждения, мои пристрастия, все испытанное в жизни, почерпнутое из литературы и поэзии, музыки и живописи.

И все это в каждом доводе, в любом утверждении и выводе, в выборе каждого слова, каждой мысли. И во всем этом живой нерв, биение сердца, волнение и вера в победу. И что же? Вот такой приговор?

Как это выдержать, как не отчаяться в своей профессии, не потерять надежду на полезность своей деятельности, как не усомниться в себе, в своем умении, в своих возможностях!

Каждый приговор или решение, которыми безжалостно отвергнуты твои доводы, в истинности которых ты убежден, повергают в отчаяние.

Но бывает, и нередко, как после речи, еще до приговора, мысленно нещадно клянешь себя за то, что этого не сказал, это забыл, а вот об этом сказал, но не так, как надо, ведь нужно было совсем по-другому – и яснее, и подробнее, и ярче.

И уж после приговора – совсем плохо. Может, это я виноват? Не сумел донести, убедить, сделать невозможным провозглашение такого приговора.

Конечно же, я обжаловал приговор, и Верховный суд заменил расстрел лишением свободы. Но пережитое потрясение я запомнил на всю оставшуюся жизнь!

Волею судеб, много лет спустя, тот судья, что вынес этот поразивший меня приговор, потом стал адвокатом и работал в юридической консультации, где я был заведующим. И только тогда мне представилась возможность спросить его: что, своей запиской он пытался позолотить пилюлю? Как можно было совместить его восторг по поводу моей речи с таким приговором?

И он ответил:

– Я совершенно искренне написал Вам тогда в записке, что Вы блистательно справились со своей задачей защитника. Ну, и мне тоже захотелось соответствовать Вашему уровню профессионализма. А это намерение заставило меня особо тщательно проанализировать дело и привело к совершенно очевидному выводу, что основным виновником был, конечно, ваш подзащитный. Он ведь велел своему сообщнику прекратить избиение, и тот беспрекословно послушался. Значит, именно Ваш подзащитный был главным из преступников и его вины в случившемся – больше!

Вот такая неожиданная реакция на «блистательную» защиту! Вот уж поистине: «нам не дано предугадать, как наше слово отзовется»·.

Ни приговор, ни последующее объяснение его автора не убедили меня в справедливости применения смертной казни к моему подзащитному. Подобные дела только укрепляли меня в мысли о необходимости ее полной отмены.

К половым преступлениям относилось и мужеложество. Уголовная ответственность за него была введена в советском уголовном праве в 1934 году и сохранялась в России до 1993 года.

В 60-х годах я участвовал в процессе, где обвиняемым был молодой парнишка, только что окончивший десятый класс. Познакомившись с материалами дела, я поразился, насколько все его привычки и черты характера не сочетались с уголовным обвинением.

Обвиняемый окончил школу с серебряной медалью, был шахматистом первого разряда, книгочеем. О нем прекрасно отзывались и преподаватели, и друзья – исключительно как о чрезвычайно добром, мягком, порядочном человеке. С другой стороны, в деле уже был приговор, которым он за развратные действия по отношению к мальчишкам был осужден ранее – условно, так как был тогда еще несовершеннолетним.

Придя к этому своему клиенту в тюрьму, я увидел совсем молоденького щуплого юношу в очках, с одухотворенным и грустным лицом. Он не отрицал своей вины. Со слезами на глазах он говорил, что не знает, как ему жить дальше – впору кончать счеты с жизнью.

Природа наградила его изрядным темпераментом, быть может, даже чрезмерной потенцией, которая, однако, могла реализоваться только в отношении людей одного пола с ним. Девочки для него не существовали. И он ничего с этим поделать не мог.

После первого осуждения к условной мере наказания он старался делать все, что мог, чтобы избавиться от своего «недуга», но плоть поборола все его усилия, и он уступил, хотя и понимал, что обречен.

Судьба этого юноши не давала мне покоя. Я и до этого не очень понимал, за что, собственно, привлекают к уголовной ответственности людей, которые добровольно, не по принуждению, вступают в интимные отношения друг с другом. После этого дела я стал много читать о гомосексуализме, изучать специальную литературу, законодательство других стран.

Так я узнал, что в большинстве европейских стран уже давно ответственности за мужеложество не существовало. Сексуальная ориентация остается частным делом совершеннолетних граждан.

Вскоре я стал горячим поборником отмены уголовного наказания за гомосексуализм. Я настойчиво высказывал свою точку зрения и в публикациях, и в выступлениях. Старался обратить внимание общества на отношение к гомосексуализму в разные периоды истории человечества. К примеру, Плутарх сообщал, что фиванцы, чтобы облагородить (именно так!) нравы своего юношества, позволяли им педерастию друг с другом.

Правда, много позже во многих странах за мужеложство грозили такими страшными наказаниями, как сожжение, оскопление, отсечение головы. Но Саксонский кодекс 1855 года наказывал за мужеложство уже значительно мягче: тюрьмой или работным домом до одного года. Прусский кодекс – тоже только тюрьмой.

Зато в XX веке почти все страны Западной Европы отказались от уголовной ответственности за мужеложество, а за ними последовали и некоторые восточноевропейские.

Я уверен, что исключение из Уголовного кодекса этого состава преступления спасло очень многих людей от необоснованных репрессий.

* * *

В Калинине я много работал, работа приносила мне удовлетворение и огромную радость творчества, ощущение необходимости и полезности людям. У нас была прекрасная компания, много друзей, я был счастлив в браке... Но в моей жизни оставалась грустная нотка – меня не покидали ностальгические воспоминания об отчем доме, о родных и друзьях, о Москве.

Долгое время я ничего не предпринимал для возвращения в Москву, и не было конкретного повода, который бы подтолкнул меня к действию.

Так продолжалось до той поры, пока я не очутился на кладбище под Калинином на чьих-то похоронах. И тут вдруг меня пронзило ощущение того, что когда-то и меня здесь, вот именно на этом кладбище, похоронят. И эта мысль показалась мне нестерпимой.

Это кладбище было таким чужим, так отличалось от родного Ваганьковского или кладбища при Донском монастыре! Я остро ощутил свое одиночество среди чужих могил, где не покоился прах ни родных моих, ни близких – дедушек, бабушек, матери. Где на памятниках не было ни одного с детства знакомого имени земляка, родного уже тем, что он погребен на земле моей родины – Москвы. Я содрогнулся от возможности того, что и я окажусь однажды похороненным вдали от тех родных могил, в одиночестве среди загробного мира незнакомцев.

О конце своей жизни многие люди не любят думать, стараются гнать от себя эти мысли и живут с ощущением бессмертия. Я же, напротив, рано стал размышлять о смерти и потому рано стал думать о своей загробной жизни. Как говорил Бунин: «Я именно из тех, которые, видя колыбель, не могут не вспомнить о могиле»[1].

На ум пришло предсмертное завещание великого Шаляпина: быть похороненным на берегах родной Волги или хотя бы, чтобы горсть родной его земли была брошена в могилу там, где он найдет свой последний приют, если придется хоронить его за рубежом. Когда-то мне это казалось некоторым позерством: не

---

[1] И.А.Бунин. «Воды многие», 1925–1926 гг.

все ли равно, где быть зарытым в землю после смерти?! А тут я вдруг ясно понял – не все равно.

Я осознал, что не хочу оставаться навсегда здесь, на чужом кладбище, среди чужих могил. Я должен вернуться домой, чтобы быть в родной Москве и найти там успокоение рядом с теми, кого я знал и любил. И я стал действовать.

В те времена это было совсем непросто – нужно было преодолеть множество препятствий. Но я в Москву вернулся.

Глава 16
ДОМОЙ, В МОСКВУ!

Оглядываясь назад, я понимаю, что моя жизнь и, в частности, карьера развивались вопреки обычной логике: я как бы двигался «не в том» направлении. Шаблон ведь такой: молодой человек из провинции приезжает в Москву, покоряет ее, делается богатым, знаменитым, находит свое счастье. У меня все было наоборот: юноша из столицы отправляется в глухую провинцию, где приобретает и жизненный, и профессиональный опыт, а затем, обогащенный новыми знаниями, возвращается в столицу, где, однако, ему предстоит завоевывать ее заново – как провинциалу.

Честно говоря, я думаю, что мне удалось чего-то в жизни добиться именно потому, что линия моей судьбы дала в свое время столь неожиданный зигзаг, уведя меня, столичного мальчика, в глушь провинциальной жизни. Сложись все иначе – быть может, и не было бы у меня той страсти, той энергии, с какой я отдавался своей работе.

Я действительно вернулся в Москву, что называется, с именем, но и с комплексом провинциала, который мне предстояло преодолеть.

Кстати, довольно часто меня спрашивают, когда я почувствовал это свое «имя». Трудно ответить... В пору моей работы в Калинине я был там уже известен – меня знали, ко мне было много обращений. Но Москва еще, до поры до времени, обо мне не слыхала.

Жизнь, однако, подбросила мне счастливый билет. Жителя Калинина судили в Москве за участие в групповом преступлении, и он пригласил в качестве защитника меня. Мои московские коллеги, участвовавшие в деле, оценили мою работу очень высоко и даже рассказали обо мне в президиуме Московской городской коллегии адвокатов. Для них я был неким интересным явлением: вдруг приехал какой-то молоденький мальчик из провинции, разумно и серьезно выступил... Росту некоторой моей известности в Москве способствовало и то, что к нам в Калинин приезжали изредка столичные адвокаты: они участвовали со мной в процессах, и, насколько мне известно, я производил на них неплохое впечатление – они делились им с коллегами в Москве.

Слухом земля полнится: мало-помалу обо мне узнали в Министерстве юстиции. Тогда министерство время от времени устраивало проверки в тех или иных коллегиях, для чего адвокатов из разных регионов собирали в специальные «инспекционные бригады», – и вот меня тоже раза два пригласили в них поработать. Видимо, я действительно хорошо проверял коллегии, ведь к тому времени уже отлично знал адвокатуру изнутри, так что однажды, по итогам проверки в Москве, именно мне было поручено от имени нашей бригады проверяющих делать доклад. Мое сообщение произвело очень благоприятное впечатление на руководство Московской городской коллегии. Заместителем председателя президиума ее был тогда Исаак Израилевич Склярский[1] – мудрый человек, профессионал, блистательный цивилист, пользовавшийся огромным авторитетом и уважением.

В докладе моем содержалась хоть и конструктивная, но весьма нелицеприятная критика некоторых московских коллег. И один из критикуемых мною возмутился: «Да что он понимает, этот мальчишка из глухой провин-

---

[1] Склярский Исаак Израилевич (1919–1982) – адвокат, Заслуженный юрист РСФСР, принимал участие в подготовке Основ гражданского законодательства Союза ССР и союзных республик.

ции!» Но Склярский очень резко его оборвал: «Мы были бы счастливы иметь в наших рядах таких мальчишек!»

Я это хорошо услышал и тут же сказал:

– Хочу поймать вас на слове – я действительно хотел бы перебраться в Московскую коллегию.

Исаак Израилевич парировал:

– Не надо ловить меня на слове – я готов повторить, что мы будем рады пригласить вас в свои ряды...

Я было воспарил душой. Но дальше последовала фраза, вернувшая меня на землю:

– Но для этого вам надо будет прописаться в Москве.

Сейчас эта фраза кажется даже не очень понятной, а в то время отсутствие прописки в Москве лишало человека возможности устроиться на работу. Получить же столичную прописку было невероятно трудно. И, конечно, президиум Московской городской коллегии адвокатов никак не мог помочь мне преодолеть это препятствие. И хотя я, по существу, хотел вернуться домой, в город, где я родился, где окончил школу и институт, где жил еще мой отец, мне пришлось для этого разводиться со своей любимой женой, жениться (конечно, фиктивно) на двоюродной сестре Дусе (еще одна моя кузина, дочь папиной родной сестры), благодаря этому браку прописываться в Москве, после перевода сюда на работу разводиться со своей новой «женой», жениться снова на Але...

Одновременно нужно было решить задачу, как перевести в Москву Алю с дочкой! Благо, в этот период были еще так называемые лимитные прописки – их Москва предоставляла людям с дефицитными специальностями. В описываемое мною время такие лимиты, в частности, предоставлялись врачам. И Аля по лимиту получила такое право – ей даже, как лимитчице, выделили небольшую комнату в коммунальной квартире. А я нашу вполне приличную калининскую квартиру обменял на «однушку» в Москве, на Почтовой улице. Впоследствии мы наши две жилплощади обменяли на квартиру в Большом Сухаревском переулке. Подумать только, на какие ухищрения пришлось пойти мне, коренному москвичу, чтобы вернуться домой, к могилам моих предков!

Этот переезд дал мне возможность почувствовать жизненные трудности, по поводу которых ко мне обращались как к адвокату. Я на своем опыте понял тогда, как тяжело реализовывать права, которые гарантировала гражданам советская Конституция. Я непосредственно столкнулся с тем, как, оказывается, трудно без взятки добиться даже самых простых, элементарных решений.

Помню, мне нужно было получить совершенно законную и отвечающую истинному положению дел справку из домоуправления в Калинине. Однако секретарша, которая должна была мне ее выдать и которая имела возможность это сделать, под всякими предлогами, совершенно надуманными, отказывалась мне эту бумажку написать.

Я был хорошо знаком с домоуправом, который когда-то был военным юристом, и обратился к нему. Он ответил, что нужно будет дождаться, когда секретарша уйдет, и тогда он сам напишет мне эту справку, подпишет и поставит печать, поскольку заставить ее сделать то, чего она не хочет, он был не в состоянии. Выдавая мне, наконец, эту несчастную бумагу, он не удержался и упрекнул: «А что ж ты пожалел на шоколадку девушке?!» С тех пор я долгое время без шоколадок к секретаршам не подходил.

И вот, наконец, в 1971 году «я вернулся в мой город, знакомый до слез, до прожилок, до детских припухлых желез»...[1] Какое же разочарование меня ожидало!

---

[1] О.Мандельштам «Ленинград».

Оказалось, что я не вернулся домой, а переехал в новый и уже не очень знакомый город. Все было не то! Тех квартир, в которых прошло мое детство и в которых, как мне казалось, я помнил каждый закоулочек, каждый метр, больше не существовало... Дело не только в том, что чисто технически был реконструирован дом, а еще и в том, что в нем жили теперь уже совсем другие люди. И в этом доме, и в бывших наших квартирах был уже другой дух, другая жизнь.

Другим был и сам город, и его люди. Исчез из Москвы ее провинциальный, ее патриархальный, ее самобытный уют. Люди стали более рациональными, деловитыми, увы – более хамовитыми, более агрессивными. Куда подевались истинные москвичи? Их вытеснила нахлынувшая масса провинциалов, и именно они – вот парадокс! – как раз и разрушили элементы провинциальности московской жизни.

В Москву приехала наиболее энергичная, пробивная часть жителей провинции, людей, стремившихся завоевать столицу и преобразить ее.

Ощутил я это все явственно и осознал, что тосковал не столько по Москве, сколько по детству. По той, минувшей уже навсегда, жизни. Я мечтал именно о своем доме, о своей квартире... Я порой завидовал тем людям, которые родились и прожили всю свою жизнь в одном доме, становясь как бы частью его, проникаясь, наполняясь его духом, его запахом. Я не представляю многих своих близких без того антуража их жилья, в котором я их помню и в котором они прожили всю жизнь.

Моя родина – Россия – остается со мной, моя родина – старая Москва – остается также, хоть и в значительно меньшей степени, так как только оазисы ее я нахожу, узнаю и продолжаю любить. А малая родина в совсем узком смысле этого слова – дом, квартира, где я рос, – оказалась утраченной. И это стало в то время очень болезненной потерей для меня...

Малый Козихинский переулок, любимый, родной...
Здесь, вот у этого самого дома, я играл в «классики» с Алкой и ее подругами, причем достаточно ловко, иногда даже превосходя девчонок – мальчишка ведь, да и был я достаточно спортивным! Здесь, в доме напротив, жил мой институтский друг...

Такое все было свое, родное – и все вроде бы осталось на месте: и тот же дом, и та же площадка на тротуаре, где мы расчерчивали мелом «классы», и та же грязь на мостовой... Но подъезд в родном доме уже другой, новый. Железный, грязно покрашенный урод взамен красивой, деревянной, с резьбой двери. И подворотня, ведущая во двор, забрана новой железной решеткой. А напротив – новый ультрасовременный дом – все чужое, и сами переулки другие. Вот здесь весной по мостовой, вдоль тротуаров, бежали веселые ручейки, и мы пускали кораблики – то бумажные, а то и просто щепочки, и бежали за ними, пока они не исчезали в колодцах или безнадежно застревали в какой-нибудь запруде. Где уж теперь найти такие, свободные от заполонивших Москву личных автомобилей места, где бы можно было запустить кораблик и, шлепая по ручейку за ним, счастливыми глазами следить за его плаванием.

Грустно.

Я очень любил и люблю Москву. Я ее ощущал своею, родною в пределах Садового кольца. Это была добрая, патриархальная, хлебосольная и в чем-то провинциальная столица. В ней не было холода и промозглости классических форм красавца Петербурга. В ней не было торжественности Зимнего дворца и парадных площадей. В ней было много уютных уголков, закоулков и неожиданных тупиков, в которых сохранялись старые, полуразвалившиеся деревянные домики. Это было человеческое жилье, и я в нем чувствовал себя уютно и свободно.

Что прекраснее – Москва или Санкт-Петербург? Нелепый спор. Питер был построен гением Петра, по его замыслу и велению. Это город, как писал И.Бродский, «который начинался как прыжок из истории в будущее».

Москва же строилась иначе, постепенно – она органичнее. В ней можно найти домики XVI–XVII веков рядом с современным сооружением из стекла и бетона. Питер более гармоничен, закончен как архитектурный ансамбль. Этот город, конечно же – красавец. А в Москве важнее дух.

Но все же, все же – важно понимание гармонии, пропорций, перспективы! Город – это ведь не отдельные дома, а их сочетание, взаимопроникновение и взаимоотношение. Этого порой не хватает при современной застройке Москвы, в этом разочарование и боль.

После моего возвращения меня встретил город, во многом преобразившийся. И это преображение мне было не по душе. Но вместе с тем я понимал неизбежность превращения патриархальной столицы в столицу современного великого государства. И я должен был принять это и расстаться со своим старым представлением о Москве, с ее любимым москвичами трамваем «Аннушка», с ее бесплановостью...

В результате, меня раздирают противоречия. С одной стороны, я абсолютно современен, люблю комфорт. Мне теперь уже невозможно представить себе жизнь с мышами и тараканами, с которыми я прожил много лет. Но как же сохранить старину, сочетая ее с новым строительством? Как строить новое и встраивать его в старое, не разрушая это старое?! Использовать все достижения прогресса, все современные удобства – но так, чтобы все это органично вплеталось в жизнь города?!

Молодому человеку, которому жить негде и нужна жилплощадь, плевать на эти мои, понимаете ли, метания и сантименты. Ему квартиру давай – в хорошем современном доме, с хорошими, современными коммуникациями. А что старый дом?! Ужас же, клоповник!

И это я в прямом смысле слова: и клопы, и мыши, и крысы, и тараканы – и черта-дьявола, кого там только у нас не было! Понятно, что люди сейчас не хотят так жить... Но старые москвичи, поверьте, – они даже запах мышей любят. Вот такая вот нелепая «ностальгия».

Плывет в тоске необъяснимой
пчелиный хор сомнамбул, пьяниц.
В ночной столице фотоснимок
печально сделал иностранец,
и выезжает на Ордынку
такси с больными седоками,
и мертвецы стоят в обнимку
с особняками.

(И.Бродский)

Всегда, в любом городе, в любой стране найдутся люди, которые будут упрямо ратовать за то, чтобы сохранить все в неизменном виде. Но будут и люди, которые станут настойчиво требовать кардинальных изменений. Нельзя остановить жизнь: нужны новые дороги, нужны другие дома – с другим обличьем и другим содержанием, нужны более комфортные условия жизни. А как сохранить, оставить в неприкосновенности старый город и построить новый, как органически их соединить, как вплести старые кварталы в новую оправу растущего мегаполиса?

Не буду брать на себя смелость говорить, как надо и как не надо решать эту проблему. Простейший вариант: старый город пусть стоит как стоит, а мы построим новый рядом. Вот Бразилия, например, построила новую столицу – теперь вместо Рио-де-Жанейро главный город страны Бразилиа. Простой – но не идеальный вариант.

Можно ведь и Москву было так законсервировать, сделать в пределах Садового кольца город-музей, а рядом построить современную столицу. Но мне кажется, что это не самое интересное, не самое правильное решение. Я люблю Москву как раз за ее многоликость, за то, что идешь по городу и попадаешь вдруг в переулки, где покосившиеся старые прелестные домики, а рядом каменные громады – но это все Москва, живой, незакоснелый город. Так он всегда и строился, только так можно ощутить биение его пульса!

На самом деле, это – проблема, имеющая глубочайшие корни в различных психологических установках личности. У одних отношение к прошлому, в том числе недавнему, негативное – порой до отвращения и, может быть, ненависти. У других же оно связано с чувством утраты любимого и дорогого, связей со своим прошлым и, особенно, – с прошлым отцов.

Очевидно, не одни только прагматические соображения, связанные с потребностью удобства и комфорта, а порой и наживы, движут современными людьми на пути к «прогрессу» и ломке старого жилья, но и новые эстетические, устремленные в будущее представления, ибо архитектура города и эстетика неразделимы. Если только, конечно, можно говорить об эстетике современного градостроительства...

С другой стороны, неистребимо живуче представление бесчисленного множества людей, чуть ли не большинства, что все лучшее – в прошлом. Как писал все тот же Бродский, «в нашем прошлом – величье, в грядущем – проза»... Возможно, именно в этом и заключается противоречие между западниками и славянофилами?!

Как эта проблема решается в том же Париже? По-другому? Или нам кажется, что по-другому, потому что мы отсюда смотрим? Вспомните, что происходило, когда в Москве устанавливали памятник Петру в уютном тихом месте на Стрелке – сколько было шума! Но ведь и когда строили Эйфелеву башню, было то же самое: «Как можно, это так не соответствует историческому облику города!» Сейчас же это символ Парижа... Та же история была с Центром Помпиду. Но ведь все это прекрасно уживается со старым Парижем: Париж сохранен, сохранен Лувр. У нас, правда, сохранен Кремль, хотя на его территории и есть новые здания...

И все же я думаю, что, разрушая, мы теряем не только внешний облик Москвы, не только ее зримые черты, но и ее хлебосольство, ее замечательное сочетание столичного величия и провинциального московского быта. Теряем то прекрасное, что было в доме Ростовых. Теряем человеческие какие-то качества и черты, черты подлинного московского образа жизни, образа мысли – вот что грустно. Поэтому когда я вижу какое-то совершенно нелепое сооружение в центре старой Москвы, я понимаю, что это не просто вторжение в архитектуру – это вторжение в души. Причем не только в наши души, души старых людей, которые проросли всеми корнями в старую Москву, но также и в строительство новых душ, которые таким образом лишаются возможности понять, чем мы жили, что впитывали и что приносило иногда прекрасные плоды.

* * *

Несмотря ни на что, я все же был счастлив вернуться. Я развил бурную деятельность, работал, вкалывал в поте лица. Как и в юности, готовился истово к каждому делу. Старался произносить «блистательные» речи. И я был счастлив в семейной жизни.

Жена была очень целомудренным человеком, естественным и цельным. Совершенно лишенная фальши, каких-то котурнов. Всегда была очень скромна. У нее был хороший, классический строгий вкус. Золота никогда в жизни не носила, никаких золотых побрякушек – золотое кольцо было только обручальное. Серебряные, скромные какие-то украшения... Сдержанно пользовалась косметикой. Классически одевалась – без вычурности, без помпезности. Хотя она была женственна, конечно, носила какие-то платочки, элегантные аксессуары...

Аля очень любила жизнь и жила чистой жизнью – как птичка. Она часто напевала – у нее был приятный маленький голосок и приличный слух. Я хорошо помню, как она вставала утром и тут же, едва поднявшись с постели, раздвигала шторы, впуская в комнату свет. И до сих пор этот звук отдергиваемых штор и вливающийся в комнату свет напоминают мне Алю.

Помню, прихожу после работы домой, а жена, веселая, искрящаяся, встречает меня совершенно потрясающей улыбкой: «Ну что, как ты меня сегодня будешь развлекать?» Это она говорила после пятнадцати лет совместной жизни, понимаете?! Ну, и я развлекал ее – и развлекался сам и наслаждался ее неуемной радостью жизни.

При всем при этом Аля была чрезвычайно сдержанна в проявлении своих чувств, была врагом пафоса, громких фраз, чрезмерных эмоциональных всплесков. И это оказалось совершенно необходимым мне в жене и подруге. Во всем – и в самом интимном.

Нет, я не дорожу мятежным наслажденьем,
Восторгом чувственным, безумством, исступленьем,
Стенаньем, криками вакханки молодой,
Когда, виясь в моих объятиях змией,
Порывом пылких ласк и язвою лобзаний
Она торопит миг последних содроганий!

О, как милее ты, смиренница моя!
О, как мучительно тобою счастлив я,
Когда, склоняяся на долгие моленья,
Ты предаешься мне нежна без упоенья,
Стыдливо-холодна, восторгу моему
Едва ответствуешь, не внемлешь ничему

И оживляешься потом все боле, боле –
И делишь наконец мой пламень поневоле![1]

Я был безмерно счастлив...

Первые признаки надвигающейся трагедии не вызвали ни у нее, ни у меня особого беспокойства. Время от времени возникали какие-то боли в животе, какой-то дискомфорт, потребовалась коррекция в питании – все это вначале казалось не очень серьезным и страшным.

Но боли нарастали. Они проявлялись всё чаще и были всё сильнее. И в какой-то момент, хотя было еще непонятно, что происходит, я почувствовал, что она погибает. Долгое время не ставили никакого диагноза. Наконец, решили, что надо оперировать – а там увидим. Оказалось, у нее тяжелый рак. После первой операции она прожила еще два года и в ужасных мучениях скончалась. Я не могу, у меня нет сил все это подробно описывать.

Последние месяцы Аля лежала в больнице. Я делал все возможное, абсолютно все возможное, но спасения не было. Так через 20 лет закончилась наша с Алей совместная жизнь, но не закончилась наша любовь.

Я очень долго, практически до самого конца, зная, что у Али рак, почти никому об этом не говорил. Знали об этом только Алла, моя любимая двоюродная сестра и лучшая подруга моей жены, да Володя Гельман. Ни Алины родители, ни наша дочка, ни друзья – никто не подозревал, насколько страшен диагноз.

Я скрывал его в основном от самой Али, потому что щадил ее, потому что просто язык не поворачивался сказать это ей – человеку невероятно жизнелюбивому. Да к тому же тогда у нас вообще не принято было больным сообщать этот диагноз, ведь сейчас при такой бо-

---

[1] А.С.Пушкин «Нет, я не дорожу мятежным наслажденьем».

лезни еще есть какие-то шансы выжить, а тогда это был приговор.

Так вот и вышло, что я нес это бремя почти в одиночку. И мне приходилось делать вид перед женой, перед окружающими, перед дочкой, что все в порядке. И только перед самым-самым концом, когда Але становилось все хуже и хуже, я как-то позвал Ирку пройтись. Мы шли по Рождественскому бульвару, оттуда – к Триумфальной площади. Тут я сказал дочери: «Ира, мама тяжело и безнадежно больна...» Это был июнь-июль, в августе уже Али не стало...

Ирка тогда еще не очень понимала, что такое смерть, хотя, конечно, была напугана. Но, видимо, дети – я уже неоднократно это говорил – природой как-то защищены, они не в состоянии, как взрослые, переживать, окунаться с головой в проблему жизни и смерти.

Я очень долго приходил в себя. А может быть, до конца так и не оправился от этой потери. Мы остались жить вдвоем с Иркой. Через несколько дней после похорон мы с ней уехали в Дагестан, где у меня был «кунак». Он не донимал нас ни разговорами, ни опекой, просто дал свою машину, и мы уезжали в самые далекие, уединенные места на Каспийском море. Здесь мы были совершенно одни на всем берегу, никого и ничего не было видно вокруг. Потом стали ездить с дочкой в горы, увидели быт, жизнь горцев – это было так ново и интересно, что отвлекало и притупляло мучительную боль.

По возвращении в Москву я пустился во все тяжкие, даже напивался ежевечерне. Это был ужасный период: я почти физически ощущал дыру в душе, бесконечную пустоту, и пытался ее заткнуть алкоголем и случайными женщинами. Все мне казалось, что можно снова так же влюбиться! Но это оказалось столь же невозможно, как и вернуться в прежнюю Москву.

Шли годы, и я жил один с дочерью. Ирка подрастала, и возникали новые проблемы. С одной стороны, мы с ней были необыкновенно дружны – и понимали друг друга, и были друзьями по-настоящему, и очень любили, и очень заботились друг о друге. А с другой стороны, начинался очень трудный для подростков период, когда они вдруг начинают считать себя самыми умными, а всех кругом, и родителей в первую очередь, – дураками, которые ничего не понимают.

У Ирки появилось стремление стать самостоятельной. Она была – с ее точки зрения, и, может быть, это правильно – слишком зависима от меня. Не столько в смысле материальном, сколько эмоционально, интеллектуально, психологически, духовно. И понятно, что ей захотелось что-то самой понять, что-то самостоятельно осмыслить. У нас были сложные периоды, напряженное было время, когда она с одной из своих подруг решила пожить отдельно – ей было тогда лет 17–18. Они снимали квартиру, жили самостоятельно...

Потом эти бури подросткового возраста потихонечку улеглись. Я не могу сейчас точно вспомнить, сколько времени они продолжались, но все вернулось на круги своя, и наши отношения обогатились, я бы сказал, более глубоким пониманием друг друга.

Трудно сохранить во все времена одинаковый накал любви – как в любви мужчины и женщины, так и во взаимоотношениях отца с дочерью. Я думаю, что у всех бывают периоды обострения отношений со своими детьми. И важно, сохранятся ли все-таки подлинные теплые, близкие взаимоотношения или разрушатся совсем. К сожалению, у многих рушатся. У нас они не погибли – напротив, обрели новое содержание и глубину.

И с внучкой у нас отношения глубокой любви и взаимопонимания, хотя тоже был очень трудный период в ее 16–17 лет, когда дед не смел «лезть», «учить», «читать лекции». Но это время мы благополучно пережили. Сейчас она – нежнейший мой дружок, и общение с ней делает мою жизнь и полнее, и счастливее.

Глава 17
ВЛАДИМИР ВЫСОЦКИЙ

Работа, как ни банально это звучит, лечит от тревог и служит лучшим укрытием в минуты горестных переживаний. Мои дела не только «лечили» меня, но и сводили с удивительными людьми, моими современниками.

Я искренне благодарен судьбе за то, что мне привелось быть знакомым с замечательным артистом и бардом Владимиром Высоцким.

После смерти Владимира Семеновича вдруг, откуда ни возьмись, возникло множество его друзей или, во всяком случае, людей, приписывающих себе очень близкую дружбу с ним. Насколько я знаю, таких близких друзей у Володи было очень немного: он был закрытый человек и в свою душу пускал далеко не каждого.

Я знал о дружеских взаимоотношениях Высоцкого с писателем и сценаристом Артуром Макаровым, актером Всеволодом Абдуловым, режиссером Александром Миттой, актером и концертным администратором Валерием Янкловичем, еще двумя-тремя близкими ему людьми. Я, конечно же, не относился к числу его друзей – мы были просто добрыми знакомыми.

Знакомство наше произошло, как и многое другое в жизни, совершенно случайно. В начале 70-х годов, вскоре после нашего переезда в Москву, возник вопрос, куда на лето «пристроить» дочку. Моя кузина Алла предложила мне отправить Ирку вместе со своим сыном Алешей Егоровым в детский лагерь ВТО[1]. Там мою дочь посетила первая девичья любовь, которая, как я убежден, чаще всего сначала бывает у девочек между собой.

Девочка, с которой подружилась моя дочь, носила известную фамилию Абдулова и была дочерью Всеволода Абдулова, артиста Московского Художественного театра. После возвращения из лагеря девчонки продолжали часто встречаться, «в запой» дружили. Юля Абдулова нередко бывала у нас дома, а Ирка пропадала у нее.

В один прекрасный день мне позвонила незнакомая женщина и представилась мамой Юли.

– А не пора ли нам, родителям Юли и Иры, познакомиться между собой, коль скоро девочки так дружат? – сказала она.

Так мы были приглашены домой к Всеволоду Абдулову, жившему тогда на улице Москвина.

Нас встретили чрезвычайно моложаво выглядевший Всеволод Осипович, которого мы вскоре стали называть просто Сева, и его к тому времени уже бывшая жена Наташа, мама Юли. В нашу честь был приготовлен торжественный обед. Во главе стола восседала мама Севы, обед прошел чинно, но довольно тепло. Так мы подружились с этой семьей, и я стал встречаться с Севой и в связи с нашими девчонками, и по иным поводам.

Помню, однажды мы с ним взяли наших Ирку и Юлю и пошли вчетвером обедать в ресторан ВТО на улице Горького, где Сева был завсегдатаем. Официантки с большим интересом разглядывали нас, а потом Сева мне рассказал, как они корили его за то, что

---

[1] Всероссийское театральное общество (ВТО) – одна из старейших творческих организаций, объединяющая театральных деятелей РСФСР. Возникла в 1883 г. в Петербурге как «Общество для пособия нуждающимся сценическим деятелям».

возраст девушек, с которыми мы пришли, был далек от совершеннолетия. Поверить, что это были наши дочери, они долгое время никак не хотели. Им, конечно, было интереснее подозревать в нас чуть ли не педофилов!

Время от времени я слышал от Ирки отрывочные упоминания о Высоцком, который, как я понял, был близким другом Севы. Из рассказов дочери я узнал, что Сева и Володя часто встречаются, бывают друг у друга, и Юля знала Владимира Семеновича довольно хорошо. Я о Высоцком, конечно, тогда много слышал, как слышал и его песни. Видел его на экране, но знакомы мы не были.

Однажды Сева привел ко мне необыкновенно красивую молодую женщину по имени Надя. У нее были проблемы, связанные с разделом имущества при разводе, главным имуществом тогда была квартира. Мы договорились, что я попробую помочь Наде и приму поручение на защиту ее интересов.

Занимаясь этим делом, я часто встречался с Надей и узнал, что у них с Севой были романтические отношения, но к этому моменту случился разлад – то ли временный, то ли обещающий быть окончательным. Как бы то ни было, они уже жили раздельно, и у нас с Надей возник бурный роман.

Надя, редактор в одном из московских журналов, благодаря Севе прекрасно знала всю артистическую Москву. Однажды она позвала меня посмотреть на съемки фильма «Место встречи изменить нельзя». Съемка происходила в ресторане-«поплавке» на Яузе, напротив Дома на набережной – снималась сцена, когда Жеглов задерживает нэпманов в ресторане.

На съемочной площадке к нам присоединился Сева, у него была роль милиционера Соловьева, Петюни. Я отозвал друга в сторону и честно рассказал о нашем с Надей романе. Он пожал плечами: «Что ж, обычная история». На этом выяснение отношений закончилось, и мы остались с ним по-прежнему друзьями.

Именно здесь, на Яузе, я впервые увидел Высоцкого и режиссера Говорухина за работой. А еще через несколько дней Надя позвала меня в Театр на Таганке, чтобы встретиться там с хорошо знакомыми ей артистами. Тут я впервые близко увидел Владимира Семеновича, который подошел к Наде и оживленно с ней заговорил.

Надо сказать, что до личного знакомства с Высоцким я представлял себе если не богатыря, то крупного мужчину, с внешностью биндюжника или бурлака. Вместо этого передо мной стоял небольшого роста, щуплый молодой человек, модно одетый, в особенно запомнившихся мне узконосых туфлях.

При первом знакомстве Высоцкий приветствовал меня сурово – подчеркнуто холодно. Как потом объяснила мне Надя, Володя знал уже о нашем романе и был обижен за своего друга Севу. Однако, узнав от Севы, что я был честен по отношению к нему и что он не очень переживает разрыв с Надей, Высоцкий вскоре тоже «простил» мне мое прегрешение. С тех пор мы время от времени в компаниях встречались с Володей, чаще всего в самом театре, несколько раз я бывал у него дома. Вскоре же мне представилась возможность оказать Высоцкому профессиональные услуги.

Я со своим другом Колей Лотоевым отдыхал на юге. Мы проехали на моей машине по побережью Черного моря, потом по Военно-Грузинской дороге добрались до Тбилиси. Это было изумительное путешествие, достойное отдельного рассказа.

В Тбилиси мы вдруг увидели афиши Театра на Таганке, который в это время, как оказалось, тут гастролировал. Тут же возникла мысль пойти в театр, встретиться со знакомыми артистами и, может быть, посмотреть их спектакль.

Мы быстро нашли клуб, в котором играл Театр на Таганке, вошли внутрь и направились к артистическим уборным. Нам навстречу по длинному коридору шли три человека. Они разговаривали, и я услыхал неповторимый голос Володи. Когда я подошел, он всплеснул руками: «Вот, туды-растуды, и сам Герка здесь!»

Я был удивлен таким приветствием, но вскоре узнал, что они как раз говорили о том, как бы меня найти в связи с внезапно возникшими обстоятельствами. А я тут как тут, нежданно-негаданно, в Тбилиси!

Выяснилось, что накануне к ним приезжал следователь из Ижевска, который допрашивал Володю и Валеру Янкловича в связи с гастролями в тех краях Высоцкого. Стало известно, что администраторы концертов были арестованы и обвинялись в присвоении денег за часть проданных билетов. Один из арестованных был чрезвычайно известный и чтимый в артистическом мире человек – Василий Васильевич Кондаков, которому большинство артистов хотело чем-нибудь помочь.

Именно поэтому Высоцкий и Янклович вспомнили меня и собирались найти, чтобы либо просто посоветоваться, либо убедить меня принять на себя защиту Кондакова. Из рассказов Володи и Валеры об их допросах я понял, что следствие заинтересовано не только в привлечении к ответственности администраторов, но и в том, чтобы опорочить самого Высоцкого. К его чести, он озабочен был только судьбой Василия Васильевича, лишь о нем говорил и за него просил. В дальнейшем, поближе узнав Высоцкого, я убедился, что это было его характерной чертой: он заступался за своих друзей, готов был помочь каждому и свою популярность использовал часто не к своей выгоде.

Именно озабоченные судьбой арестованных, Володя и Валера заговорили обо мне. И вот, едва они меня вспомнили, я оказался перед их светлыми очами, и мы тут же практически договорились, что я буду защищать этого знаменитого администратора.

Об уголовном деле, возбужденном в 1979 году в Ижевске, говорил потом весь Советский Союз. Порой этот процесс называли даже «делом Высоцкого», хотя популярный актер и певец фигурировал в нем лишь в качестве свидетеля.

Кстати, Высоцкого в тот день в Тбилиси я на сцене не увидел. Хотя мне очень хотелось посмотреть спектакль, Валера Янклович уговорил меня посидеть с ним и подробно обсудить ситуацию с Кондаковым, а спектакль, мол, я еще десятки раз успею посмотреть в Москве. И мы засели в буфете. Как только Володя освобождался, он прибегал со сцены к нам в буфет, продолжал горячо обсуждать создавшуюся ситуацию и исчезал, как только наступало время его нового появления на сцене. После окончания спектакля Володя снова подбежал, и я подтвердил ему, что приму на себя защиту Кондакова. Увидеть Володю в этом спектакле мне так и не удалось. Так бывало неоднократно и в Москве: каждый раз Валера уговаривал меня потрепаться с ним на ту или иную тему, и я так никогда и не видел Высоцкого в «Гамлете». Это чрезвычайно обидно, по общему признанию, он был великолепным Гамлетом, и в Англии его исполнение этой роли назвали чуть ли не лучшим во все времена. Я же, часто бывая на Таганке и лично зная Высоцкого, не удосужился ни разу побывать на этом спектакле! Люди приезжали смотреть на Гамлета-Высоцкого откуда угодно, а я... Не могу себе и Валере этого простить.

Последний год был для Высоцкого очень сложным. В новогоднюю ночь он, управляя автомобилем, совершил аварию, в связи с чем решался вопрос о возбуждении против него уголовного дела. В Ижевске следователь, враждебно настроенный против столичных артистов вообще, а в отношении Высоцкого – еще и в связи с его гражданской позицией, жаждал как-то опорочить его имя и доказать, что именно на его концертах совершались хищения: мол, если уж он прямо и не был в этом замешан, то его друг и администратор Валерий Янклович имел к аферам самое непосредственное отношение!

Это было, конечно, вранье, и мне удалось отстоять добрые имена и того, и другого. Суд исключил из обвинения Кондакова эпизоды, связанные с хищениями на концертах Высоцкого, признав полную непричастность как Владимира Семеновича, так и его импресарио к каким-либо махинациям.

За время суда над Кондаковым, который длился в Ижевске несколько месяцев, я несколько раз прилетал домой в Москву. В это время мы встречались с Володей. Однажды он приехал ко мне домой, чтобы в очередной раз обсудить ситуацию. Он был в скверном состоянии, очень неспокоен, весь дергался. Злился на следователей, которые так необъективно провели расследование всего дела.

Я хорошо помню, что суд закончился в самом начале июля 1980 года. Пятого числа я вернулся в Москву и прямо из аэропорта заехал на Таганку, сообщить Володе, что все в отношении него и Валеры закончилось благополучно. Я видел его буквально несколько минут, но успел рассказать ему в двух словах результат по делу. Он очень обрадовался, и мы договорились встретиться, чтобы подробно обо всем поговорить. Потом мы еще несколько раз перезванивались, я был на Таганке, но встретиться «фундаментально» нам так и не удалось. Каждая встреча была буквально на ходу и длилась две-три минуты.

Через несколько дней после возвращения из Ижевска я вместе с Янкловичем заехал днем к Высоцкому домой. Его состояние заставило меня усомниться в том, что он вечером сможет играть в спектакле. Договориться о чем-либо с Володей было невозможно, он был небрит, неодет, качающейся походкой он быстро прошел из комнаты в туалет, затем, ни слова не сказав, вернулся в спальню. Поняв невозможность общения, мы с Валерой уехали, договорившись встретиться вечером на Таганке.

Я был поражен, увидев вечером Володю в театре перед спектаклем подтянутым, гладко выбритым и аккуратно одетым. Он бодро спускался по лесенке, а увидев меня, несколько смутился и спросил: «Я был нехорош сегодня днем?» Я пробормотал что-то вроде: «Все нормально».

Я знал, что Володя пытался упорно бороться со своим недугом. Ситуация осложнялась и неустроенностью личной жизни. Встреча с Мариной Влади и бурный роман с ней живительным образом подействовали на Володю в свое время. Он страстно полюбил, и Марина стала не только его женой, но и его музой, он посвящал ей стихи, и она вдохновляла его творчество. Однако раздельная жизнь и бесконечные поездки из Москвы в Париж и обратно постепенно разрушали их отношения. Вокруг Володи в Москве был сонм влюбленных и страждущих его девиц. Среди знакомых было немало таких, которые искали в нем только собутыльника. А состояние Володи было все хуже и хуже.

В тот день, когда я приехал к нему на Таганку, после спектакля мы с Валерой ждали его, но он ускользнул, уехал на своей машине. Больше я его не видел: через несколько дней рано утром мне позвонили и сказали, что Володя умер.

Уж не помню почему, но на Таганку к началу прощания с Высоцким я не поспел и вынужден был пробираться через толпы народа и милицейские оцепления. Удавалось мне это не слишком успешно, и к цели я продвигался медленно.

Неожиданно я увидел почти рядом с собой старшего следователя по особо важным делам Генеральной прокуратуры СССР Юрия Зверева. Я хорошо его знал и по совместной учебе в юридическом институте, и по работе, поскольку порой участвовал в качестве защитника по ряду расследовавшихся им дел. Хотя в этих делах мы и были, так сказать, по разные стороны баррикад, отношения наши сохраняли вполне корректный характер.

– Ты что здесь, – спросил я. – По заданию?

– Нет, ты что, – как будто бы даже слегка обиделся Юра. – Я обожал Высоцкого, у меня целая фонотека его песен, я не мог не прийти на его похороны!

Это было для меня неожиданностью. Юра был известен как исправный служака, преисполненный верноподданническими чувствами, прославившийся своими визитами к академику Сахарову с требованиями изменить его поведение. Казалось, он должен и в Высоцком видеть если не врага, то хотя бы явного оппозиционера власти. А он, оказывается, его верный поклонник. Вот уж поистине «меня к себе зовут большие люди»...[1]

Что ж, неожиданно, но прекрасно. И вот мы стали вместе пробираться к театру. Впрочем, теперь уже не пробираться, а победоносно шествовать, ибо Юра предъявлял свое служебное удостоверение, и нас беспрепятственно пропускали, да еще и приветствовали под козырек. Так мы очень быстро оказались недалеко от гроба с телом Владимира Высоцкого.

---

[1] Стихотворение В.Высоцкого:

Прошла пора вступлений и прелюдий.
Все хорошо, не вру, без дураков.
Меня к себе зовут большие люди,
Чтоб я им пел «Охоту на волков».

Я с болью и грустью смотрел, прощаясь, на лицо, еще недавно такое одухотворенное и живое. «Дожить не успел...»[1]

После выноса тела из театра скорбная процессия направилась к Ваганьковскому кладбищу. Мы с Юрой Зверевым нашли мою машину, оставленную далеко от театра, и тоже поехали на кладбище.

Пробраться к могиле нам также помогла прокурорская ксива. Вокруг были люди, их были многие тысячи, на лицах – неподдельная скорбь, у многих – слезы: хоронили любимого актера, поэта, барда, гражданина.

От Ваганьково, уже без Зверева, а с Володиным другом Вадимом Тумановым и кем-то еще на моей машине вслед за многими родными и друзьями мы приехали в дом, где жил перед кончиной Высоцкий. И снова прощание, и слова скорби и любви...

Только после смерти Владимира Семеновича я познакомился с его второй женой – Людмилой и с третьей – Мариной Влади, с его сыновьями Никитой и Аркадием.

Также только после смерти Володи я стал поддерживать более тесные отношения с его большим другом Вадимом Тумановым, которого впоследствии защищал дважды, по двум различным делам, и оба раза успешно – в обоих случаях его обвиняли несправедливо. Но об этом уже написано многое и им самим, и его друзьями, в том числе и мной[2].

---

[1] Стихотворение В.Высоцкого «Кони привередливые»:

Чуть помедленнее, кони, чуть помедленнее!
Вы тугую не слушайте плеть!
Но что-то кони мне попались привередливые –
И дожить не успел, мне допеть не успеть.

[2] В частности, книга «Но остались ни с чем егеря...» – сборник статей и новелл о Вадиме Туманове, среди авторов: Станислав Говорухин, Генрих Падва, Владимир Высоцкий.

Глава 18
АДВОКАТ И ОБЩЕСТВО

Моя профессиональная деятельность была тесно связана со многими процессами, происходившими в обществе. В эпоху, кем-то остроумно названную «поздним реабилитансом», мне приходилось участвовать в делах по реабилитации незаконно осужденных.

Хорошо помню одно из них – дело немолодой уже уборщицы в каком-то сельском клубе. Она, убираясь перед очередным торжественным праздником, пыталась хорошенько отчистить портрет товарища Сталина, висевший под стеклом. Стекло это было засижено мухами, и она, недолго думая, поплевала на него. Но на ее беду кто-то заметил ее неосторожные плевки, сообщил о них куда следует, и бедную женщину осудили на 10 лет за осквернение портрета вождя.

Помнится и другое дело, несколько анекдотичное. В одном из совхозов, славившемся прекрасными быками-производителями, комиссия из области знакомилась с опытом работы. Вдруг неожиданно раздался крик: «Сталин, Сталин!» Недоумевающие члены комиссии стали озираться, не понимая, что происходит. Как выяснилось, так звали быка – лучшего производителя хозяйства. Сейчас такая кличка быку кажется почти невероятной, а в то время именами вождей называли все что угодно. Не только паровозы «Иосиф Сталин» или танки «Клим Ворошилов», но и все, что только могло взбрести на ум верноподданническим чинушам! Я помню, что на ширинке моих брюк – на молнии – было написано: «Фабрика имени Шкирятова». Но вот назвать Сталиным быка, да еще погонять его при этом хворостиной и прикрикивать! Неудивительно, что несчастный директор совхоза тоже оказался арестованным.

На фоне этих дел фраза одного московского инженера о том, что Троцкий был значительно лучшим оратором, чем Ленин и Сталин, действительно кажется достойной внимания тогдашнего КГБ. И те же 10 лет, которые получил этот знаток ораторского искусства, в сравнении с преступлениями и сроками старательной уборщицы и незадачливого директора совхоза могут показаться вполне справедливым наказанием!

Реабилитация этих людей, которым мне удалось помочь, была для меня событием каждый раз – необычно радостным, конечно же, не только с точки зрения профессиональной, но и в связи с растущей надеждой на изменения в жизни общества в целом.

Люди моего возраста и те, кто изучает и знает историю нашей родины, помнят чудовищное дело, возникшее незадолго до смерти Сталина, когда группа ведущих ученых и врачей была обвинена во вредительстве, в том, что их усилиями, в частности неправильным лечением, были погублены некоторые крупные государственные и партийные деятели.

В тюрьме тогда оказались многие ни в чем не повинные люди – светила медицинской науки и практики. Большинство из них были евреями. Государственный антисемитизм расцвел в ту пору махровым цветом, по слухам, всерьез обсуждались планы депортировать представителей этой национальности на Дальний Восток, как в свое время были депортированы многие ни в чем не повинные крымские татары, осетины, чеченцы, немцы.

Полновластие, которым наделены были первые секретари ЦК нашей партии, не давало возможности противостоять самодурству, жестокости и откровенным глупостям малообразованных и невежественных правителей. Как не вспомнить принятое в 1946 году постыдное постановление ЦК КПСС «О журналах "Звезда" и "Ленинград"» в отношении Ахматовой и Зощенко и о шельмовании других блистательных представителях русской интеллигенции – музыкантов, поэтов, писателей и ученых.

Реабилитация врачей, начавшаяся чуть ли не сразу после смерти Сталина, казалось бы, однозначно свидетельствовала о том, что от худших и подлейших методов своей деятельности правящая партия начала отказываться. Последовавшая через некоторое время «оттепель» тоже вселяла надежду на то, что все крайности строительства коммунизма в нашей стране остались позади. К сожалению, не всем надеждам суждено было сбыться.

Один из отцов «оттепели», Никита Хрущев, которому, конечно, народ должен был бы воздвигнуть памятник и за XX съезд, и за эту самую «оттепель», был, к сожалению, крайне непоследователен и непредсказуем в своей деятельности. Людям старшего поколения памятны разносы, которые устраивал Хрущев художникам и писателям уже в 60-е годы.

Я хорошо помню, как болезненно было воспринято и как пережито и мною, и всеми, кого я близко и хорошо знал, вторжение наших войск в Чехословакию. Примерно через год после этого я попал в Карловы Вары на лечение и на себе почувствовал, как враждебно относились ко всем нам, представителям СССР, жители Чехословакии – и врачи, и санитарки, и администраторы, и рабочие. В глаза и за глаза они называли нас оккупантами и не желали иметь с нами ничего общего. Это было очень больно и неприятно, но принималось как заслуженная и естественная реакция на подавление попыток демократизации и построения «социализма с человеческим лицом».

Все это было. Все это, конечно, не проходило незамеченным, но я не ставил себе задачи создать труд по истории или хотя бы написать исторический очерк. Мне хотелось просто поведать о том, как была прожита жизнь моя. Интересно ли это читать сегодня? Не мне судить. Отношения человека и истории давно изучены философами. А я, как и многие мои современники, историю своей страны проживал каждый день.

Переживая вместе с моими современниками важнейшие политические события и даже в некоторых из них косвенно принимая участие в силу характера доверяемых мне дел и порой позиций моих клиентов, я все же старался от политики дистанцироваться.

В детстве, как и все мои сверстники, воспитанные школой и пионерией, я был, конечно же, уверен, что дедушка Ленин – самый лучший из всех живших на земле людей, а сразу после него – товарищ Сталин. Я очень живо следил за всеми разворачивавшимися тогда на международной арене событиями, например за борьбой коммунистов в Испании, пламенно ненавидя фашистов.

Утром 22 июня я был на спектакле «Синяя птица» в Художественном театре. В спектакле играла наша родственница, в антракте я зашел к ней за кулисы, – она и сообщила мне о том, что Германия напала на Советский Союз. По радио выступал Молотов. Я вернулся домой чрезвычайно возбужденный и радостный. Еще бы, наконец-то мы им покажем! Я ворвался к родителям с криком: «Поздравляю, началась война!» – и получил оплеуху от отца. Только после этого до меня дошел трагизм ситуации. А ведь я был уверен, что «нам всё нипочем, бьем фашистов кирпичом»!

Родители мои никогда не говорили о политике. Отец в особенности остерегался любых разговоров, воспоминаний, оценок, так что дома я был от всего этого огражден. Но порой, конечно, я что-то мельком слышал, чья-то скептическая фраза иногда оседала в мозгу. Когда я уже сам начал хоть немного интересоваться этими вещами и критически оценивать правление Сталина, как-то вдруг в разговоре с дядей Митей я высказал предположение, что уж Ленин-то точно этого безобразия не допустил бы. Но дядя, который был для меня высочайшим авторитетом, своим скепсисом заставил меня усомниться и в этом.

Когда умер Сталин, я пролез в Колонный зал, где стоял для прощания его гроб, но в этом совершенно точно было больше мальчишеского любопытства, чем поклонения вождю. Сталин в гробу меня поразил. Ведь я его представлял в основном по картинам «Утро нашей родины» и «Сталин и Ворошилов в Кремле» – мне он казался огромным, величественным красавцем. И вдруг я увидел ужасное лицо, все в оспинах, толстые пальцы, о которых так точно сказал Мандельштам – как «черви, жирны»[1]. Ничего прекрасного, ничего героического...

Окончательно я прозрел в институтские годы и в начале работы. Впрочем, во мне всегда жил какой-то смутный протест против официальщины. Мне никогда не было интересно в пионерах, я не рвался в комсомол. В Минске, правда, была у меня некая вспышка социальной активности, но сейчас я думаю, она была вызвана тем, что я изо всех сил старался «заслужить» возвращение в Москву. Но в целом до окончания института политика меня не занимала. Я, как и все, учил и сдавал историю ВКП(б)-КПСС, пытался зазубривать

---

[1] О.Мандельштам «Мы живем, под собою не чуя страны...»:

Его толстые пальцы, как черви, жирны,
И слова, как пудовые гири, верны,
Тараканьи смеются усища,
И сияют его голенища.

наизусть работы Сталина – но не более того. Названия некоторых из них навсегда запечатлелись в памяти: «Марксизм и вопросы языкознания»[1], «Экономические проблемы социализма в СССР»[2] – но я в них ровным счетом ничего не понимал.

Политика не стала меня сильно занимать и в зрелом возрасте. У меня есть свои твердые убеждения, пристрастия и понимание, что хорошо и что плохо. А политика – сама по себе ужасное занятие. Я увидел это однажды изнутри, когда меня в интересах вновь созданного Союза адвокатов убедили выдвинуть свою кандидатуру в Верховный Совет СССР. Признаться, я очень вяло вел свою кампанию, не слишком стремясь попасть во власть, к счастью, так и не попал, но в свой короткий предвыборный период увидел столько грязи, что это отбило бы у меня охоту заниматься политикой, даже если бы она у меня была.

* * *

Мне, а впрочем, и другим адвокатам тоже, очень часто задают вопрос, который волнует обывателя: как же вы можете защищать человека, совершившего такое злодеяние – убийство, террористический акт, надругательство над ребенком? Иной раз спрашивают и такое: как же ты можешь защищать, если ты достоверно знаешь, что он действительно совершил преступление – а ты его защищаешь?! К сожалению, вопросы эти вызваны полным непониманием самой сути правосудия.

---

[1] Работа Сталина, опубликованная в 1950 г. сначала в газете «Правда», а потом массовым тиражом отдельной брошюрой. Статья фактически завершила дискуссию о так называемом «новом учении о языке» Н.Я.Марра, который разработал теорию происхождения, истории и «классовой сущности» языка.

[2] Опубликованная в 1952 г., книга считается политическим завещанием Сталина. В ней предельно кратко изложены базовые положения сталинской политики в области общественно-экономического устройства.

Мне много приходилось размышлять о моральных и этических нормах деятельности адвокатуры в попытках сначала хотя бы для себя определить нравственную основу защиты по уголовным делам.

Время от времени в своих интервью или статьях я уже пытался раскрыть смысл существования этого института для общества – не говоря уж о его роли в судьбе конкретного человека. В чем смысл существования защиты в современном правосудии?

Для более ясного и глубокого понимания я хочу остановиться на одном, вроде бы частном, вопросе, имеющем между тем огромное общее значение.

Вопрос о том, что страшнее для общества – оправдание виновного или осуждение невинного человека, – нередко возникает не только у юристов. Само собой, находятся сторонники и той, и другой точки зрения, хотя я убежден, что никакого спора тут не может быть.

Действительно, оправдание виновного – крайне опасная для общества судебная ошибка. Ведь в этом случае преступник, будь то вор или убийца, остается в обществе, угрожая ему все новыми и новыми преступными действиями. И конечно же, надо делать все возможное, чтобы виновные не были оправданы. Это всё так.

Но теперь давайте задумаемся над тем, что же означает осуждение невиновного? Ведь если осужден невинный человек, то виновный, как и в случае «прямого» оправдания его судом, фактически тоже оказывается оправданным. Раз из приговора суда следует, что преступление совершил не подлинный преступник, а другой человек, то в этом случае злодей остается в обществе, смеясь над правосудием, над тем, что вместо него наказание за его деяния отбывает другой человек.

То есть ужасные последствия осуждения невиновного состоят в том, что косвенно оправдывается подлинный преступник, но, помимо этого, еще и в том, что ни в чем не повинный человек несет наказание, порой даже приговаривается к смерти! Так совершается уже двойная ошибка.

Это прекрасно понимали наши предки. Недаром еще в российском Воинском уставе 1716 года черным по белому было записано: «Лучше есть десять винных освободить, нежели одного невинного к смерти приговорить»[1] (часть 2-я, глава 5-я, параграф 9). Примерно то же самое применительно ко всем вообще наказаниям говорилось в Своде законов Российской империи[2] (статья 311, часть 2-я, 15-й пункт).

Именно поэтому человечество стремилось создать такую систему правосудия, которая максимально предотвращала бы малейшую возможность осуждения невиновного.

Даже сейчас, в эпоху победившей научно-технической революции, не создан еще механизм или машина, которая могла бы принимать безошибочные решения и выносить аргументированные приговоры. Ничего лучше, чем устроить в суде состязание между обвинением и защитой, человечество не придумало. Только прослушав спор противоборствующих сторон – обвинения и защиты – и обдумав представленные сторонами аргументы, суд может находить справедливые решения.

Поэтому задача защитника в первую очередь заключается в том, чтобы представить суду разумные и серьезные доводы, опровергающие доводы обвинения.

---

[1] Военный устав, утвержденный Петром Первым 30 марта 1716 г., является одним из основных документов, положенных в основу петровских реформ юридической системы Российской империи.

[2] Свод законов Российской империи являлся официальным собранием действующих законодательных актов Российской империи, расположенных в тематическом порядке. Впервые напечатан в 1832 г. Манифестом 31 января 1833 г. «Свод законов» был объявлен действующим источником права с 1 января 1835 г., и он оставался таковым до революции.

И именно для этого в уголовный процесс допущен защитник обвиняемого в лице профессионального юриста – адвоката. Одной из основных целей защиты является предотвращение самой ужасной ошибки – осуждения невиновного или исправление этой ошибки, если она была допущена.

Я хотел бы пояснить роль защитника в правосудии примером в такой понятной всем сфере жизнедеятельности, как строительство жилья. Представим себе, что на каждой стройке учреждена некая специальная должность. Занимающий ее человек наделен определенными, весьма своеобразными правами: как только заканчивается строительство и можно, вроде бы, заселяться в дом, он получает возможность в течение трех, скажем, дней попытаться разрушить этот дом при помощи молотка и дрели, которые новоселы немедленно пустят в дело, вколачивая гвоздики и просверливая дырочки для своих житейских нужд.

При этом наш специалист должен знать все болевые точки, наиболее характерные недоделки и недостатки строений. И если он за эти дни дом развалит, то люди должны ему за это сказать спасибо, а горе-строителей гнать в шею! Ведь если всего лишь за три дня с помощью нехитрых приспособлений можно разрушить дом или хотя бы сделать его непригодным для жилья, то туда ему и дорога, в нем жить невозможно, он представляет угрозу для его будущих жителей.

А вот если оказалось невозможным дом разломать, то работа такого специалиста давала бы уверенность, что дом построен на совесть и можно в нем спокойно спать и детей растить без страха. И следовательно, это чрезвычайно полезная и необходимая для общества деятельность.

В этой нехитрой аллегории заключаются идея и смысл роли адвоката в уголовном процессе, значение деятельности защитника для общества. Обвинитель строит здание обвинения, только вместо кирпичиков в нем – доказательства вины. И если можно эти кирпичики развалить так, что здание обвинения зашатается и рухнет, значит, туда ему и дорога! Значит, и доказательства, и обвинение в целом не имеют права на существование.

Этим, конечно же, не исчерпывается значение защиты. Помимо определения виновности гражданина, представшего перед судом, необходимо точно, юридически грамотно и правильно оценить его действия (квалифицировать их определенной статьей), затем определить справедливое наказание, если гражданин его заслуживает. Причем сделать это надо исходя из того, что собой представляет подсудимый, истинных мотивов его действий, его отношения к содеянному, с учетом конкретной ситуации, в которой совершено преступление, и еще десятков и сотен других тончайших нюансов, которые должны быть учтены судом. Эти вопросы бывает чрезвычайно трудно разрешить правильно и справедливо. Уложить конкретную жизненную ситуацию в прокрустово ложе отдельных статей Уголовного кодекса далеко не так просто, как представляется на первый взгляд.

И когда, вроде, все ясно и, кажется, все доказательства обличают в подсудимом преступника, когда и сами подсудимые в групповых делах либо уличают друг друга, либо признают свою вину и ответственность, даже тогда нужен спор, нужно выслушать защиту, чтобы не было принято желаемое или кажущееся за действительное.

И в этой связи мне хочется особо остановиться на ошибках, связанных с показаниями обвиняемых о самих себе и о других подсудимых.

Глава 19
ОГОВОР И САМООГОВОР

Переоценка значения признания обвиняемым своей вины (самооговор), а также некритическое отношение к оговору одним (или несколькими) обвиняемым другого (или других) лица влекло за собой немало ошибочных осуждений невиновных. Я не собираюсь в этой книге углубляться в историю этого вопроса, остановлюсь только на том, что происходило и, к великому сожалению, продолжает происходить в нашем правосудии в связи с самооговором и оговором.

В конце 30-х годов, условно называемых «37-м годом», во время массовых репрессий решения «троек», особых совещаний и, изредка, судов были основаны на собственных признаниях обвиняемых, получаемых всегда незаконными способами.

С давних времен признание вины считалось царицей доказательств, а бывшим прокурором СССР А.Я.Вышинским[1] была обоснована и опубликована теория, согласно которой по антисоветским преступлениям одного признания обвиняемого достаточно для вынесения приговора. В результате огромное количество людей были необоснованно репрессированы, некоторые казнены, многие погибли в лагерях.

После разоблачения сталинских преступлений задумались, как избежать возможности повторения этих чу-

---

[1] Вышинский Андрей Януарьевич (1883–1954) – прокурор СССР с 1935 по 1940 г., государственный обвинитель по ряду политических процессов 1936, 1937, 1938 гг.

довищных беззаконий. И в Уголовно-процессуальный кодекс 1961 года была введена статья 77, часть вторая которой гласила: «Признание обвиняемым своей вины в совершении преступления может быть положено в основу обвинения лишь при подтверждении его виновности совокупностью имеющихся по уголовному делу доказательств».

Казалось, было создано непреодолимое препятствие для необоснованных осуждений. Увы! Эту статью вспоминали только в начале 60-х годов, и то изредка. Вскоре, однако, стали обходить этот закон. Судьи просто писали в приговоре, что суд доверяет признанию, поскольку оно подтверждается совокупностью других доказательств, имеющихся в деле. Могли на них ссылаться, а могли и не ссылаться, и чаще всего не ссылались, а если ссылались, то на доказательства, никакого отношения к делу не имеющие. Кто-то сознавался в убийстве, и ему вкладывали в это признание дату, какие-то подробности, и это легко было подтвердить, потому что действительно убийство произошло в этот день, при таких-то обстоятельствах. Считали, что это и есть совокупность доказательств. И выносили обвинительный приговор.

И хотя эта статья существует до сих пор, даже не все адвокаты ее знают и помнят и еще реже на нее ссылаются. Я не припомню за последние многие годы случаев, чтобы в приговоре было записан отказ в признании человека виновным в соответствии с требованиями части 2 статьи 77 УПК РФ.

Между тем, в моей практике был случай, когда ссылка на эту статью помогла добиться оправдательного приговора.

Два человека обвинялись в совершении одного преступления, один признавал себя виновным и оговаривал второго, а второй все отрицал. Я защищал оговорщика, того, который признавал свою вину, у второго был другой адвокат. Кроме признания и оговора моего подзащитного, доказательств в деле не было. И в отношении человека, которого оговаривали, прокурор отказался от обвинения, признал, что на одном оговоре он не может строить обвинение. Второй адвокат приводил те же доводы.

Конечно же, я полностью согласился с их позицией, но при этом утверждал, что то же самое относится и к моему подзащитному. Точно так же, как ничем не подтверждены его показания в отношении второго обвиняемого, ничем не подтверждено и его признание в отношении него самого. А 77-я статья УПК говорит, что этого недостаточно для признания вины. И суд оправдал их обоих.

Судья мне потом призналась, что она и не думала оправдывать моего подзащитного, ей казалось невозможным усомниться в его признании. Но она приняла мою логику и поняла, что оказалась в безвыходном положении. Она не могла написать, что суд не доверяет показаниям обвиняемого в отношении другого, а в отношении самого себя доверяет.

Но это был очень удачный случай, где статья закона иллюстрировалась так доходчиво. Обычно же самооговор – самоубийственно для обвиняемого. Последующий отказ от признания своей вины, высказанного хотя бы однажды, судьями обычно не воспринимался. Некоторые из них говорили мне, что они не могут не верить признанию, для чего же человеку возводить на себя напраслину?!

Несколько иначе относятся судьи к оговору, то есть к показаниям против другого человека. Тут они действуют осторожнее, понимая, что оговор может быть продиктован различными соображениями. Все же хотя и многие ученые-криминалисты оговор называют опаснейшим оружием преступника в борьбе с правосудием, «мутным источником», черпать из которого надо с осторожностью, к сожалению, он, часто являясь единственным доказательством вины, нередко влечет за собой необоснованное осуждение.

Не устаю удивляться живучести этого порока российского правосудия. Я был поражен в свое время, когда прочел у А.С.Пушкина в «Капитанской дочке»:

«Пытка в старину так была укоренена в обычаях судопроизводства, что благодетельный указ, уничтоживший оную, долго оставался безо всякого действия. Думали, что собственное признание преступника необходимо было для его полного обличения, – мысль не только неосновательная, но даже и совершенно противная здравому юридическому смыслу: ибо, если отрицание подсудимого не приемлется в доказательство его невинности, то признание его и того менее должно быть доказательством его виновности. Даже и ныне случается мне слышать старых судей, жалеющих об уничтожении варварского обычая».

Я бы «Капитанскую дочку» преподавал в юридических институтах! Там же, помимо вышеприведенных мыслей о самооговоре, содержится и описание оговора. Ведь Гринев стал жертвой гнусного оговора со стороны Швабрина, который вопреки истине, из злобы и ревности приписал своему счастливому сопернику измену офицерскому долгу и данной присяге.

Впрочем, художественная литература знает немало описаний ложных оговоров. Один из классических – действия Яго в отношении ни в чем не повинной Дездемоны. Правда, этот персонаж сделал свое черное дело не в суде, а непосредственно в душе Отелло, который и стал судьей своей горячо любимой жены...

Не буду отрицать: во многих странах поощряются показания обвиняемых, изобличающие других лиц в совершении преступления. Но увы, что хорошо для немца, то губительно для русского.

К великому сожалению, у нас слишком часто ложные показания, в том числе оговоры, решают дело. Оговаривая невиновного, обвиняемые нередко сводят с ним личные счеты, либо уводят от ответственности подлинных виновников, либо заслуживают себе снисхождение за счет псевдоразоблаченных преступников, либо, наконец, добросовестно заблуждаются в истинности своих утверждений.

Все это значительно реже наблюдается в странах, где законопослушание, честность и совестливость развиты, к нашему стыду, гораздо больше, чем у нас.

* * *

Мальчишку обвиняли в том, что он стрелял в других таких же пацанов, залезших во двор и воровавших яблоки. Его судили. В суде он признал свою вину, плакал, раскаивался. Папа и мама тоже за него просили. Дело, в общем, казалось ясным.

А я – сейчас уже не помню почему – усомнился в правдивости показаний своего подзащитного и начал задавать ему какие-то вопросы, касающиеся подробностей этого рокового происшествия: где стояло ружье, было ли оно заряжено или ему самому пришлось его заряжать, и тому подобное. Мальчик начал путаться в своих ответах. Тут зашумели родители: мол, что это адвокат как-то странно себя ведет, ведь пацан признал свою вину. Они, как представители несовершеннолетнего, потребовали прекратить такую деятельность защитника. Как потом мне рассказал судья, именно в этот момент он также заподозрил неладное.

В результате дело было направлено на доследование, в ходе которого выяснилось, что стрелял вовсе не сын, а отец. Как оказалось, поняв, что натворил взрослый, семейный совет решил «назначить» виновным мальчика в надежде, что тому много не дадут по малолетству.

Я привел этот пример только для того, чтобы показать одну из граней деятельности защитника по уголовному делу – защиту лица, признавшегося (оговорившего себя) в совершении преступления.

Еще об одном совершенно поразительном случае самооговора рассказывал мой коллега, прекрасный питерский адвокат Семен Хейфец.

В одном доме жили три семьи, в которых родились почти в одно время двое мальчишек и девочка. Они вместе пошли сначала в детский сад, потом в школу, а потом как-то вполне естественно между подросшей девочкой и одним из юношей завязались романтические отношения. Вскоре после окончания школы была уже назначена и свадьба. Но незадолго до этого радостного и ожидаемого всеми события жених уехал в командировку. По возвращении, как он и ожидал, его встречала на вокзале невеста – но в каком виде! Растрепанная, в порванном платье, она со слезами рассказала, что зашла по дороге на вокзал к их общему другу детства, а тот накинулся на нее и попытался изнасиловать.

Реакцию молодого человека предугадать легко: он мчится к своему так называемому другу и в завязавшейся драке убивает его первым попавшимся под руку тяжелым предметом.

Дальше – явка с повинной, очевидные признаки убийства (кровь на руках преступника), показания очевидицы убийства.

Его адвокат молчит весь судебный процесс, а к концу вдруг начинает дотошно уточнять у судебного эксперта, когда же именно, вплоть до минут, могла наступить смерть жертвы? Эксперт называет время – не позднее полуночи. Адвокат спрашивает эксперта еще раз: мол, вы уверены? Тот, уже раздраженно, повторяет – да, он уверен. Адвокат, тем не менее, настаивает: а точно ли не могла смерть наступить позднее? Судья теряет терпение и делает замечание адвокату: зачем вновь и вновь уточнять вопрос, который уже не вызывает никаких сомнений? Тогда адвокат встает и просит приобщить к делу справку о том, что поезд, в котором приехал его подзащитный, пришел на станцию почти через три часа после наступления смерти потерпевшего!

На доследовании выяснилось, что погибший-потерпевший действительно напал на девушку, пытаясь ее изнасиловать, и именно она, сопротивляясь, *защищая свою половую неприкосновенность и человеческое достоинство,* убила насильника. Ее возлюбленный, предположив, что ее за это посадят, решил этого не допустить. Он приехал в дом, увидел картину преступления, измазал свои руки кровью и пошел доносить на себя. Адвокат спас от незаслуженного наказания невиновного.

Удовлетворяя любопытство читателей, скажу о судьбе девушки. Ее осудили, но не за убийство – она правомерно защищалась! Но девушка понесла *справедливое и заслуженное наказание за дачу ложных показаний,* связанных с обвинением (оговором!) другого человека в совершении тяжкого преступления.

И хотя история этого самопожертвования очень красива и романтична, для меня в ней интересны не столько фабула и психологические нюансы действий героев, сколько возможность, во-первых, еще раз подчеркнуть роль адвоката – даже в тех случаях, когда все кажется бесспорным и очевидным. Кроме того, этот пример наглядно показывает, как самооговор и оговор нередко идут рука об руку.

Помимо сознательного самооговора, «преступник» может искренне заблуждаться! Известен случай, когда отец искренне считал себя виновным в убийстве дочери. Банальная бытовая ссора между отцом и дочерью-подростком разыгралась на берегу реки: он ее ударил, отвернулся и ушел. Через некоторое время, когда отцовский гнев остыл, он стал искать дочь, но она пропала. И тогда возникла версия, что от удара она упала с берега в воду (все происходило на высоком крутом берегу) и утонула.

В конце концов, отец убедил и себя, и всех вокруг, что он убил собственного ребенка. Тем более что через какое-то время в реке ниже по течению обнаружили сильно разложившийся труп утонувшей молодой девушки. Несчастному отцу стало дурно на опознании, и он, едва взглянув, опознал свою дочь.

Исход судебного слушания был предрешен: преступного отца приговорили к лишению свободы. Казалось бы, справедливость восторжествовала, как вдруг, неожиданно, в город привезли живую и здоровую «утопленницу», которая, как оказалось, в реку не падала и не тонула, а после пощечины отца убежала и на поезде уехала в другие края. Там ее через некоторое время задержали, долго выясняли, кто она, и, узнав, вернули в семью. К счастью, к этому времени ее отец еще не так долго пробыл в местах лишения свободы.

Глава 20
РОЖДЕНИЕ СОЮЗА АДВОКАТОВ

Казалось бы, во взаимоотношениях в Погорелом Городище с судьей и работниками суда, а также с прокурором я не ощущал унизительного или пренебрежительного к себе отношения. Скорее, наоборот – со мной советовались, обсуждали спорные вопросы, спорили, но всегда уважительно и доброжелательно.

И все-таки уже тогда я остро ощутил унизительно-бесправное положение адвоката как процессуальной фигуры в правосудии и всей адвокатуры в целом – в обществе.

И, как это ни странно, мысли о несовершенстве организации адвокатуры в СССР, о том, что люди в нашей стране нуждаются в защитниках, наделенных бóльшими правами и возможностями, не давали мне покоя, когда я только начал свою практику.

Конечно, я осознавал, что все общество, а не только власть, еще не созрело для понимания значения, более того – полезности и необходимости сильной, независимой адвокатуры. По ночам, лежа на сеннике в своем закутке, под хрюканье свиней и вздохи коровы за стеной я представлял себе светлые околокремлевские чертоги, в которых умудренные знаниями многоопытные юристы обдумывают и решают вопросы, связанные с решительным изменением положения адвокатуры в обществе и усовершенствованием организации ее работы.

Мои юношеские мечты были весьма туманны, и четкого представления о том, что должен собой представлять некий общесоюзный орган адвокатуры, я не имел.

Однако чем дальше, тем чаще проявлялось оскорбительное отношение к адвокатуре и к каждому адвокату в отдельности. Нередко в газетах, по радио, в случайных разговорах адвокатов отождествляли с преступниками, говорили о продажности адвокатуры.

При этом под продажностью ошибочно понимали существующую систему оплаты труда адвокатов, которые получали гонорары от обратившегося к нему клиента. Именно это обывателем воспринималось как подкуп или даже почти как взятка.

Вспоминается рассказ одной женщины-адвоката. Она отдыхала в каком-то престижном санатории, но стеснялась говорить о том, что она – адвокат, и называла себя секретарем какого-то начальника. Она искренне считала, что это – более престижная и уважаемая профессия. Вот до какого состояния понимания своей роли и значения в обществе были доведены сами адвокаты.

С другой стороны, вспоминается и то, как однажды ночью, на рыбалке, в компании друзей и приятелей ко мне прицепился один из них, формально – достаточно интеллигентный человек, с вопросом о том, как я могу защищать преступников от народного суда.

И как я ни объяснял ему роль адвоката в обществе, как ни говорил о необходимости для общества обезопасить себя от необоснованных осуждений невиновных, он продолжал твердить одно и то же: «Я не понимаю, как можно защищать преступника, если его преступление очевидно и он подлежит народному суду».

К счастью, наступило время, когда в обществе сначала робко, а потом все громче заговорили о необходимости создания правового государства и гражданского общества.

И тогда, в 70-е годы, уже вернувшись в Москву, я уже не мог хранить в себе всю свою боль за любимую профессию и воззвал к общественности:

Не пора ли провозгласить, что в правовом государстве даже преступники – тоже его, правового государства, граждане и потому права гражданские, а тем паче человеческие – неотъемлемые их права? И что даже временное лишение человека одного из прав – свободы – не должно лишать его ни чести, ни достоинства, ни естественного права жить в человеческих условиях, а следовательно – нормально питаться, а не голодать, читать, писать письма и получать их, учиться и работать по-людски.

Не пора ли согласиться, что законы наши подчас чрезмерно суровы, а практика их применения судами – неоправданно жестока, что они – и законы, и практика их применения – нуждаются в срочном и радикальном изменении? Не в «косметике», не в латании дыр, не в штопке – в коренном изменении!

Не пора ли признать, что в правовом государстве защита интересов и прав граждан – важнейшее, почетное общественное предначертание адвокатуры, и потому ей, адвокатуре, надлежит быть независимой, мощной, способной эти самые права и интересы людей достойно и действенно отстаивать и охранять?!

И вот тогда-то возникла и оформилась идея создания Союза адвокатов. Потребность в этом стала ощущаться и многими моими коллегами в разных концах нашей страны.

Вскоре в Москве я нашел единомышленника в лице Петра Баренбойма[1] – удивительного человека, энергичного генератора различных идей, который вместе

---

[1] Баренбойм Петр Давидович (р. 1948) – адвокат Московской городской коллегии адвокатов, один из лучших юристов-международников. С 1989 по 1991 г. – член Правления Союза адвокатов СССР. С 1992 г. по настоящее время – вице-президент Союза (Содружества) адвокатов СНГ. С 2000 г. – вице-президент Федерального союза адвокатов России, вице-президент Союза юристов России.

со мной стал активно работать над созданием Союза адвокатов.

Мой соратник от слов быстро переходил к делу: брал лист чистой бумаги и своим размашистым крупным почерком легко набрасывал письма в различные коллегии, обращения к известным прогрессивным людям, письма в газеты, – в общем, развернул бурную деятельность. Нам стали помогать и другие адвокаты Москвы: они, в свою очередь, связывали нас со своими знакомыми, влиятельными и мыслящими людьми. Так, например, адвокат Марк Коган[1] обратился к Виталию Гинзбургу[2], будущему лауреату Нобелевской премии, и тот откликнулся на наше обращение.

Академик был более чем неравнодушным человеком. В газеты были направлены письма от него, от других знаменитых ученых, деятелей искусства, крупных ученых-юристов.

К нам присоединился и московский адвокат Андрей Макаров[3] – способный, темпераментный, умный и энергичный, совсем молодой еще тогда человек, который, однако же, сыграл большую роль в создании Союза адвокатов.

---

[1] Коган Марк Иосифович (р. 1922) – российский адвокат, получивший известность в профессиональном сообществе как «строптивый адвокат»; это же определение вошло в название его автобиографической книги. Получил известность в качестве защитника по уголовным делам, в том числе по экономическим преступлениям.

[2] Гинзбург Виталий Лазаревич (1916–2009) – советский и российский физик-теоретик, академик АН СССР (1966–1991) и РАН (1991–2009), доктор физико-математических наук (1942), лауреат Нобелевской премии по физике (2003).

[3] Макаров Андрей Михайлович (р. 1954) – юрист, с 1983 г. был адвокатом Московской городской коллегии адвокатов. В 1990 г. – юридический директор, а затем глава фонда «Культурная инициатива» (Фонд Сороса). В 1991–1992 гг. выступал обвинителем на процессе против КПСС, в 1993 г. – начальник управления по обеспечению деятельности межведомственной комиссии Совбеза РФ по борьбе с преступностью и коррупцией, принимал активное участие в кампании по дискредитации «антиельцинской оппозиции».

Мы трое почти ежедневно собирались в маленькой комнатенке НИИ адвокатуры при Московской городской и областной коллегий адвокатов, писали воззвания, созванивались с коллегами, общественными деятелями, мчались куда-то на встречи, кого-то принимали, уговаривали, убеждали. Мы полностью жили идеей создания Союза. Мы понимали, что для этого нужно собрать съезд адвокатов, но прежде создать какую-то структуру в виде оргкомитета, способного наладить всю эту работу.

Но нашей деятельности противостояло Министерство юстиции СССР, которое делало все возможное, чтобы Союз не был образован и чтобы адвокатура, таким образом, не стала самостоятельной, независимой и не вышла из-под власти государства и его ведомства.

Конечно, силами одних московских адвокатов преодолеть все препятствия вряд ли бы удалось. Однако вскоре выяснилось, что нас поддерживают не только некоторые столичные, но и многие представители самых разных региональных коллегий. Нашими активными союзниками стали адвокат Приморской коллегии адвокатов Веремчук, ставший впоследствии депутатом Верховного Совета; мужественный, умный и энергичный председатель президиума Воронежской коллегии адвокатов Калитвин, председатели президиумов тогда Свердловской и Горьковской коллегий Смирнов и Рогачев и некоторые другие. С помощью наших коллег в октябре 1988 года нам удалось, наконец, провести первое маленькое собрание группы активистов в Воронеже. Это было полудетективное событие!

Проведение собрания именно в Воронеже было вынужденным, поскольку никакой возможности в то время создать даже небольшую группу в виде оргкомитета в Москве было невозможно. Ведь чтобы пригласить представителей разных адвокатских образований, нужно было иметь помещение, нужно было организовать проживание приехавших лиц. Все это в Москве сделать нам никак не удавалось. И тогда, благодаря мужеству и принципиальности Владимира Васильевича Калитвина, удалось провести собрание в Воронеже.

Воронежские власти тоже не желали проведения такого мероприятия в городе, не давали для этого помещения, препятствовали поселению в гостиницах приехавших из разных мест СССР адвокатов. Буквально накануне мероприятия из воронежского облисполкома во все коллегии страны разлетелись телеграммы с уведомлением об отмене нашей конференции, так что выехало на нее в итоге гораздо меньше представителей регионов, чем предполагалось.

Но все же Баренбойм, Макаров и я выехали в Воронеж, полные решимости провести собрание, несмотря на все препятствия. В поезде вдруг обнаружилось, что мы с Баренбоймом забыли взять с собой деньги – у нас не было ни копейки. Деньги оказались только у Макарова, что позволило ему впоследствии утверждать, что Союз адвокатов СССР был создан на его деньги!

В Воронеж в результате съехалось около 20 человек. Калитвин, несмотря на сопротивление местных властей, предоставил нам помещение своего Президиума, где мы все собрались и где был избран оргкомитет. Главой оргкомитета избрали меня. Мы с новой энергией принялись готовить учредительный съезд.

Спустя две недели после начала работы оргкомитета к нам присоединились еще 29 коллегий всей страны. Радио, газеты, журналы, многие знаменитые люди поддержали нас. И тогда Министерство юстиции наконец осознало, что воспрепятствовать созданию Союза уже практически невозможно. Это же было понято и в ЦК КПСС, политбюро которого в декабре 1988 года приняло решение об образовании ассоциации адвокатов СССР. А уже в феврале следующего года нами был созван Учредительный съезд, который под гром аплодисментов провозгласил создание Союза адвокатов СССР как общественной, добровольной, самоуправляющейся организации адвокатов, основанной на индивидуальном членстве.

Съезду предстояло избрать председателя нового Союза и трех его заместителей, а также правление. При выдвижении кандидатов в председатели называлась и моя фамилия. Но я администратором никогда не был и становиться им не хотел, поэтому тут же заявил самоотвод и поддержал своего коллегу Георгия Алексеевича Воскресенского, который и был выбран председателем правления.

А его заместителями были избраны два чрезвычайно достойных адвоката – Владимир Калитвин, о котором я уже упоминал, и Михаил Гофштейн, заместитель председателя Президиума Московской областной коллегии адвокатов, один из самых уважаемых и авторитетных адвокатов страны, необыкновенный умница и юрист.

Наряду с ними заместителем избрали и меня. И я горжусь тем, что оказался в компании с такими замечательными людьми и профессионалами.

Глава 21
ГРОМКИЕ ИМЕНА

Известность адвоката во многом связана с громкостью имен его подзащитных. За более чем 50 лет моей адвокатской деятельности через мои руки прошли сотни дел, и я, так или иначе, оставил след в судьбах сотен, если не тысяч людей. Здесь судьбы и рабочих, и генералов, и крестьян, и политических деятелей, знаменитых ученых и артистов. Среди них были и оступившиеся, и совершившие злодеяние, но были и оклеветанные, и ни в чем не виновные.

Практика моя в Москве расширялась с каждым днем. Среди моих подзащитных были и знаменитые криминальные авторитеты, такие, как Слава Япончик, и крупные политические деятели, в том числе Анатолий Иванович Лукьянов[1]. Я был удостоен чести оказывать юридическую помощь родным и близким великого ученого и гражданина академика Андрея Дмитриевича Сахарова и всемирно известному музыканту Мстиславу Леопольдовичу Ростроповичу, оклеветанному в одной из телевизионных передач. Мне приходилось участвовать в спорах о наследстве величайшего российского певца Шаляпина.

Наряду с этим я защищал несправедливо привлекаемых к ответственности за хулиганство или какие-либо

---

[1] Лукьянов Анатолий Иванович (р. 1930) – советский государственный деятель. В 1990–1991 гг. являлся председателем Верховного Совета СССР. Привлекался к уголовной ответственности по делу об августовском путче 1991 г.

кражи, отстаивал свободы многих никому не известных людей, чьи права попирались властью. Я одним из первых в стране стал вести дела по защите чести и достоинства, да и само законодательство по таким делам возникло не без моего участия.

Одним из моих знаменитых подзащитных был Вячеслав Иваньков, известный как Слава Япончик.

Однажды, в середине семидесятых годов, ко мне пришли двое мужчин респектабельного вида. Один из них был юристом, высокопоставленным чиновником. Они просили меня принять на себя защиту Иванькова. По их словам, тот необоснованно привлекался к уголовной ответственности, к нему было предвзятое отношение, потому что правоохранительные органы считали Иванькова одним из главарей преступного мира, «вором в законе» и даже «крестным отцом». Такое мнение не могло быть для меня поводом для отказа. Я согласился его защищать.

Следственные органы обвиняли Иванькова в грабеже, в покушении на жизнь работников милиции, в хранении и использовании огнестрельного оружия.

Известный театральный администратор М.Г. направлялся к своему автомобилю, припаркованному на Новом Арбате. К нему подошел Иваньков, остановил его, они о чем-то поговорили. После этого Иваньков получил от М.Г. ключи от его автомобиля «Москвич», сел в него и уехал. М.Г. отправился в милицию, где сделал заявление, что у него под угрозами отобрали ключи от машины и завладели ею.

Вечером того же дня этот же «Москвич» появился на площади Коммуны, неподалеку от театра Советской Армии. За рулем был Вячеслав Иваньков, рядом с ним сидела молодая девушка. Как только машина остановилась, к ней направились три человека в штатском, одним из которых был М.Г. Увидев их, Иваньков нажал на газ, машина сорвалась с места. Люди, сопровождающие М.Г., выхватили пистолеты и открыли стрельбу по удаляющейся машине. В тот же миг с разных сторон на площадь выехало еще несколько машин, из них тоже велась стрельба по «Москвичу». По мнению обвинения, из машины Иванькова раздались ответные выстрелы.

Одно за другим у «Москвича» были пробиты три колеса, изрешечен кузов, но Иваньков и на одном колесе ухитрился скрыться от погони. Через некоторое время милиционеры обнаружили в одном из московских дворов автомобиль. В машине лежала девушка в полуобморочном состоянии, но, к счастью, даже не раненная. Иванькова и след простыл.

Его удалось найти только через полгода. Иваньков был за рулем собственной машины, рядом была жена. Когда милиция остановила его, он немедленно без сопротивления подчинился аресту.

Завладение автомобилем «Москвич» было расценено как грабеж, а бегство от преследователей, которые были работниками милиции в штатском, и стрельба – как преступления против органов правопорядка.

Вячеслав Иваньков не согласился с предъявленным обвинением и заявил: театральный администратор был должен ему деньги, равные стоимости автомобиля. Когда при встрече он потребовал вернуть долг, тот в залог отдал ему машину, пообещав вечером при встрече у театра Советской Армии передать деньги в обмен на ключи от «Москвича». По дороге к месту встречи Иваньков подвез незнакомую девушку, направлявшуюся в театр. Подъехав к площади Коммуны, Иваньков увидел М.Г. в сопровождении двоих людей, вызвавших у него опасения. Он решил избежать столкновения с ними, ему и в голову не могло прийти, что это были работники милиции. Когда же началась стрельба, он решил, что подвергся нападению, и, пытаясь отпугнуть нападавших, имитировал стрельбу из зажигалки в форме пистолета, вспышки которой были приняты за выстрелы. Зажигалка была предъявлена следствию.

Надо сказать, что в результате тщательного обыска всей площади Коммуны были обнаружены только патроны от оружия милиционеров.

В суд это дело так и не пошло. Обвинители, скорее всего, понимали трудности, с которыми им придется столкнуться в суде для опровержения версии защиты, и не рассчитывали на успех. Поэтому они легко, даже, как мне показалось, с облегчением, согласились с не очень убедительной судебно-психиатрической экспертизой, признавшей Иванькова душевно больным и не несущим ответственности за свои действия.

Через много лет Иванькова все-таки судили, но уже за совершенно другое преступление и приговорили к длительному сроку лишения свободы. После десяти лет в тюрьмах и лагерях он был освобожден и, выйдя на свободу, уехал в Америку. Там, однако, он опять оказался за решеткой. По отбытии наказания в Америке он был экстрадирован в Россию, где его вновь привлекли к ответственности по обвинению в убийстве, якобы совершенном много лет назад. Обвинение было крайне неубедительным, и судом присяжных Иваньков был оправдан. Защищал его в тот раз мой ученик и друг – Александр Гофштейн. Несомненно один из лучших теперь адвокатов-криминалистов.

Характерным для конца XX – начала XXI века было и дело Быкова.

Председатель Совета директоров Красноярского алюминиевого завода Анатолий Быков пользовался колоссальным влиянием в Красноярске и крае, был личностью невероятно популярной, хотя и неоднозначной.

Его избрали депутатом краевого Законодательного собрания, он был богат, занимался благотворительностью, строил православные церкви, синагогу в Красноярске. Сам бывший спортсмен, в молодости Быков был учителем физкультуры в школе, многое делал для спорта, помогал спортсменам, организовывал и финансировал соревнования.

С другой стороны, за ним тянулся шлейф нехороших слухов. Якобы он мафиози, бандит, глава преступной группировки.

Благодаря тому, что его боялись, он твердой рукой навел порядок в крае, положил конец разгулу хулиганства, мелкого бандитизма, уличных разбоев.

Однажды мы ехали с ним в машине. Переходит дорогу старушка, водитель тормозит, пропускает. Я удивился, спрашиваю водителя:

– Вы пешеходов пропускаете?

– А как же, – отвечает водитель, – если я не остановлюсь, Анатолий Петрович меня тут же уволит.

И вот у Быкова возникли неприятности, связанные с конфликтом между ним и губернатором края генералом Александром Лебедем.

Замечу, что на выборах в 1998 году Быков помогал Лебедю. И это имело решающее значение. По общему мнению, избраться в крае без поддержки Быкова было практически невозможно. А Лебедь довольно легко победил, тем более что к нему и власть была благосклонна.

И первоначально у них складывались хорошие отношения. Но Лебедь был невероятно авторитарный человек, я с ним встречался, помню некоторые его интересные высказывания, он проявлял себя самостоятельным политиком. И двум медведям стало тесно в одной берлоге.

У Быкова с Лебедем возникли серьезные разногласия. И Лебедь публично заявил, что Быков вор, а вор должен сидеть в тюрьме. Губернатор сказал, и «органы» тут же услужливо возбудили дело против Быкова.

Был убит красноярский предприниматель, не крупный – средний, и «возникли подозрения», что Быков к этому причастен. Конечно, следователи не утверждали, что он сам убивал, говорилось, что убийство было совершено в его интересах и он был организатором.

Люди, которых допрашивали по делу, дали показания, косвенно подтверждающие причастность Быкова. Показания эти были противоречивы, непоследовательны, между собой не очень согласовывались, но они были.

Быков обвинялся в том, что в его доме состоялся сговор на убийство. Сразу же после этого исполнители уехали исполнять свой преступный замысел, а вернувшись, спрятали на территории дома Быкова пистолет, из которого был застрелен тот самый предприниматель. Обвинение Быкову предъявили заочно, и решение об аресте было принято.

С просьбой о его защите ко мне обратились работники Центрального телевидения, причем, надо сказать, не рядовые журналисты. Быков принимал их на фестивале в Красноярске, и они восторженно о нем отзывались: блестящий администратор, человек слова, все, что обещал, – делал, на фестивале был образцовый порядок, сам Быков был гостеприимным хозяином.

Надо сказать, что незадолго до этого обращения я уже принял защиту заместителя бывшего губернатора Красноярска, которого обвиняли в экономических преступлениях. Его представитель сообщил, что против заместителя бывшего губернатора может быть настроен Быков, который будет препятствовать нам в защите. Это было важное сообщение, и я немедленно вспомнил о нем, когда к нам обратился Быков. Ведь адвокат не может представлять интересы кого бы то ни было, кто находится или может находиться хоть в каком-то, даже самом косвенном, конфликте с его доверителем.

Чтобы узнать мнение Быкова о возможности защищать его, наряду с защитой замгубернатора по другому делу, мы с моим коллегой В.Сергеевым вылетели в Швейцарию, где Быков в это время находился на лечении.

– Да ради бога, – сказал Быков, – я к нему никакого отношения не имею. Никаких у нас не было с ним конфликтов, это все домыслы.

И мы приняли поручение на защиту Быкова.

Дело заместителя губернатора вскоре прекратили, потому что оно было, конечно, «дутым».

Тем временем Быков был задержан Интерполом в Венгрии. Мы с Сергеевым порознь и вместе несколько раз летали в Будапешт, надеясь воспрепятствовать экстрадиции Быкова. По тем отрывочным сведениям, которыми мы тогда располагали, дело строилось на песке. Однако Венгрия выдала Быкова России, и он был доставлен в Красноярск.

Мы непрерывно обращались в суды Красноярска с ходатайствами об освобождении Быкова из-под стражи. И наконец суд внял нашим требованиям, и Быков из-под стражи был освобожден. Суд признал, что нет никаких данных о том, что Быков попытается скрыться, что за годы расследования он ничем не пытался помешать следствию, не подговаривал свидетелей, не представлял фальшивые документы. Его прекрасно характеризовали и за него ручались многие уважаемые люди. Он никогда ранее не привлекался к уголовной ответственности.

Разумеется, освобождение Быкова вызвало недоумение и недовольство власти. Губернатор Лебедь, обсуждая это, сказал своей помощнице:

– Эх, и какая же блядь посоветовала ему обратиться к Падве!

В ответ он услышал:

– Эта блядь сидит перед вами.

И действительно, это было так. Ранее эта помощница жила и работала в Москве и занимала довольно высокий пост на телевидении. Именно она была одной из тех, кто ходатайствовал передо мной за Быкова. Потом она перебралась в Красноярск, и волею судеб стала помощницей губернатора.

Прокуратура стала принимать меры, чтобы отменить это решение суда и законопатить нашего подзащитного снова в тюрьму, но им это не удалось. Быков остался на свободе.

Само дело шло очень медленно, менялись следователи, приехал старший следователь по особо важным делам из Генеральной прокуратуры, молодой парень, очень энергичный, стал заново все расследовать. Но и у него работа плохо двигалась, было понятно, что дело может не дойти до суда, оно было приостановлено.

И вот тогда в Москве было сфабриковано новое дело. Абсурдное, невероятное и неправдоподобное обвинение в том, что Быков нанял человека по фамилии Василенко для убийства Павла Струганова по кличке Паша Цветомузыка.

Как я уже написал, просили меня взяться за первое, «красноярское» дело Быкова работники телевидения. Но, конечно, не телевизионщики были доверенными лицами Быкова, не они платили адвокатам, не они заключали договор. Доверенным лицом Быкова был в то время как раз Паша Цветомузыка. Внешне он производил благоприятное впечатление. Немного заикался. Нервный тик только подчеркивал благообразие его лица (я, кстати сказать, обращал внимание, что нервные тики, такие, как непроизвольное моргание, чаще встречаются у людей интеллигентных). Он приезжал ко мне, и я обсуждал с ним положение дел.

Когда мы еще ездили к Быкову в Венгрию, я у него спросил, можно ли Паше доверять, могу ли я ему все рассказывать. Быков рукой показал сверх головы и сказал, что доверяет ему, как самому себе, даже больше. И я разговаривал с Пашей как с его другом и доверенным лицом.

Я был поражен тем, что по версии следствия именно этого Струганова Быков, еще до своего отъезда за границу, заказал. Дал якобы Василенко поручение наблюдать за ним и указание убить его, если тот будет действовать не в интересах Быкова.

И произошло это как раз перед тем, как Быков поручил Паше координировать свою защиту, когда он рассказывал мне, как ему доверяет...

Никаких претензий к Струганову у Быкова объективно не было и быть не могло. Невероятное противоречие с обвинением!

А следствие утверждало, что в то время, когда Быков находился под стражей в Красноярске, он подтвердил свое требование убить Струганова. Это требование он якобы высказал по телефону, из Красноярска, когда Василенко находился за рубежом.

Василенко дал показания, что Быков звонил ему десятого августа двухтысячного года. При этом он назвал номер своего телефона, указав также место своего нахождения (в Германии).

Следствие запросило соответствующие ведомства «установить входящие международные телефонные звонки на номер абонента, принадлежащего Василенко... определить номер абонента, с которого исходил данный звонок, и определить его местонахождение на момент звонка».

«И что же выяснилось? – говорил я в своей речи на суде. – Согласно распечаткам входящих звонков на телефоны Василенко, <...> на телефон в указанный Василенко день – десятого августа двухтысячного года, поступило несколько звонков из Красноярска... Как установлено следствием – с картофонов ГТС. Это не мобильные телефоны, это не телефон у следователя или в следственном изоляторе, это автоматы, установленные один по адресу: проспект Мира, дом 102 города Красноярска, а два других на железнодорожном вокзале города Красноярска. А Быков в то время содержался под стражей! Вы можете себе представить, уважаемые судьи, что стража (а это были, как пояснил нам оперработник Назаров, три подразделения: уголовный розыск, ОМОН и конвойный батальон) привезла Быкова на железнодорожный вокзал, чтобы он поговорил с Германией и в их присутствии дал указание совершить убийство?!»

Защите представлялось несомненным, что документ с распечаткой этих телефонных звонков, безусловно, оправдывает Быкова. Он не звонил Василенко и не давал никаких указаний. Очевидно, это было ясно и суду. Но признать Быкова невиновным суд не мог.

Я пытался представить себе, каким же образом суд отвергнет такое несомненное доказательство, представленное к тому же не защитой, а самим обвинением. Сколько я ни старался, я не смог додуматься до того, что сделал суд. Он попросту признал, что эти сведения добыты ненадлежащим образом, поскольку якобы на их получение не было разрешения судьи. И хотя на самом деле такое разрешение в деле имелось, к тому же по закону оно и не требовалось, суд отверг это доказательство и признал установленным, что Быков звонил в Германию Василенко и высказал требование убийства Струганова. Вот так суд расправлялся с доказательствами невиновности.

А доказательства виновности Быкова добывались вот как.

Следствие инсценировало убийство двух человек. Паши Цветомузыки и его друга Исминдирова. В Москве, на Кутузовском проспекте. Объявили на всю страну, что нашли трупы.

Приезжают телевидение, журналисты. В их присутствии выносят из подъезда завернутые «трупы» и увозят их. Все средства массовой информации подняли шум: жуткие преступления в центре Москвы, средь бела дня!

Мне почти сразу все это показалось подозрительным. Не успели обнаружить трупы, как их стали выносить из дома. Я-то знал, что должен был приехать следователь, осмотреть и описать место происшествия, должен был приехать судебно-медицинский эксперт. Нужно было провести многочасовую, большую работу. Да еще и выносили эти «трупы» не вперед ногами, а вперед головами...

Я высказал свои сомнения публично, и один из представителей телевидения набросился на меня с упреками:

– Как вы можете в чем-то сомневаться? Я все видел своими глазами!

Я спросил:

– Вы трупы видели?

– Ну, конечно.

– А их лица вы видели?

– Лица? Лица не видел, они были завернуты.

– Во что?

– В черный такой полиэтилен, непрозрачный.

– Так почему вы решили, что это трупы?

– Ну, милиционер сказал, что трупы.

– А судебно-медицинский эксперт был?

– Нет, не видел.

– А куда их увезли, трупы?

– Не видел, погрузили в «скорую помощь».

– А вы видели когда-нибудь, чтобы «скорая помощь» увозила трупы? Не слыхали никогда, что для этого есть специальные машины? А «скорая помощь» не имеет права трупы перевозить.

– Ой да, интересно. Я проверю. Я посмотрю запись.

Мои сомнения уже перешли в уверенность: что-то не так. И только впоследствии, познакомившись с делом, я узнал, что это была фальшивка, инспирированная работниками МВД с помощью Струганова. Выносили, кстати сказать, действительно людей, но, конечно же, живых, и не Струганова с другом, а двух милиционеров.

И вот после этой инсценировки Василенко приезжает к Быкову со звукопередающим устройством в кармане. Для того, чтобы уличить Быкова в том, что он действительно дал поручение убить.

Быков, увидев Василенко, удивляется:

– Что ты здесь делаешь, для чего ты пришел?

Тот в ответ:

– Ну вот, я Пашу убил.

– Так это ты? – еще больше поражается Быков. – За что?

– Да вот он, что-то, вроде, против тебя мутил, – мямлит Василенко.

Характерно, что он не говорит прямо: ты же мне сам велел, ты мне поручил. Он говорит, я узнал, что он против тебя, он такой-сякой. И Быков попадается на эту удочку. К концу разговора, когда Василенко спрашивает, что же ему делать, Быков советует – удирай. То есть он не возмущается, не бежит с заявлением в милицию. И это, конечно, используется против него. Он как бы поддерживает убийцу.

Василенко начал давать показания против Быкова. Его слова у непредвзятого следователя не могли вызывать ни малейшего доверия. Вот, например, как он описывал передачу пистолета для убийства: «Мне позвонил человек, сказал, что от Быкова, договорились встретиться. Я тогда жил в гостинице "Россия", дело было днем, я вышел, ко мне подошел незнакомый человек и передал мне пистолет от Быкова. И я взял этот пистолет».

Представьте себе: Василенко, человек опытный, неоднократно привлекавшийся к административной ответственности, берет пистолет средь бела дня, в центре

Москвы. От Быкова не было ни какого-то поручения, ни звонка. Человек ему совершенно незнакомый. Пистолет он несет к себе в номер и оставляет в гостинице.

Я спрашивал его:

– Вы уходили куда-либо из номера?

– Уходил, – отвечал Василенко.

– Надолго?

– Иногда на целый день.

– А пистолет не боялись брать с собой?

– Я его оставлял в номере.

– А не опасались, что при уборке номера его обнаружат?

Ответа не последовало.

– А куда дели впоследствии этот пистолет?

– Я пошел с ним в ФСБ, все рассказал и предъявил пистолет.

Между тем, Струганов и его друг Исминдиров рассказали, что Василенко был человеком крайне несамостоятельным, легко поддающимся влиянию, «абсолютно управляемым» (надо сказать, что полную несамостоятельность Василенко как его характерную черту подчеркивали и другие свидетели).

При этом, поддерживая версию обвинения, они подтвердили, что будто бы Василенко приходил к ним, рассказывал о поручении Быкова и просил совета, как ему быть с пистолетом. Выбросить немедленно в реку – настойчиво посоветовали Василенко его друзья – и уезжать в свою Германию.

И вот, этот абсолютно несамостоятельный человек, пренебрегая настойчивыми советами друзей, сам, по своей инициативе идет в ФСБ, предъявляет там пистолет и излагает версию обвинения.

...В итоге дело в отношении Быкова направили в суд.

Еще раз повторю: суд не мог не понимать недоказанность обвинения. Но что же делать, если понятно, что человек не виноват? Практика выработала паллиатив, чтобы вроде как и волки сыты, и овцы целы. Он хоть и виновен, но лишения свободы не заслуживает и ему достаточно условного осуждения.

И Быков, признанный виновным в попытке организации убийства, освобождается из-под стражи с испытательным сроком в несколько лет. Надо сказать, что этот приговор вызывал сомнения у некоторых людей. Как же так? Человек причастен к организации убийства, а его освобождают из-под стражи и дают условное наказание?

Позволю себе пояснить, что дело тут не во взятке, которую подозревали некоторые, и не в чрезмерной гуманности суда, как могли подумать другие, а именно в том, что нашему правосудию кажется несправедливым лишать свободы невиновного, но, одновременно, ему не хочется оправдывать подсудимого. Абсурд.

Мы не примирились с приговором Мещанского районного суда и обратились с жалобой в Европейский суд по правам человека в Страсбурге. Международный суд признал, что Быков незаконно содержался под стражей, и взыскал с России более 20 тысяч евро.

Как адвокат я чувствовал радость победы, но как российский гражданин сомневался в том, что мы, налогоплательщики, должны платить за незаконные действия правоохранительных органов.

Глава 22
ИСКУШЕНИЕ ГЕРОИЗМОМ

Одним из самых интересных в моей практике было громкое дело Ходорковского.

Об этом деле сложно говорить – настолько вся связанная с ним ситуация еще болезненна. А сам Михаил Борисович – крупная и многогранная личность.

Меня довольно часто спрашивают, что собой представляет Ходорковский как человек. Людям интересно не только, совершил или не совершил он преступления, в которых обвиняется, интересны и черты его характера: умен ли, образован ли, добрый или злой.

Важно сказать, что во взаимоотношениях с клиентами мы – адвокаты – им не судьи. Ни формально, с точки зрения вопроса об их вине и ответственности, ни по-человечески, с точки зрения хороший или плохой, человек вручил нам свою судьбу.

Какой бы ни был наш клиент, мы обязаны его защищать, обязаны отстаивать его позицию и критически относиться к обвинениям. Поэтому я сознательно всегда ограничиваю себя в оценке своего подзащитного с точки зрения общечеловеческих критериев морали, нравственности.

Что же касается интеллектуальных способностей – ума, образования, то, конечно, это я учитываю во взаимоотношениях с клиентом.

С первой же встречи Ходорковский произвел на меня впечатление человека с мощным интеллектом, тяжело раненного неожиданной и трагической ситуацией, но не сломленного, готового к борьбе и к любому возможному исходу.

В дальнейшем я узнал, что Ходорковский – очень сильный человек, склонный к авторитарности, уверенный в себе, способный быть очень жестким и твердым. Наряду с этим он обладает несомненным обаянием, его улыбка чрезвычайно располагает к нему собеседника. Он умеет слушать и понимает то, что ему говорят. Более того, он готов воспринимать сказанное и выслушивать разные мнения. Однако решения он, в итоге, принимает сам, твердо придерживается принятого решения и требует неукоснительного и беспрекословного его выполнения подчиненными.

Но вот он оказался в тюрьме.

Дело началось с ареста других лиц, в частности, до Ходорковского был арестован один из его партнеров, Платон Лебедев. После ареста Лебедева власть позволяла Ходорковскому выезжать за границу. Думаю, в надежде, что он останется там и возникший конфликт будет разрешен таким образом.

Но Ходорковский каждый раз возвращался. Конечно, он поступал мужественно, честно и благородно. Он дал понять, что не может оставить Лебедева в заложниках. Но, думается мне, что этот поступок объяснялся не только его моральными качествами, но и тем, что он недооценил власть, ее силу, ее коварство, ее возможность использовать любые способы и методы в борьбе с теми, кого она (власть) считает для себя опасными.

Я совсем не уверен, что Ходорковский в тот период был вовлечен в политику так же, как сейчас. Как я себе представлял, он был больше бизнесменом. Его интересовало дело, он – блистательный менеджер, жесткий, умелый, талантливый руководитель. Однако, похоже, что на каком-то этапе он на свою беду начал заниматься политикой.

И когда возникло уголовное дело, я не чувствовал его желания «взойти на Голгофу». Было все-таки, если я правильно его понимал, стремление найти разумный компромисс.

Увы, это оказалось очень трудно – и в связи с позицией властей, и в связи с тем, что вокруг Ходорковского начался шум, вмешались правозащитники, пресса, что, как мне казалось, не вполне соответствовало потребностям его защиты в тот момент. Может быть, я ошибаюсь, может, он меня и опровергнет. Но я так понимал, так чувствовал.

А в дальнейшем уже деваться было некуда. Теперь он должен был сражаться с поднятым забралом, с флагом в руке. И чем далее, тем более он становился символом борьбы за демократию и права человека.

Работа адвокатов, защитников по уголовным делам тесно примыкает к правозащитной деятельности, в то же время многим отличаясь от нее. Правозащитная деятельность, насколько я понимаю, обычно исходит из общих интересов, из оценки состояния общества и соблюдения прав его граждан в целом. Я же хочу защищать отдельного человека и бороться с властью за его конкретные права и свободы, тем самым, естественно, и отстаивая эти свободы в обществе в целом.

Я полагаю, что мы обожглись уже, когда под властью идей, в борьбе за всеобщее счастье оказались в ситуации, где личности и ее правам не осталось места. Почему свободе обязательно необходимы мученики? Я убежден, что подлинной свободе они совсем не нужны. Мне не нравится, что во имя идей всеобщего равенства, братства и свободы заложников ситуации обрекают на героизм.

К тому же, меня смущают в правозащитном движении излишний шум и политизированность. Упаси боже, я не хочу порочить наших правозащитников! Я с глубоким уважением отношусь к таким людям, как Людмила Михайловна Алексеева, Лев Пономарев, Олег Орлов, Сергей Адамович Ковалев и многие другие. Они занимаются благородным, небезопасным и очень нужным делом и нередко добиваются результатов. Но, повторюсь, я вижу свой долг в том, чтобы защищать интересы конкретного человека. Когда удается отстоять интересы одного, другого, третьего – повышается уровень соблюдения свобод и прав человека в государстве.

Понимаю, это – сложный вопрос. Найдется очень много людей, которые со мной не согласятся. Но, возвращаясь к делу Ходорковского, я действительно считал, что я должен защищать Михаила Борисовича от тех конкретных обвинений, которые ему предъявлены.

С Ходорковским до его ареста я не был лично знаком, но знал одного из его помощников, сына моего друга Георгия Прокофьева. Прокофьев-младший два-три раза обращался ко мне по каким-то отдельным вопросам, поставленным перед ним Ходорковским, но, насколько я помню, ничего существенного я не сделал.

Через некоторое время после ареста Ходорковского ко мне пришел один из его адвокатов с предложением присоединиться к команде защиты. Вначале я категорически отказывался, главным образом потому, что понимал предрешенность результата. Всем была хорошо известна политическая подоплека этого дела. Участвовать в спектакле, финал которого предсказуем, у меня не было ни малейшего желания. Однако ко мне обращались вновь и вновь.

И тогда я принял решение пойти к Михаилу Борисовичу в следственный изолятор, поговорить с ним и понять, какие задачи он хочет поставить передо мной, надеется ли он с моей помощью и с помощью моих коллег доказать свою полную невиновность и готов ли он к негативному исходу.

Я хорошо помню, что сказал Михаилу Борисовичу при первой встрече:

– Понимаете ли вы, что ни я, ни все лучшие адвокаты страны, ни вся адвокатура в целом не смогут вам помочь сейчас, когда конфликт между вами и властью зашел так далеко? А если вы это понимаете, то объясните, для чего я вам нужен?

И Ходорковский, не задумываясь, ответил, что он прекрасно понимает, какой исход, скорее всего, ожидает обвиняемых. Но при этом ему важно, чтобы общество услышало правду из уст уважаемого профессионала и чтобы все фактические и юридические доводы в его защиту были высказаны и услышаны, а там уж... чем черт не шутит... На этих условиях я согласился принять его защиту.

В первые же дни нашего общения с Михаилом Борисовичем произошел эпизод, многое объясняющий и в характере этого человека, и в характере наших с ним отношений.

В судебном заседании решался какой-то конкретный вопрос, и мы с моим подзащитным получили возможность предварительно обсудить его между собой. Михаил Борисович довольно твердо и уверенно высказал мне свою точку зрения и недвусмысленно дал понять, чего он хочет. Но в то же время было понятно, что он как бы наставлял меня на правильные, с его точки зрения, действия и объяснял, как нужно вести защиту.

И вот, дослушав его «наставления», я с улыбкой спросил своего подзащитного:

– Михаил Борисович, я запамятовал, кто чей труд оплачивает – вы мой или я ваш?

Он мгновенно понял, о чем идет речь, улыбнулся, и наши взаимоотношения были выстроены.

Обвинения, предъявленные Ходорковскому, были, по моему глубочайшему убеждению, недоказанными, а дело изобиловало огромным количеством вопиющих и откровенных нарушений. Приведу лишь один пример, кажущийся мне характерным.

В деле был эпизод, связанный с якобы совершенным мошенничеством с пакетом акций ОАО «Апатит». Этот эпизод представляется мне показательным, поскольку по нему суд не должен был утруждать себя анализом доказательств, исследованием сложных перипетий обстоятельств, установленных следствием. Суд обязан был выполнить веление закона, прекратить дело за истечением срока давности привлечения к уголовной ответственности, так как прошло более 10 лет со времени совершения деяний, которые обвинение считало преступными. Это объясняется вовсе не гуманностью и всепрощением, а тем, что государство теряет право привлечения к уголовной ответственности людей по истечении длительного времени. Через 10 и более лет утрачивается возможность устанавливать истину. Умирают люди, теряются документы, память живых слабеет и изменяется. Меняются и обстановка, и общественное сознание. Поэтому закон императивен. Его требования не подвергались никогда и никем сомнению. Верховный суд России неукоснительно требовал его исполнения. Об этом писали все крупнейшие юристы, начиная с председателя Верховного суда. И потому у нас было полное основание потребовать исполнения закона и по настоящему делу.

Ходорковскому казалось, что согласие на прекращение дела по признаку истечения срока давности будет неправильно понято обществом, что люди будут думать, что он виноват и хочет избежать наказания, используя формальные требования закона.

Мне это казалось ошибочным. И с точки зрения юриспруденции, и с точки зрения практической, и с точки зрения справедливости. Адвокат всегда ищет любые законные возможности для облегчения участи своего подзащитного.

Конечно, прав был Михаил Борисович, что само обвинение было искусственно созданным, необоснованным. Ходорковский никогда не стремился незаконно завладеть пакетом акций «Апатита». Его действия были направлены на то, чтобы выиграть инвестиционный конкурс по продаже указанного пакета акций и получить преимущественное право на их законное возмездное приобретение (покупку), что и произошло. Указанная в договоре купли-продажи стоимость пакета акций была полностью уплачена продавцу, что делало это приобретение совершенно законным.

Все же мне удалось получить от Михаила Борисовича разрешение заявить ходатайство о прекращении дела по обвинению в мошенническом завладении 20% акций ОАО «Апатит» в связи с истечением сроков давности привлечения его к уголовной ответственности. Вот что писала защита по этому поводу в своем ходатайстве.

«В силу ч. 1 ст. 78 УК РФ лицо освобождается от уголовной ответственности, если со дня совершения тяжкого преступления истекло 10 лет.

Действия, вмененные в вину Ходорковскому М.Б. и Лебедеву П.Л., были совершены, согласно обвинению, в июле 1994 года в течение с 1 по 22 число и, таким образом, к настоящему моменту прошло более 10 лет после событий, вмененных в вину Ходорковскому и Лебедеву П.Л. Т.е. срок давности привлечения к уголовной ответственности Ходорковского М.Б. и Лебедева П.Л. по обвинению в хищении акций ОАО "Апатит" истек.

В соответствии с п. 3 ч. 1 ст. 24, п. 2 ч. 1 ст. 27 и ч. 1 ст. 254 УПК РФ суд должен прекратить уголовное дело в судебном заседании.

Единственным предусмотренным законом обязательным условием для прекращения дела по этому основанию является согласие лица на такое прекращение (ч. 2 ст. 27 УПК РФ).

В связи с изложенным, защита считает необходимым подчеркнуть, что данное ходатайство ни в коей мере, ни при каких обстоятельствах не может рассматриваться как даже косвенное признание обвиняемыми своей вины. Напротив, защита еще раз подчеркивает, что и Ходорковский М.Б., и Лебедев П.Л. не признают свою вину, и позиция защиты Ходорковского М.Б. и Лебедева П.Л. объясняется исключительно безусловным требованием закона и пониманием того, что государство в связи с истечением срока давности потеряло право на обвинение и на доказывание вины подсудимых. Возложение же обязанности доказывания своей невиновности на обвиняемых и их защиту противоречит основополагающим принципам уголовного процесса.

С учетом изложенного, возражения обвинения против прекращения дела могут объясняться только неправовыми соображениями, связанными со стремлением вопреки требованиям закона во что бы то ни стало добиться признания обвиняемых виновными. Такая позиция обвинения с несомненностью свидетельствует о предвзятом отношении к решению судьбы обвиняемых».

Ходатайство суд отклонил и продолжал исследовать доказательства по этому эпизоду, допрашивать свидетелей, оглашать документы исключительно, чтобы признать вину подсудимых, заведомо зная при этом, что это противозаконно.

В связи с этим нам пришлось оспаривать это обвинение и по существу. Очевидность отсутствия состава преступления в действиях Ходорковского не помешали суду и в этой части не согласиться с защитой. В результате, суд нагромоздил еще одно грубейшее нарушение закона на уже допущенные.

Одно из основополагающих конституционных прав гражданина, закрепленное в части первой статьи 49 Конституции РФ гласит, что вина гражданина в совершении преступления может быть установлена лишь приговором суда. Аналогичное положение содержит пункт 28 части 1 статьи 5 УПК, согласно которому решение о виновности подсудимого и назначение ему наказания (либо освобождение от такового) принимается только в приговоре.

Несмотря на эти требования закона, суд, вынужденный в итоге все же принять решение о прекращении дела по этому эпизоду, вынес определение, в котором вопреки указанному закону признал Ходорковского виновным в совершении преступления. Таким образом, надругавшись над законностью, суд потрафил обвинению, приняв судебный акт (определение суда), признающий Ходорковского и Лебедева виновными в совершении мошеннических действий и по этому эпизоду. И хотя это не приговор, влекущий за собой определенные последствия, в том числе и наказание, все же это официальное судебное постановление, которым может размахивать обвинение в подтверждение законности и обоснованности привлечения Михаила Борисовича и Платона Леонидовича к уголовной ответственности.

Такое отношение к закону Мещанский районный суд продемонстрировал и по всем остальным эпизодам обвинения.

Насколько я знаю, люди, в том числе из ближайшего окружения Ходорковского, по-разному оценили мою деятельность в его защиту. Кто-то считал, что я недостаточно высвечивал политическую составляющую дела и не слишком активно разоблачал в процессе авторов обвинения и прокуроров, другие же восторженно отозвались о моей профессиональной деятельности, о моей речи в защиту Ходорковского и о моей правовой позиции.

Надо сказать, что внутри нашей бригады адвокатов некоторые функции были разделены по двум направлениям: одно – направленное на строгую юридическую, фактологическую позицию по оспариванию доводов обвинения, другое – правозащитное, то есть делающее акцент на нарушении прав человека, на требовании объективного и непредвзятого отношения к делу.

Как я себе представлял тогда и понимаю сейчас, Ходорковскому в душе больше импонировала вторая линия защиты: ему хотелось продемонстрировать изначальную несправедливость возникновения дела. Однако он согласился со мной в том, что необходимо попытаться спокойно и разумно доказать и правовую, и фактическую несостоятельность обвинения.

К сожалению, все последующие события подтвердили, что ни та, ни другая позиция не спасли Ходорковского от неправового суда. И даже те изменения (на мой взгляд, достаточно существенные), которые были внесены в приговор при кассационном рассмотрении наших жалоб, никак не могли нас удовлетворить.

Решение кассационной инстанции еще раз продемонстрировало несправедливость и предвзятость судебной власти по этому делу. Московский городской суд, вынужденный согласиться со многими утверждениями защиты, прекратил дело по некоторым эпизодам обвинения, во много раз уменьшил объем обвинения по другим эпизодам, а наказание снизил всего лишь на один год.

Рассмотрению дела в городском суде по кассационным жалобам предшествовало вопиющее нарушение прав защиты, ярко продемонстрировавшее заинтересованность власти в сохранении приговора в части длительного лишения свободы Ходорковского и Лебедева.

Незадолго до назначения дела в кассационной инстанции я попал в больницу в состоянии, угрожающем жизни, с подозрением на онкологическое заболевание. Надо сказать, что я был единственным адвокатом, который должен был представлять интересы Ходорковского в Мосгорсуде. Между тем, прокуратура жаждала как можно скорее рассмотреть дело, не дав нам возможности использовать все законные средства защиты.

Больницу забрасывали требованиями скорейшей моей выписки. Возле больничного корпуса, где я лежал, стояла машина с длинными антеннами, у входа и по вестибюлю ходили «люди в штатском».

Особый интерес у них вызывали посещения меня коллегами – адвокатом Е.Бару (защитник Платона Лебедева) и другими.

Надо сказать, что в этом процессе со мной вместе работала моя многолетняя бесценная помощница и сподвижница адвокат Елена Левина. И ее появление привлекало самое пристальное внимание, поскольку и ее, и меня подозревали в каком-то тайном сговоре.

В результате, накануне дня рассмотрения дела меня выписали, и я вынужден был из больницы, даже не переодевшись, ехать в суд за разрешением на свидание с подзащитным, мчаться в следственный изолятор к Ходорковскому, чтобы хотя бы в оставшееся время окончательно определить нашу позицию.

Однако вопреки всем самым элементарным правам обвиняемого и его защиты, несмотря на наличие письменного разрешения суда, мне не дали встретиться с Ходорковским в следственном изоляторе. Такое случилось со мной впервые за всю мою более чем полувековую практику.

В итоге дело объемом 400 томов, рассматривавшееся судом первой инстанции почти год, кассация рассмотрела за один день, завершив рассмотрение, в нарушение закона, глубокой ночью. Обвинению надо было это сделать, поскольку, по их мнению, ровно в полночь истекал срок давности по одному из важнейших эпизодов обвинения.

На самом деле срок к этому дню уже истек, но обвинение искусственно создавало впечатление, что этого еще не произошло. Прокуратура, а вслед за ней, к сожалению, и суд никак не могли допустить прекращения дела и по этому эпизоду, поскольку это вынудило бы их еще снизить наказание Ходорковскому и Лебедеву.

После вступления приговора в законную силу Ходорковского, в нарушение всех законов и элементарной справедливости, отправили отбывать наказание так далеко, что добраться к нему можно было, только пролетев шесть часов на самолете и потом проехав пятнадцать часов на поезде. Это расстояние исключило для меня возможность видеться с ним, и я затем принимал участие только в подготовке жалобы в Европейский суд по правам человека и в надзорном обжаловании принятых судами решений.

Я не сомневаюсь, что всеми этими вопиющими несправедливостями власть сделала из Ходорковского героя успешнее, чем правозащитники и общественные движения.

На этом власть не успокоилась. И, к великому сожалению, сейчас, когда пишутся эти строки, Ходорковскому уже вынесен второй приговор.

Представление о том, что профессиональная судьба известного адвоката – это путь, полный успехов и побед, – совершенно абсурдно. Скорее уж, если обобщать, это путь неудач и поражений, и я не стыжусь это признавать. Добиться оправдательного приговора в советское время было вообще практически невозможно.

И хотя внутренне понимаешь, что не в тебе дело, а в системе, которой пытаешься противостоять, но не утешает это, а, может, еще хуже становится. И опять разочарование в самой профессии, существующей в рамках квазиправосудия. Страшно.

Проходят дни, появляется новое дело, и снова рвешься в бой. Если не я, то кто же? Нельзя сдаваться, и чем труднее – тем нужнее бороться и, вопреки всему, нередко и побеждать.

И нет большего счастья, лучшей награды, чем услышать в суде: «Освободить из-под стражи в зале суда», «оправдать». Значит, все-таки нужны мы, адвокаты, людям, значит, мы еще что-то можем. И это дает новые силы, внушает надежду.

В прошлом еще не так давно у суда фактически не было права оправдывать (хотя формально такая возможность, конечно, была). Адвокатов считали пособниками преступников – так и писали в газетах. Не было презумпции невиновности, не было понимания настоящего права на защиту ни у власти, ни у общества.

За долгие годы практики у меня было считанное количество оправдательных приговоров. У нас не оправдывали! Не зря же говорили в народе: «У нас суд – не на рассуд, а на осуд».

В годы перестройки ситуация несколько изменилась, но еще очень-очень далеко до требования подлинного правосудия в правовом обществе.

В связи с делом Ходорковского меня многие неоднократно спрашивали, не боялся ли я защищать его, не было ли на меня давления со стороны власти. А некоторые даже поражались моему мужеству – принять на себя защиту по такому делу!

Вынужден разочаровать: на меня никогда по этому делу никакого давления не оказывалось, и никакого особого мужества ни с моей стороны, ни со стороны моих коллег, участвовавших в защите Ходорковского, не потребовалось. Конечно, мы понимали, что в связи с личностью нашего подзащитного к нам привлечено особое внимание не только со стороны общественности, но и со стороны некоторых правоприменительных органов, что, несомненно, наши переговоры прослушивались и за нами тщательно следили, но мы выполняли свой профессиональный долг в меру своих возможностей и умения. И ни один из нас, я убежден, не изменил своему долгу.

Глава 23
ДЕЛА ПОЛИТИЧЕСКИЕ И НЕ ТОЛЬКО

Иногда я просто явственно слышу шепоток: «Да как же это он (в смысле – я) может согласиться защищать такого отъявленного преступника? Совести у них, у адвокатов, нет! За деньги они кого хочешь будут выгораживать!»

Такие речи (порой заглазно, а порой и прямо в лицо) я слышал на всем протяжении моей адвокатской деятельности. Например, они явственно звучали, когда я принял поручение на защиту Анатолия Ивановича Лукьянова по делу ГКЧП. И говорили мне это многие демократически настроенные интеллигенты! Дескать, как это сочетается с моим же отношением к происшедшим в августе 1991 года событиям?!

Мое отношение, надо сказать, было резко отрицательным. В дни путча я находился у своей дочери в Америке, куда мне позвонил мой коллега и соратник по Союзу адвокатов Петр Баренбойм. Он прямо спросил меня, как я отношусь к этому путчу, и, услышав вполне ожидаемый ответ, вдруг сказал: «Ну что, поедем в Воронеж?»

Честно говоря, я не сразу сообразил, о чем это он. Но уже скоро стало понятно, что он говорит о том, чтобы совершить еще один смелый и мужественный поступок, – как и тогда, когда мы почти подпольно собирали инициативную группу и создавали наш первый независимый Союз. И мы с ним написали обращение от имени Союза адвокатов СССР, где я был вице-президентом, а он – членом правления, адресовав его в международные и национальные ассоциации адвокатов. Этот небольшой текст я хочу привести здесь полностью:

«Уважаемые коллеги!

В этот трудный час чрезвычайной опасности для нашей страны и всего человечества мы, представители Союза адвокатов СССР, обращаемся к вам с призывом поднять голос протеста против незаконной попытки военно-партийной хунты захватить власть и разрушить складывающуюся демократическую конституционную систему. Ваше немедленное решительное заявление о невозможности ни сейчас и никогда в будущем признать законность захвата и нахождения этой хунты у власти может оказать влияние на решимость советских людей, глядящих на улицах наших городов в дула танков и автоматов, и дать им необходимую моральную поддержку, а также повлиять на создание более решительной позиции западных правительств перед лицом этой хунты. Мы надеемся, что все еще можно предотвратить.

Через несколько дней мы возвращаемся в Москву, так как считаем необходимым находиться в эти дни там, и, возможно, надолго потеряем возможность контактировать с вами. Поэтому мы используем эту последнюю возможность обратиться к нашим коллегами с призывом поддержать всеми необходимыми мерами борьбу против наступающей реакционной диктатуры».

* * *

Сейчас, когда известно, как быстро и бесславно закончилось дело ГКЧП, наши опасения насчет «невозможности контактировать» выглядят немного преувеличенными, но тогда опасность была реальной – и для зарождающейся демократии, и для тех, кто смел поднять голос в ее защиту. И я летел в Москву, не зная, что меня там ожидает, будучи морально готовым ко всему самому скверному, вплоть до ареста. Но, к счастью, к моему возвращению, а это было 20 августа, путчисты уже проиграли окончательно и безоговорочно.

Вскоре мне позвонила дочь А.И.Лукьянова с просьбой защищать ее отца. После личного общения с Анатолием Ивановичем я дал согласие, но и тогда заявил, и сейчас подчеркиваю, что это никак не противоречит моей оценке недавних драматических событий: я взялся защищать лично Лукьянова – как человека, несправедливо обвиняемого, но это никак не означает, что я поддерживаю его политические взгляды.

Мне тогда даже пришлось выступить по телевидению с заявлением о недопустимости обвинений в адрес Лукьянова как идеолога путча: каждый человек может иметь политические взгляды, и преследовать его за инакомыслие недопустимо.

Юридически, с точки зрения закона, судить Анатолия Ивановича было нельзя – он не совершал никакого преступления! В этом я был абсолютно убежден, равно как был абсолютно не согласен с его политическими и идеологическими взглядами. Но моя неготовность разделять убеждения моих подзащитных никак и никогда не мешала мне их защищать в суде.

Любой гражданин, именно любой, а не избранный воинствующими блюстителями нравов или либеральными пикейными жилетами, вправе защищаться от предъявленного ему обвинения и иметь профессионального защитника, долг которого состоит в том, чтобы оказывать любому (!) обратившемуся юридическую помощь в защите его интересов.

Несмотря на несходство наших с Анатолием Ивановичем политических пристрастий, я был убежден, и уверен до сего момента, что Лукьянов не был виновен в том преступлении, в котором его обвиняли, т.е. в измене Родине. Мне представляется очевидным, что ни о какой измене Родине не могло быть и речи. Он действовал в интересах Родины, но только по-иному понимая эти интересы, чем они понимались Ельциным и многими другими, более демократически настроенными людьми.

Надо сказать, что, будучи человеком осторожным и очень разумным, Лукьянов не считал возможным действовать оголтело, не имея серьезного плана и не представляя ясно цели и последствия совершаемого путча.

Поэтому он не принимал активного участия в самом путче, а лишь высказал свою идеологическую установку по поводу действия властей на тот период. Никакого преступления в этом, разумеется, не было.

В период предварительного следствия и судебного процесса Лукьянов очень тяжело болел, его помещали в стационар, и продолжение процесса грозило очень тяжкими последствиями для его здоровья. Поэтому, когда была объявлена амнистия, после долгого обсуждения мы (адвокат А.Гофштейн и я) с ним пришли к выводу о необходимости согласиться с применением амнистии для того, чтобы не рисковать его жизнью и здоровьем. Это не было даже косвенным признанием вины, а было разумным и целесообразным решением.

После освобождения по амнистии Лукьянов продолжал вести активную политическую деятельность, не раз избирался в Государственную думу, а в ней – председателем одного из ведущих комитетов.

* * *

Но были в моей практике дела, которые действительно оказывались серьезным испытанием для адвокатов, в том числе и для меня лично. Мне не раз приходилось сталкиваться с провокациями, и о двух таких случаях я хочу здесь рассказать – не для того, чтобы подчеркнуть свое мужество и верность долгу, а как иллюстрацию того, насколько вообще трудна и опасна может быть деятельность адвоката.

Я уже писал о деле, касавшемся Владимира Высоцкого, когда я защищал одного из администраторов, организовавших в Ижевске и Глазове концерты с его участием. В один из дней судебного процесса мой подзащитный Кондаков перед самым началом заседания вдруг попросил меня срочно зайти к нему в конвойную, где он содержался под стражей. Крайне взволнованный, он рассказал мне, что у него при обыске «обнаружили» письмо сокамерника, адресованное на волю, и предложили признаться в том, что он якобы хотел передать это письмо через меня. Более того: требовалось признать, что этим путем письма уже неоднократно уходили! Кондаков категорически отказался дать эти показания, но по поводу письма был составлен соответствующий акт, который, как он понял, очевидно, будут использовать против меня.

И действительно, через некоторые время в ходе судебного заседания председательствующий объявил, что ему конвоем передан акт изъятия у Кондакова вышеупомянутого письма. Также были оглашены показания сокамерника моего подзащитного о том, что он неоднократно через Кондакова и его адвоката, то есть через меня, передавал в письмах на волю очень важные сведения и инструкции подельникам.

Я прекрасно понимал, чем грозила мне эта провокация. Как минимум, я бы лишился статуса адвоката, в худшем же случае в отношении меня могли возбудить уголовное дело. Нужно было действовать решительно и смело. Я твердо и настойчиво заявил ходатайство о вызове в суд и допросе человека, написавшего такое заявление против меня. Конечно, я рисковал, но не видел другого способа разоблачить провокацию.

Суд удовлетворил мое ходатайство и дал мне возможность допросить этого человека. Видимо, страшная угроза, нависшая надо мной, чрезвычайное волнение и уверенность в своей полной непричастности к передаче каких бы то ни было писем помогли мне профессионально и удачно провести допрос. Оклеветавший меня человек вынужден был в результате признаться, что был, по сути, подсадным стукачом и действовал в тесном контакте с оперативными работниками следственного изолятора. Выяснил я и то, что он давно уже осужден и был незаконно возвращен из лагеря в следственный изолятор, где находились не осужденные, а подследственные и подсудимые. И стало очевидно, что по этой причине он не мог никому писать и давать какие-либо инструкции по своему делу, которое было давным-давно уже рассмотрено судом!

Этот человек, припертый к стенке, вынужден был, в конце концов, во всем признаться. Судья внезапно прекратил его допрос, заявив, что ему все ясно. Более суд к этому вопросу не возвращался.

Не знаю, удалось ли мне наглядно изобразить ту опасность, которая нависла надо мной, но я действительно был в тот день на волоске от краха всей моей карьеры, да и жизни.

Не менее зловеще сложилась для меня ситуация в деле, по которому я защищал своего коллегу, обвиняемого во множестве эпизодов покушения на дачу взяток. Дело рассматривалось по первой инстанции Верховным судом РСФСР и, к счастью, весьма порядочным и вдумчивым судьей, каковых – увы! – у нас в стране не так уж и много.

Одна из свидетельниц со стороны обвинения в ходе допроса внезапно заявила, что накануне вечером к ней приходил какой-то человек, который предлагал ей изменить или уточнить определенным образом свои показания. По ее описанию, этот человек был похож на меня: темноволосый, с вьющимися волосами, бородкой, среднего роста и телосложения, вполне, как она выразилась, приличного вида. В ответ на неожиданный вопрос то ли прокурора, то ли судьи, не видит ли она этого человека в зале заседания, она прямо показала на меня, сообщив суду, что я очень похож на того человека, который к ней приходил.

– Да, – вдруг уточнила она, – и ботиночки точно те же самые, я обратила на них внимание.

Для меня это прозвучало как гром среди ясного неба. Я уж не говорю, что эти показания могли быть губительны для моего подзащитного, но они и мне грозили как минимум лишением профессии.

И я бросился в атаку. Я стал уточнять, когда и во сколько точно у нее был посетитель. Она твердо сказала, что это было накануне, около семи часов вечера, и это может подтвердить ее муж. Я потребовал вызвать и допросить ее мужа.

К счастью, весь день накануне я провел на глазах у огромного количества людей и в совершенно официальной обстановке. Днем было судебное заседание, которое окончилось около шести часов вечера, а потом началось партийное собрание, в котором я не просто участвовал, но даже делал доклад в присутствии десятков людей.

Услышав это мое заявление, дама, оговорившая меня, тут же пошла на попятную: мол, она вовсе не утверждает, будто это был я, – просто человек, очень на меня похожий. Суд же предложил мне представить официальный документ о том, где и когда было партийное собрание с моим участием. Когда на следующий день такая справка была представлена в суд, инцидент, к счастью для меня и моего подзащитного, был исчерпан.

Я не оговорился: к счастью и для моего подзащитного, поскольку в результате разоблачения этой провокации и ряда других обстоятельств рассмотрение этого дела в суде закончилось полной реабилитацией моего незаслуженно обвиненного коллеги.

Исход этого процесса был чрезвычайно важен не только для самого подсудимого, но и, без преувеличения, для всей адвокатуры. Дело в том, что незадолго до описываемых событий в Москве появился ретивый следователь из Свердловска (в то время в Москве правил бывший свердловчанин Ельцин), некто Каратаев[1], который громогласно хвастался, что пересажает как минимум треть московских адвокатов. Описанный мной процесс должен был стать началом его крестового похода против московской адвокатуры. Кончился этот поход, как и почти все крестовые походы, полным крахом. И следователь был вынужден вернуться восвояси в Свердловск, а московская адвокатура успешно продолжает свою деятельность.

* * *

Встречались порой в моей практике и дела, по тем временам весьма своеобразные. Таким был, например, необычный случай, когда я отстаивал право на свободу печати, косвенно оправдывая возможность употребления некоторых слов, считающихся нецензурными. Дело это было связано с творчеством независимого журналиста Ярослава Могутина, который опубликовал в одной из газет интервью с популярным артистом Борисом Моисеевым, дословно воспроизведя в нем ненормативную лексику артиста.

Удивительным было уже то, что обвинения по статье «злостное хулиганство» (до 5 лет) были выдвинуты против журналиста и главного редактора печатного издания. Кроме того, насколько это мне известно, это вообще был первый случай в истории СССР и России, когда публикация нецензурных выражений в прессе была расценена правоохранительными органами как злостное хулиганство, ведь обычно эта статья применялась к тем, кто устно сквернословил в общественных

---

[1] Владимир Каратаев в 1985 г. руководил специально созданной следственной группой, которая должна была разоблачить преступную деятельность московских адвокатов, обвинявшихся в подстрекательстве к даче взяток либо в мошенническом завладении деньгами клиента.

местах. Да и то таких нарушителей общественного спокойствия обычно задерживают на 10 суток, а не сажают на 5 лет!

Кто в России не матерится?! Лимонов, Довлатов, Алешковский и многие другие любимые нашими современниками писатели не брезговали крепким словцом. А если вспоминать классику, то в один ряд с «нарушителями» можно поставить, наряду с Барковым, и Маяковского, и Есенина, и – подумать только! – Пушкина.

В преследовании властью Могутина можно было увидеть покушение на свободу слова. И именно в этом мне нужно было убедить суд. К счастью, после долгих мытарств мне удалось добиться прекращения дела и реабилитации обвиняемых.

Между тем, у многих эта публикация с ненормативной лексикой не вызвала восторга. Есть пуритане, которые считают, что нецензурным выражениям нет места на страницах печати. Это искренние, порядочные, приличные люди. И они наверняка скажут: «Как, Генрих Павлович! Кого вы защищаете?! Хулигана, матерщинника! Моя несовершеннолетняя дочь читает эту гадость, а Падва хочет, чтобы порнография заполнила страну! Да он такой же мерзавец, как Могутин!»

И такие обвинения мне приходилось слушать не раз.

Продолжая перечень дел, которые можно отнести к разряду известных, я бы хотел заметить, что у меня было немало процессов о защите чести и достоинства. Я одним из первых в России начал вести такие дела. Но история с наследством Шаляпина прозвучала в свое время особенно громко – главным образом интерес прессы объяснялся, конечно, замешанными в деле знаменитыми именами. Мне же особенно приятно вспоминать об этом длившемся более двух лет деле потому, что закончилось оно нашей полной и безоговорочной победой.

Моими доверителями были Павел Пашков (душеприказчик дочери Федора Шаляпина, Ирины)[1] и музей им. Глинки, которые обратились в суд с иском о защите чести и достоинства и деловой репутации к автору Александру Арцибашеву и газете «Рабочая трибуна».

Суть конфликта была в следующем: в одной из своих статей в этой газете Арцибашев написал, что Федор Шаляпин оставил своей дочери Ирине большое наследство в виде драгоценностей, картин, старинных икон. В свою очередь Ирина Шаляпина распорядилась после ее смерти передать унаследованные от отца ценности указанным ею в завещании родственникам, музеям и школам.

Однако, по версии господина Арцибашева, часть коллекции Шаляпина исчезла. Фактически из этого следовал вывод, что Пашков нечестно распорядился наследством Шаляпина. Падала тень и на московский музей им. Глинки, где хранилась основная часть шаляпинского наследия.

Для того чтобы грамотно представлять интересы моих доверителей, мне пришлось узнать мельчайшие подробности жизни семьи самого Шаляпина, брака его дочери Ирины с отцом Павла Пашкова, детали завещания знаменитого певца. Мне даже пришлось доказывать суду, что Пашков-старший действительно был мужем Ирины Федоровны, ведь свидетельство о браке было утеряно!

Мне удалось убедить суд, что мой доверитель точно выполнил завещание Ирины Шаляпиной. Мало того, что прокуратура, которая провела целых три провер-

---

[1] Шаляпина-Бакшеева Ирина Федоровна (1900–1988) – драматическая актриса, одна из основательниц Маленькой студии имени Ф.И.Шаляпина. Очень много делала для сохранения наследия своего отца и пропаганды его творчества. Она была замужем за Павлом Павловичем Пашковым, талантливым графиком и живописцем, из старинного дворянского рода, владевшего знаменитым «Домом Пашкова».

ки по статьям Арцибашева, нашла лишь одно несуще-ственное нарушение завещания, так и родственники Шаляпина остались вполне довольны Пашковым как душеприказчиком Ирины и даже благодарили моего доверителя за многолетние труды по хранению наслед-ства великого певца.

Для подтверждения правоты моего доверителя нам пришлось разыскивать некую серебряную кружку Ша-ляпина, которой не оказалось, к радости наших обви-нителей, в музее им. Глинки, где она по документам должна была быть. Ответчики и наши обвинители ра-достно потирали руки: «Украли?!» Однако же мы и ее разыскали. В конце концов суду были представлены до-казательства того, что кружка не потеряна и не украде-на, а находится в музее музыкальной культуры, только не Москвы, а Санкт-Петербурга.

В итоге справедливость восторжествовала, и суд обя-зал ответчиков не только опубликовать опровержение той клеветнической статьи, но и выплатить Пашкову за моральный ущерб 1 миллион рублей, которые Павел Павлович так и не удосужился получить.

Каждое из упомянутых дел было по-своему неповто-римо интересно и значительно. За каждым были судьбы живых людей. И я не мог не сопереживать, не страдать при неудачах и не радоваться при счастливом оконча-нии дела. Но, конечно же, невозможно было жить толь-ко судьбами других людей, их горестями и радостями, их трудностями и трагедиями – у меня была и своя лич-ная жизнь.

Глава 24
НЕ РАБОТОЙ ЕДИНОЙ ЖИВ АДВОКАТ

Вскоре после возвращения из Твери в Москву я увлекся авторалли. В экипаже вместе с Сашей Длуги я участвовал в соревнованиях, и должен признаться, что ничего более азартного в своей жизни я не испытывал.

Те ралли, в которых я участвовал, были любительскими соревнованиями. Участники стартовали не одновременно, а каждые две минуты. Каждый экипаж получал легенду, где значками и цифрами обозначался маршрут. Так, например, после старта значилась цифра 1,5 км и значок левого поворота, затем – 835 м и правый поворот. И так далее. Эти цифры показывали, через какое расстояние мы должны были делать соответствующий маневр.

Казалось бы, что тут сложного? Но если учесть, что расстояние мы определяли по спидометру, который не отмечал такие маленькие промежутки, как 5–10–15 метров, задача была весьма непростой.

Например, в легенде было написано, что через, скажем, упомянутые 835 метров нужно делать поворот направо. Но через 835 метров оказывалось рядом два разных поворота направо на расстоянии в несколько метров – какой из них выбрать? Если ошибешься, то тратишь время. А опоздание, как, впрочем, и преждевременное появление на контрольном пункте, штрафовалось по количеству секунд опоздания или опережения. Поэтому если обнаруживалось, что повернули мы не там, где надо, то приходилось возвращаться, начинать двигаться по правильному маршруту и как-то компенсировать скоростью зря потраченное время.

Встречались и другие неожиданные трудности. Я помню, например, как, двигаясь проселочной дорогой по правильному маршруту, мы уперлись в похоронную процессию, обогнать которую не было никакой возможности. А похороны, естественно, с оркестром и пешим ходом двигались чрезвычайно медленно. Проклиная все на свете, мы покорно тащились за ними, а едва печальная процессия свернула в сторону на кладбище, понеслись вперед к контрольному пункту.

На маршруте устраивались и дополнительные соревнования, порой довольно смешные. Например, однажды водитель с завязанными глазами должен был, слушая команды штурмана, провести машину по обозначенному прутиками участку пути. Затем он должен был задом въехать в условный гараж, тоже обозначенный прутиками, выехать из него и подъехать к назначенному месту. Каждая секунда промедления была штрафной, а сбитый прутик стоил уже многих штрафных очков.

Когда мне завязали глаза, сверху надели еще темную маску, без прорезей для глаз, и я услыхал команду «Вперед!», то в первое мгновение не мог решиться двинуться с места – хотя и понимал, что нужно выполнить задание максимально быстро. Преодолев нерешительность, я сорвался с места и, как выяснилось, довольно успешно, но не очень быстро преодолел все препятствия.

Очень трудным оказалось такое, на первый взгляд немудреное, задание, как идти с заранее определенной средней скоростью – скажем, 46 км в час. Скорость определялась не по спидометру, а рассчитывалась по специальной таблице. Так, когда мы трогались с места, скорость была нулевая. Из таблицы же, находившейся у штурмана, было видно, какое расстояние мы должны проходить в данный конкретный момент при заданной средней скорости. И вот я помню, что как только мы, наконец, набрали эту среднюю скорость (для этого нужно было от нулевой перейти к более высокой, чем 46 км, и только потом выровнять ее до средней – не все так просто!), как вдруг подъехали к железнодорожному переезду с закрытым шлагбаумом.

Мы стояли на месте, а штурман методично произносил цифры, обозначающие несоответствие преодоленного расстояния времени нахождения в пути. Трудно передать то волнение и нетерпение, которое мы испытывали, ожидая открытия шлагбаума. Едва он медленно поднялся перед нами, мы понеслись что есть духу, чтобы снова набрать нужную нам среднюю скорость. Помнится, что тогда нам это в конце концов удалось, и мы оказались в тройке призеров по этому дополнительному виду соревнований.

В самом первом соревновании, где я участвовал, завершающим дополнительным заданием было фигурное вождение. К этому этапу мы добрались вторыми и уже предвкушали пьедестал, однако это испытание безнадежно провалили. В итоге мы заняли 15-е место из 37, что, может быть, было не так уж плохо для новичков. Однако мечталось нам оказаться на пьедестале, и горю нашему не было предела.

К сожалению, эти любительские соревнования устраивали на личных автомобилях участников, машины терпели от бездорожья и всех тех испытаний, которым их подвергали. Резина снашивалась почти на нет за одно соревнование! А тогда все, что касалось автомобилей, было и дорого, и в дефиците, так что я вынужден был прекратить участие в авторалли, хотя наслаждение испытывал огромное.

Курил я очень много и очень долгое время. Бросил же в одночасье, без подготовки, резко и бесповоротно.

Случилось это, когда в Москве исчезли все маломальски приличные сигареты. Просыпаюсь утром – нет сигарет. «Бычка» не нашлось даже в мусорном ведре! Курить хочется страстно, как и любому курильщику по утрам. Я выскочил на улицу, побежал по Сретенке, где было тогда множество табачных магазинчиков, – нету сигарет. Возвращаюсь домой с намерением сесть в машину и ехать на поиски, но вдруг останавливаю сам себя: мало тебе, что ты рылся в мусоре, ты должен еще ездить по Москве искать эту отраву?! Довольно! Ты больше не куришь.

Сказав это себе, я вдруг понял, какое это ужасное решение. Курить-то хочется! Снова иду в прихожую, натягиваю пиджак – и вот тут меня заело: что я, не мужик, что ли?! Я же решил бросить!

Это была серьезная внутренняя борьба. Я весь день провел, раздираемый двумя противоположными чувствами: гордостью за свое мужественное решение и проклятиями за то, что устроил себе такую экзекуцию.

А вечером этого дня, уж так совпало, мы должны были небольшой делегацией из четырех человек отправиться в Польшу по приглашению польских адвокатов. И вот почти перед самым моим отъездом приходит ко мне дочь, которая тогда жила уже отдельно, и приносит несколько пачек сигарет, да еще каких – Marlboro! Представляете, какое это было сокровище для курильщика, живущего в стране, где самыми лучшими сигаретами были болгарские «ВТ»?! У меня началось слюноотделение, но я сказал:

– Ира, я сегодня бросил курить.

Дочь, которая сама курила, тут же радостно забрала сигареты назад, мол, ну и отлично, мне больше достанется.

Но и на этом мои мучения не кончились. Ирка ушла и унесла Marlboro. Я еду на вокзал, встречаюсь там со своими коллегами, мы занимаем наши места и, как положено, собираемся в одном купе за столиком: бутылочка, закуска, задушевные разговоры... Все при этом некурящие – к счастью для меня. И вдруг одна дама из нашей компании спохватывается:

– Да, Генрих Павлович, чуть не забыла: мне перед самым отъездом клиентка принесла блок Multifilter. Я вспомнила, что вы-то курите, вот и взяла для вас.

Вы понимаете, что со мной стало?! Но я выдержал и это. И все: ни разу в жизни я больше не сделал ни одной затяжки.

А вот свою первую сигарету я совсем не помню. Отец был страстный курильщик, прикуривал буквально одну сигарету от другой, и у нас дома всегда были и «Герцеговина Флор», и табак (иногда отец курил и трубку). Понятно, что в классе десятом я начал подворовывать из этих запасов и курить. А окончив школу и поступив в институт, я закурил уже легально и курил лет сорок.

Я всегда был не против выпить. В компании друзей и родных мы выпивали нередко: по праздникам, с мороза, просто при встречах. Однако это никогда не становилось проблемой ни для меня лично, ни для кого-то из моих близких. Только после смерти моей первой жены я стал крепко выпивать. Это продолжалось до тех пор, пока дочь Ира и сестра Алла не устроили мне выволочку.

Однажды, перед самым началом перестройки, когда иметь заграничных родственников уже не считалось государственным преступлением, я сначала от коллег по работе, а потом и от дочери узнал, что меня разыскивает некая француженка по фамилии Падова, которая полагает, что она наша родственница. Ирина с ней встретилась. Потенциальная родственница, Тина Падова, оказалась молодой женщиной, примерно Иришкиного возраста, которая рассказала, что она живет в Париже, в школе изучала русский и в Москву приехала в институт для усовершенствования языка.

В ее семье всегда знали, что в Москве живет некто Павел Падва, которого они полагали своим родственником, но до определенного момента французская родня не рисковала его разыскивать, так как в условиях «железного занавеса» для него это могло быть чревато последствиями. Кроме имени, да еще того, что у Павла, кажется, был сын, им больше ничего не было известно о нашей семье. Но, по счастливому стечению обстоятельств, по приезде в Москву Тина оказалась в гостях у журналиста и писателя Александра Кабакова. Именно к нему она обратилась за советом, как разыскать родственника. Меня Саша прекрасно знал, его очаровательная дочка работала со мной. Так Тина получила мои координаты.

Моя четвероюродная племянница – доброжелательная, открытая, непосредственная Тина чрезвычайно понравилась моей дочери и вскоре стала бывать у нас дома. Мы подружились и часто встречались все время, пока она училась в Москве. Перебрав всех родственников, общих предков мы нашли, и никаких сомнений в родстве у нас не осталось.

Впоследствии мы бывали во Франции и гостили у наших неожиданно обретенных родственников, а они приезжали в Москву. Однажды, гуляя с Тиной по Парижу, мы набрели на ресторанчик с названием «Падова».

Семейство Падова оказалось очень большим, моя дочь дружит с ними по сей день. Одна из сестер Тины замужем за французским фермером, он разводит овец, у него свое хозяйство – из овечьего молока он делает изумительно вкусные сыры. Ирка ездила на ферму, фотографировала, даже опубликовала где-то репортаж об этой поездке.

В начале 1990 года моя дочь заразилась идеей отъезда из России. Она не хотела, чтобы моя внучка Аля, которой исполнялось семь лет, поступала в советскую школу. Ира вместе с дочерью уехала в Париж, где ее приютили наши родственники. Алька стала ходить в местную школу.

Со времен прочтения книжки Корнея Чуковского «От двух до пяти» я усвоил, что дети в раннем возрасте – языковые гении. Я смог в этом убедиться, наблюдая за своей внучкой в Париже. Алька к моменту отъезда из России не знала и не слышала ни одного французского слова. Вскоре после переезда Иры с Алькой в Париж я приехал их навестить, и мы гуляли с внучкой в каком-то садике, на детской площадке, где оказалась ее сверстница-француженка. Дети вскоре стали вместе играть, лазить по каким-то горкам-лестницам, при этом оживленно болтая – Алька на чистом русском, а другая девочка – на французском языке. Языкового барьера они явно не ощущали.

Когда я приехал в Париж снова, месяца через полтора-два, Алька уже заговорила по-французски и в школе уже могла заниматься на французском языке. Я помню, мы ехали в машине с одним коренным парижанином, которого я знал еще по его журналистской работе в Москве, и внучка говорила с ним на его родном языке, что он мне и подтвердил: девочка говорит на чистейшем французском!

Прожив в Париже около полугода, Ира с Алькой ненадолго приехали в Москву, рассчитывая снова вернуться во Францию. Но в аэропорту у дочери украли сумочку со всеми документами, в том числе пропал и паспорт с французскими визами.

Восстановить документы и получить новые визы было бесконечно трудно. Тогда Ирка решила уехать в Америку – уже не только с дочкой, но и с мужем: в Штатах Игорь Ковалев, ее муж, выдающийся режиссер-мультипликатор, мог получить работу.

В начале августа 1991 года дочь с семьей вылетели в Лос-Анджелес, и я, взяв отпуск, поехал вместе с ними.

Меня раздирали противоречивые чувства. С одной стороны, расставаться надолго, а может быть, и навсегда, с дочкой и внучкой было невообразимо тяжело, и примириться с этим я не мог. С другой – я не считал себя вправе из эгоистических соображений препятствовать им в осуществлении их решения. Я знал много историй, когда родители мешали отъезду своих детей. Порой это были чудовищные «разборки» между отцами и детьми – с судебными рассмотрениями, скандалами и разрывом отношений. Я сопереживал родителям, но не разделял их позиции, был убежден, что старшие не вправе мешать детям выбирать свой путь в жизни.

В Лос-Анджелесе я пробыл меньше месяца (выше я уже писал, при каких обстоятельствах мне пришлось возвращаться в Москву в августе 91-го). Дети устроились, сняли квартиру, Игорь начал работать, Алька пошла в школу – начался новый этап в их жизни.

Не сразу, но началась новая жизнь и у меня.

Вернувшись в Москву, я обрел немало новых друзей среди коллег-адвокатов и творческой интеллигенции.

Я многие годы поддерживал дружеские отношения с многострадальной и необыкновенно талантливой актрисой Таней Лавровой.

Совершенно случайно, оказавшись одновременно в больнице, мы познакомились с Игорем Квашой, ведущим артистом театра «Современник», в последнее время особенно популярным в связи с прекрасной передачей Первого канала «Жди меня», которую он ведет. Я очень полюбил этого человека, честного и талантливого.

Моими друзьями стали некоторые мои бывшие ученики – адвокаты: Александр Гофштейн (сын Михаила Гофштейна), Элеонора и Владимир Сергеевы. Среди коллег я тесно сошелся с уже упомянутым Марком Коганом, Александром Аснисом, Аллочкой Живиной, Леной

Левиной и многими другими. Работать вместе с ними чрезвычайно комфортно, тем более что среди них работают многие мои бывшие ученики, ставшие ныне адвокатами: Ирина Черноусова, Таня Ножкина, Аня Иванова. Быть может, о каждом из них я сумею подробнее написать во второй своей книжке, которую надеюсь начать и закончить вскоре после издания этого труда. А в этой книжке я не ставил себе задачи создавать галерею портретов, перечислять и описывать всех людей, которых я встретил на своем жизненном пути.

Поэтому ограничусь упоминанием еще только Генри Резника, так как судьба связала наши два имени и последние годы нас неизбежно путают: меня называют Генри Марковичем, а его Генрихом Павловичем. Доходит нередко до самых смешных ситуаций, когда, скажем, он выступает по телевизору, а бегущая строка сообщает, что выступает Генрих Падва – или, наоборот, показывают меня, называя Генри Резником.

Мы потешаемся над этой ситуацией. Один из таких моментов запечатлен на фотографиях.

Но после смерти моей первой жены, Али, очень долго в душе была зияющая пустота. Я почти физически ощущал дыру внутри себя, которую настоятельно, хоть и почти неосознанно, хотелось заткнуть, потому что не только счастье было невозможно, но и невозможно было просто ощутить полноту жизни, обыкновенный покой...

Я какое-то время прямо-таки кидался на женщин в тщетной надежде вновь полюбить, вновь ощутить прежнее головокружение и радость бытия именно в связи с любимой женщиной. Видимо, мои отчаянные попытки были заметны не мне одному. В какой-то момент мне моя кузина Алла чуть ли не с досадой сказала:

– Ну что ж ты, не понимаешь, что нельзя дважды войти в одну и ту же реку?! Ищи каких-то новых, других взаимоотношений, которые тоже наполнили бы тебя – но без прежних восторгов.

Легко было давать такие советы, но как же трудно было им следовать! И я продолжал пытаться строить новые отношения в надежде построить прежние.

Так продолжалось долгие годы. У меня были более или менее длительные романы, связи, которые не приводили к браку – по разным вроде бы причинам, но в основе каждой все равно лежало отсутствие той любви, которую я пытался повторить в своей жизни.

Однако постепенно все же я, видимо, созревал для каких-то других отношений. Как когда-то, перед встречей с моей первой женой, созрела в душе потребность любви еще до появления самого объекта этой любви, так и теперь возникло ощущение возможности новых отношений – может быть, менее романтичных, но серьезных и искренних. И, как и тогда, это ощущение пришло до самой встречи.

Однажды моя коллега Алиса Турова (в девичестве Тилле, которую я уже упоминал в этой книге) попросила меня съездить в картинную галерею, у хозяйки которой возникли проблемы с налогами. Я поехал туда без особой охоты, утешаясь, впрочем, возможностью заодно посмотреть картины. В галерее меня принимали две молоденькие девушки, которые сначала рассказали мне о происшествии с налоговым инспектором, а потом показали картины.

Галерея оказалась приятной, ее работники – милые девушки-искусствоведки – были симпатичные. Разговорившись о живописи, я похвастался своим знакомством с Наташей Нестеровой и коллекцией ее картин[1] – я был давнишним поклонником этой художницы, одним из первых, если не первым, собирателей ее работ.

---

[1] Нестерова Наталья Игоревна (р. 1944) – одна из самых известных русских современных художников, заслуженный художник России, действительный член Российской академии художеств, обладатель серебряной медали РАХ, лауреат государственных премий, профессор живописи Российской академии театрального искусства.

Девушки выразили горячее желание посмотреть эти работы. Не знаю уж, что больше их интересовало – работы Нестеровой или мой дом, но договорились о встрече, они пришли, и мы провели чудесный вечер. Одну из девушек звали Оксана. Глаза Оксаны блестели, она была красива, обаятельна, весела, восторженна, призналась, что несколько лет тому назад впервые увидела мою фотографию в журнале «Домовой» и она произвела на нее огромное впечатление. Я был покорен. Возникло ощущение, может быть, впервые за многие годы, что я встретил родственную душу.

Скоро был День Святого Валентина... Я пригласил Оксану отметить его, и с этого дня мы исчисляем начало нашей совместной жизни.

Моя жизнь с Оксаной и со многими новыми друзьями еще не прожита. О ней я не могу вспоминать. Я еще должен ее до конца прожить.

Я – совершенно бесплановый человек. Более того – ненавижу планировать, потому что убедился: ничего из того, что я в своей жизни планировал, у меня не получалось.

А вот по вдохновению – другое дело!

Эта книга родилась у меня тоже по вдохновению, а вот по плану никак не давалась.

Хочу признаться, что в прошлом я не раз пытался что-нибудь написать. В свое время написал рассказик и отдал его прочесть моему другу Володе Гельману. Врач-патологоанатом, который чем-то всегда напоминал мне доктора Вернера из лермонтовского «Героя нашего времени», обладал хорошим вкусом, чувством юмора и хорошо ко мне относился. Он мне сказал:

– Ну, что тебе сказать? Чехов писал лучше. Этот рассказ а ля Чехов, но значительно хуже.

Такая его оценка надолго отбила у меня охоту писать, тем более что я внутренне был с ней согласен.

Лев Толстой говорил, что писать можно только тогда, когда не можешь не писать. Если бы об этом помнили многие наши писатели... Впрочем, не о них сейчас речь.

Так вот я, точно по Толстому, очень долго мог не писать – и не писал. Но так как мысленно я часто представлял себе создание своей книги воспоминаний и размышлений, то со временем я оказался в плену, в паутине разрозненных, фрагментарных событий былого и, наконец, почувствовал потребность привести весь этот рой образов прошлого в единую композицию.

Книга эта, как и я сам, – беспорядочная. В ней нет ни строгой хронологической последовательности, ни жесткой структуры. На ее страницы выплеснулось многое из того, что хранилось в памяти: запахи родного дома, вкус маминых котлет, воспоминания о детских шалостях и серьезных обидах.

Я вспоминаю здесь и своих родных, и людей вроде бы случайных, но вот ведь оставивших почему-то и зачем-то след в моей памяти! И конечно же, я пишу в ней о бесконечно любимых мною женщинах.

Мне нечего скрывать в своей жизни: в ней было много красивого, счастливого, горького, трудного. Я уже хотел было написать, что в ней не было ничего постыдного, но... коль скоро я обещал говорить правду, то написать так не решился. Думаю, мало найдется людей, которые наедине со своей совестью не устыдились бы какого-либо поступка в прошлом. Что ж, и я не святой.

Я – человек, и ничто человеческое мне не чуждо. А у человека есть и слабости, и недостатки, и просчеты. Не все эти свои черты и события своей жизни я описал здесь – не догола же раздеваться на страницах своих воспоминаний. Однако все, что я здесь написал, – не выдумка.

На этих страницах я старался быть искренним и правдивым. Мне кажется, что хотя бы это мне удалось.

Литературно-художественное издание

ПАДВА
Генрих Павлович
*От сумы
и от
тюрьмы...*
ЗАПИСКИ АДВОКАТА

Литературный редактор
Н.Б.Мордвинцева
Выпускающий редактор
Д.В.Савиных
Художественный редактор
Т.Н.Костерина
Технолог
С.С.Басипова
Оператор компьютерной верстки
Ю.С.Симонова
Оператор компьютерной верстки переплета
Е.В.Мелентьева
Корректор
Г.В.Заславская

Подписано в печать 15.02.2016
Формат 60x90/16. Тираж 1000 экз.
Заказ № 1270.

ЗАО «ПРОЗАиК»
107078, г. Москва, ул. Новорязанская, д. 8А, стр. 3
Телефон: (495) 795-01-46
Электронная почта:
prozaic@prozaic.ru

По вопросам реализации обращаться:
Книжный Клуб 36.6
105082, г. Москва, ул. Бакунинская, д. 71, стр. 10
Телефон: (495) 926-45-44
Электронная почта: club366@club366.ru
Информация в Интернете: www.club366.ru

Отпечатано с готовых файлов заказчика
в АО «Первая Образцовая типография»,
филиал «Ульяновский Дом печати»
432980 г. Ульяновск, ул. Гончарова, д. 14